NORA ROBERTS

Magia
i miłość

Przełożyła
Xenia Wiśniewska

Prószyński i S-ka

Tytuł oryginału
MORRIGAN'S CROSS

Projekt okładki
Elżbieta Chojna

Redakcja
Ewa Witan

Redakcja techniczna
Anna Troszczyńska

Korekta
Grażyna Nawrocka

Łamanie
Ewa Wójcik
Aneta Osipiak

ISBN 978-83-7469-467-4

Wydawca
Prószyński i S-ka SA
02-651 Warszawa, ul. Garażowa 7
www.proszynski.pl

Druk i oprawa
Drukarnia Naukowo-Techniczna
Oddział Polskiej Agencji Prasowej SA
03-828 Warszawa, ul. Mińska 65

Magia
i miłość

Tej samej autorki polecamy:

Klucz światła
Klucz wiedzy
Klucz odwagi
Skarby przeszłości
Błękitna dalia
Czarna róża
Szczypta magii
Szkarłatna lilia
Dotyk śmierci
Kwiat Nieśmiertelności
Sława i śmierć
Rozłączy ich śmierć

Tylko odważni zasługują na ucztę
Dryden, „Alexander's Feast"

Kończ już, królowo, zgasł słoneczny dzień,
schodzimy w ciemność

Szekspir, „Antoniusz i Kleopatra" akt 5 sc. II
tłum. Bohdan Drozdowski

*Dla moich braci
Jima, Buza, Dona i Billa*

Prolog

*T*o deszcz przywiódł mu na myśl tę opowieść. Ulewa smagała szyby, bębni-
ła o dach i dmuchała zimnym oddechem pod drzwiami.

Kości bolały go od wilgoci, nawet gdy usiadł przy kominku. W długie,
deszczowe, jesienne noce wiek dawał mu się we znaki – a wiedział, że będzie
jeszcze gorzej, gdy przyjdzie zima.

Dzieci siedziały skulone na podłodze i na krzesłach, pełne oczekiwania
buzie zwróciły w jego stronę, bo obiecał im opowieść, która przegna nudę
deszczowego dnia.

Nie zamierzał opowiadać im akurat tej historii – niektóre były jeszcze
bardzo małe – a opowieść nie przypominała słodkiej bajki. Ale wiatr szeptał
mu do ucha, podsuwał słowa, które miał wypowiedzieć.

Nawet bajarz – a może zwłaszcza on – powinien umieć słuchać.

– Znam pewną opowieść... – zaczął, a dzieci wbiły w niego pełen oczekiwania wzrok. – Opowieść o odwadze i tchórzostwie, o krwi, śmierci i życiu.
O miłości i stracie.

– Czy są w niej potwory? – zapytała jedna z młodszych dziewczynek, a jej
niebieskie oczy rozbłysły.

– Potwory są wszędzie – odpowiedział starzec. – Tak jak wszędzie są mężczyźni, którzy się do nich przyłączą, i tacy, którzy będą z nimi walczyć.

– I kobiety! – zawołała starsza dziewczynka, wywołując uśmiech na twarzy gawędziarza.

– I kobiety. Ludzie odważni i uczciwi, przebiegli i bezwzględni. Kiedyś
znałem ich wielu. Historia, którą wam opowiem, jest bardzo stara. Ma wiele
początków, lecz tylko jeden koniec.

Wiatr wył nieprzerwanie. Starzec napił się herbaty, żeby zwilżyć gardło.
Drewno w kominku zatrzeszczało, rzucając światło na twarz mężczyzny, która wyglądała jak skąpana w pozłacanej krwi.

– Oto jeden z początków. U schyłku lata, wśród błyskawic przecinających
czarne niebo, na wysokim klifie stał czarnoksiężnik i patrzył na szalejące
morze.

1

W jego sercu szalała burza, równie ponura i gwałtowna jak ta, która przetaczała się nad morzem. Smagała tkanki i krew, tak jak ulewa smagała powietrze, walka toczyła się na zewnątrz i wewnątrz, gdy tak stał na śliskiej od deszczu skale. Wewnętrzna burza nosiła imię: rozpacz.

Żal odbijał się w jego oczach, wyrazistych i niebieskich jak błyskawice rozświetlające niebo, a zrodzony ze smutku gniew skapywał z czubków palców i rozrywał powietrze krwawoczerwonymi grzmotami, które rozbrzmiewały echem tysięcznych wystrzałów.

Uniósł wysoko swoją laskę i wykrzyczał słowa zaklęcia. Czerwone pioruny jego wściekłości i stalowe błyskawice burzy zwarły się w walce, na widok której kto żyw chronił się do domu lub jaskini, ryglował okna i drzwi i zwoływał przerażone dzieci, by modliły się do bogów o łaskę.

Nawet wróżki drżały w swoich zamkach.

Skała zadygotała, woda w morzu stała się czarna jak wrota piekła, a on wciąż szalał z wściekłości i żalu. Z rozdartego nieba lał się deszcz barwy krwi, krople skwierczały na ziemi i na morzu, aż w powietrze unosił się dym.

Po wieki wieków ta noc będzie nazywana Nocą Smutku, a ci, co odważą się o niej mówić, opowiadać będą o czarnoksiężniku, który stał wyprostowany na wysokiej skale. Jego płaszcz ociekał krwawym deszczem, spływającym kroplami po twarzy czarodzieja jak łzy śmierci, gdy ten wyzywał na pojedynek niebo i piekło.

Na imię miał Hoyt, wywodził się z rodu Mac Cionaoith, który podobno pochodził od Morrigan, bogini i królowej wróżek. Miał wielką moc, ale wciąż młodą, jak młody był jego wiek. Władał nią teraz z pasją, która nie pozostawiała miejsca na ostrożność, poczucie obowiązku, światło.

Wśród rozszalałej burzy wzywał śmierć.

Wiatr zagwizdał przeraźliwie i czarnoksiężnik obrócił się plecami do rozszalałego morza. Ta, którą wzywał, stała na wysokiej skale i uśmiechała się do niego; kobieta o oszałamiającej urodzie, lodowatej jak śnieg. Oczy miała nieskazitelnie niebieskie, usta delikatne jak płatki róż, mlecznobiałą skórę. Gdy się odzywała, jej głos przypominał muzykę, a ów syreni śpiew przywiódł do zguby już niezliczoną ilość mężczyzn.

– Miałeś czelność mnie wzywać. Nie możesz doczekać się mojego pocałunku, Hoycie Mac Cionaoith?

– To ty zabiłaś mojego brata?

– Śmierć jest... – Nie bacząc na deszcz, zsunęła kaptur. – To skomplikowana sprawa. Jesteś zbyt młody, żeby zrozumieć jej piękno. Ofiarowałam mu dar. Cenny i potężny.

– Dałaś mu przekleństwo.

– Och. – Machnęła dłonią. – Niewielka cena za życie wieczne. Teraz świat należy do niego, może wziąć wszystko, czego zapragnie. Wie więcej, niż ty kiedykolwiek mógłbyś zamarzyć. Teraz należy do mnie bardziej, niż kiedykolwiek należał do ciebie.

– Demonie, masz jego krew na rękach i, na boginię, zniszczę cię.

Roześmiała się wesoło jak dziecko, któremu obiecano niespodziankę.

– Na moich dłoniach, w mojej krwi. Tak jak moja jest w jego. Teraz jest taki jak ja, dziecko nocy i cienia. Czy będziesz chciał zniszczyć także swojego brata? Własnego bliźniaka?

Gdy ruszyła do przodu, pełzająca po ziemi mgła otuliła jej stopy niczym jedwab.

– Czuję twoją moc, żałobę i podziw. W tej chwili, w tym miejscu, ofiarowuję ci mój dar. Jeszcze raz uczynię cię jego bliźniakiem, Hoycie Mac Cionaoith. Dam ci śmierć, która jest nieskończonym życiem.

Opuścił laskę i popatrzył na kobietę przez zasłonę deszczu.

– Powiedz, jak masz na imię.

Sunęła teraz nad mgłą, poły jej czerwonego płaszcza powiewały z tyłu. Widział krągłe wzgórki białych piersi, wyłaniające się z ciasno zawiązanego stanika sukni i mimo woli czuł podniecenie.

– Mam ich tak wiele – odrzekła, dotykając jego ramienia koniuszkiem palca. Jakim cudem znalazła się tak blisko? – Chcesz wypowiedzieć moje imię, gdy się połączymy? Poczuć je na swoich ustach, kiedy ja będę smakowała ciebie?

Gardło miał wyschnięte, płonące. Jej oczy, uwodzicielskie i błękitne, kusiły go, wciągały w otchłań.

– Tak. Chcę wiedzieć to, co mój brat.

Znowu się roześmiała, ale tym razem bardziej chrapliwie. Na jej twarzy malował się zwierzęcy głód, a błękitne oczy nabiegły krwią.

– Zazdrosny?

Musnęła jego wargi lodowatymi ustami w kuszącym pocałunku, a serce Hoyta zaczęło walić szybko i mocno.

– Chcę widzieć to, co widzi mój brat.

Położył dłoń na pięknej, białej piersi kobiety i nie wyczuł pod skórą bicia serca.

– Powiedz mi swoje imię.

Uśmiechnęła się, a w czerni nocy zabłysły białe kły.

– Zabiera cię Lilith. Lilith cię stworzy. Moc twojej krwi zmiesza się z moją i będziemy władać tym światem i wszystkimi innymi.

Odrzuciła głowę do tyłu gotowa do ataku. Z siłą całego swego żalu i wściekłości Hoyt wbił jej laskę w serce.

Głośny skowyt przeciął noc i stopił się z hukiem burzy. To nie był ludzki krzyk ani nawet wycie bestii. Wydał go demon, który odebrał mu brata i ukrywał diabelską naturę pod płaszczem zimnego piękna. I który krwawił, choć nie biło w nim serce.

Lilith, skrzecząc, uleciała z powrotem w powietrze. Słowa, które musiał wypowiedzieć, uwięzły mu w gardle, gdy patrzył przerażony, jak wije się nad nim, a krew z rany na piersi zamienia się w ohydną mgłę.

– Jak śmiałeś! – ryknęła z wściekłością i bólem. – Jak śmiałeś wykorzystać przeciwko mnie swoje żałosne czary?! Chodzę po tej ziemi od tysiąca lat! – Przesunęła palcami po krwawej ranie i machnęła dłonią w powietrzu, a gdy krople upadły na ramię Hoyta, przecięły mu skórę jak nóż.

– Lilith! Jesteś wyklęta! Zostałaś pokonana! Przez moją krew. – Wyciągnął miecz i przeciął sobie skórę na dłoni. – Na krew bogów, która we mnie płynie, na siłę mego pochodzenia, każę ci wracać...

To, co spadło na niego, zdawało się unosić nad ziemią i uderzyło z niebywałą siłą. Złączeni sturlali się z klifu na poszarpany występ skalny. Przez fale bólu i strachu dostrzegł twarz przeciwnika, odbicie swej własnej. Twarz, która kiedyś była obliczem jego brata.

Hoyt czuł od niego zapach śmierci, a w czerwonych oczach widział potwora, którym tamten się stał. Jednak mała iskierka nadziei zabłysła w jego sercu.

– Cian, pomóż mi ją powstrzymać. Wciąż mamy szansę.

– Czujesz, jaki jestem silny? – Cian objął palcami gardło Hoyta i ścisnął. – To dopiero początek. Teraz mam przed sobą wieczność. – Pochylił się i niemal czule zlizał krew z twarzy brata. – Ona chce cię mieć tylko dla siebie, ale ja jestem głodny. Taki głodny! W końcu twoja krew należy też do mnie.

Gdy Cian obnażył kły i przycisnął je do gardła brata, Hoyt wbił w niego miecz.

Cian zawył i odskoczył do tyłu. Na jego twarzy malowały się szok i strach. Przyłożył dłoń do rany i upadł. Przez chwilę Hoyt myślał, że widzi swojego brata, prawdziwego brata, ale potem zasłona deszczu przysłoniła wszystko.

Wspinał się i wspinał po klifie. Szukał oparcia dla dłoni, śliskich od krwi, potu i deszczu. Błyskawice oświetlały mu ściągniętą z bólu twarz, gdy pełzł w górę po skałach, rozrywając palce na kamieniach. Szyja paliła żywym ogniem w miejscu, gdzie drasnęły go kły.

Jeśli ona tam czekała, już nie żył. Jego moc osłabła, wycieńczona atakami bólu i szokiem. Został mu tylko miecz, wciąż czerwony od krwi brata.

Lecz kiedy wydostał się na górę i opadł na plecy, tak że zimne krople obmywały mu twarz, był sam.

Może to wystarczyło, może udało mu się odesłać demona z powrotem do piekła. Tak jak bez wątpienia skazał na potępienie swoje własne ciało i krew.

Przewrócił się na brzuch, uniósł na rękach i zwymiotował gwałtownie. Po użyciu magii został mu tylko smak popiołu w ustach.

Podpełzł do laski i wspierając się na niej, wstał. Oddech mu się rwał, gdy ruszył, kuśtykając, ścieżką, którą poznałby, nawet gdyby oślepł. Burza straciła swój impet, tak samo jak on swoją moc, i teraz padał już tylko ulewny deszcz.

Poczuł zapach domu – koni i siana, ziół, których użył dla ochrony, dymu z ognia tlącego się w kominku. Ale nie czuł ani radości, ani triumfu.

Wiedział, że jeśli to coś, co odebrało mu brata, przyszłoby teraz po niego, zginąłby. Każdy półmrok, każdy cień rzucany przez poszargane burzą drzewa mógł ukrywać śmierć. Lub coś jeszcze gorszego. Lęk zmroził mu skórę jak brudny lód, więc zebrał resztki sił i zaczął mamrotać zaklęcia, które przypominały raczej modlitwy do kogokolwiek – lub czegokolwiek – kto zechciałby słuchać.

Koń parsknął w stajni, czując zapach pana, ale Hoyt szedł chwiejnie dalej, do swojego domku.

W środku było ciepło, w powietrzu wciąż unosiły się zaklęcia, które rzucił przed wyjściem. Zaryglował drzwi, zostawiając na nich ślady krwi Ciana i swojej. Czy to ją powstrzyma?, zastanawiał się. Jeśli to, co przeczytał, było prawdą, Lilith nie mogła wejść bez zaproszenia. Zostały mu tylko wiara i ochronne zaklęcie, którymi otoczył chatę.

Zrzucił z ramion przemoczony płaszcz i musiał użyć całej siły woli, żeby nie upaść obok niego na podłogę. Przygotuje napar leczniczy i napój, który da mu siłę, spędzi tę noc, patrząc w ogień, czekając na świt.

Zrobił wszystko, co mógł, dla swoich rodziców, sióstr i ich rodzin. Musiał wierzyć, że to wystarczy.

Cian nie żył, a to, co powróciło, mając jego twarz i ciało, zostało zniszczone. Już nie może nikogo skrzywdzić. Jednak może zrobić to potwór, który go stworzył.

Znajdzie coś silniejszego, co ich ochroni. I wytropi tę istotę. Poświęci życie, żeby ją zniszczyć.

Jego dłonie o długich palcach drżały, gdy przygotowywał butelki i kociołki. Oczy koloru burzowego nieba były zamglone od bólu, który przeszywał mu ciało i serce. Poczucie winy ciążyło na barkach jak tona ołowiu, a w duszy szalały demony.

Nie udało mu się ocalić brata. Zamiast tego skazał go na potępienie i zagładę, odesłał precz. W jaki sposób odniósł to potworne zwycięstwo? Cian zawsze był fizycznie silniejszy od niego, a to, czym się stał, miało moc zła.

I tak jego magia zwyciężyła to, co kiedyś kochał. Tę drugą połowę siebie, która była wesoła i impulsywna wtedy, gdy on sam często okazywał się nudny i stateczny. Bardziej zainteresowany nauką i doskonaleniem swoich umiejętności niż rozrywkami.

To Cian lubił zabawy i karczmy, ulicznice i wszelkie zmagania.

– To miłość do życia – mruknął Hoyt. – Miłość do życia go zabiła. Ja tylko zniszczyłem bestię, która więziła jego duszę.

Musiał w to wierzyć.

Ból rozrywał mu żebra, gdy zdejmował tunikę. Siniaki zaczęły się już rozlewać, pokrywając czernią skórę, tak jak żal i poczucie winy zalewały mu serce. Pora zająć się rzeczami praktycznymi, powiedział do siebie, smarując balsamem stłuczenia i zadrapania. Siarczyście klnąc, obwiązał żebra bandażem. Wiedział, że co najmniej dwa są złamane, i miał pełną świadomość, że poranna podróż do rodzinnego domu będzie prawdziwą męką.

Wypił napój i pokuśtykał do ognia. Dorzucił trochę torfu, aż czerwone płomienie strzeliły w górę, zaparzył herbatę, a potem otulił się kocem i usiadł, żeby ją wypić i rozmyślać.

Urodził się z darem, nad którym od najwcześniejszych lat ciężko i systematycznie pracował. Uczył się, często w samotności, ulepszał swą sztukę i zgłębiał jej tajniki.

Moc Ciana była słabsza, ale brat nigdy nie ćwiczył tak regularnie ani nie studiował ksiąg z takim zapałem, traktował magię jako rozrywkę, zabawiał nią siebie i innych.

Czasami wciągał w to Hoyta, przekonywał go tak długo, aż razem robili głupie psikusy. Kiedyś zamienili chłopca, który popchnął ich młodszą siostrę w błoto, w ryczącego, długouchego osła.

Ależ Cian się śmiał! Odwrócenie zaklęcia zajęło Hoytowi trzy dni, pełne ciężkiej pracy, potu i przerażenia, ale Cian nie martwił się ani przez chwilę.

„W końcu już jak się urodził, był osłem. Przywróciliśmy mu tylko jego naturalną postać".

Odkąd ukończyli dwanaście lat, Ciana bardziej interesował miecz niż czary. I dobrze, pomyślał Hoyt, popijając gorzką herbatę. Był nieodpowiedzialnym czarodziejem, magikiem ze szpadą.

Ale koniec końców nie ocaliło go ani żelazo, ani magia.

Otulił się szczelniej kocem, przemarznięty do szpiku kości mimo płonącego ognia. Wciąż słyszał wycie wiatru w konarach drzew, które otaczały dom, ale nie dochodził go żaden inny dźwięk. Nie było bestii, nie było zagrożenia, został sam ze swymi wspomnieniami i żalem.

Powinien był pójść z Cianem do wioski tamtego wieczoru, ale pracował, nie miał ochoty na piwo ani na zapachy i dźwięki gospody, na towarzystwo ludzi.

Nie chciał kobiety, a Cian zawsze jakiejś potrzebował.

Jednak gdyby poszedł, gdyby odłożył na bok pracę na ten jeden cholerny wieczór, Cian by żył. Nawet demon nie dałby rady im obu. Na pewno dar Hoyta pozwoliłby mu wyczuć, czym była ta istota, co kryło się pod jej powabem i pięknością.

Cian nigdy by z nią nie poszedł, gdyby miał przy sobie brata. Ich matka nie szalałaby teraz z rozpaczy, nie wykopano by grobu i, na bogów, istota, którą pochowali, nigdy by z niego nie powstała.

Gdyby mógł cofnąć czas, wyrzekłby się wszystkich swych mocy, oddałby całą magię, żeby tylko przeżyć jeszcze raz tę chwilę, w której przedłożył pracę nad towarzystwo brata.

– Co dobrego przyniosły mi czary? Na co się teraz przydadzą? Po co dostałem magiczną moc, skoro nie potrafiłem ocalić tego, który był mi najdroższy na świecie? Niech będzie przeklęta! – Rzucił kubkiem o ścianę. – Niech wszyscy będą przeklęci, bogowie i wróżki. On był naszym światłem, a wy skazaliście go na ciemność.

Przez całe życie Hoyt robił to, co powinien, czego od niego oczekiwano. Odmawiał sobie tysięcy małych przyjemności, żeby poświęcić się swej sztuce, a teraz ci, którzy ofiarowali mu ten dar, tę moc, nie kiwnęli nawet palcem, gdy zabierano mu brata.

Cian nie zginął w walce, nawet nie w starciu sił magicznych, lecz zagarnięty przez niewyobrażalne zło. To miała być zapłata dla Hoyta, nagroda za wszystko, co zrobił?

Machnął dłonią w stronę ognia, a płomienie w kominku wystrzeliły z hukiem. Wyrzucił ręce do góry i burza nad jego głową rozpętała się na nowo, a wiatr zawył jak torturowana kobieta. Dom zadrżał w posadach, okna stanęły otworem, a do środka wpadł lodowaty podmuch, przewracając butelki i strony ksiąg.

Przez całe życie Hoyt ani razu nie użył swojej mocy w złym celu, nigdy nie tknął czarnej magii.

Być może teraz, pomyślał, uzyska w niej odpowiedź. Znowu odnajdzie brata. Będzie walczył z bestią, zło przeciwko złu.

Zerwał się na nogi, ignorując jęk obolałego ciała, i wyciągnął obie ręce w stronę kufra, który zamknął magicznym zaklęciem. Gdy wieko odskoczyło, wyciągnął ze środka księgę nieruszaną od lat.

Na kartach zapisano zaklęcia, ciemne i niebezpieczne, które żywiły się ludzką krwią i bólem. Zaklęcia zemsty i chciwości, odwołujące się do mocy nieczułej na wszystkie przysięgi, wszystkie śluby.

Księga w jego dłoniach była gorąca i ciężka i czuł, jak go kusi, dotyka jego duszy zimnymi palcami.

Możesz mieć wszystko. Czyż nie oferujemy ci więcej niż pozostali? Możesz żyć jak bogowie, którzy dostają wszystko, czego można zapragnąć! Masz do tego prawo! Ty i my jesteśmy ponad zasadami i rozumem.

Hoyt zaczął oddychać szybciej; wiedział, co się stanie, jeśli przyjmie tę ofertę, jeśli weźmie w obie dłonie coś, czego przysięgał nigdy nie dotykać. Niezliczone bogactwa, kobiety, niewyobrażalna potęga, życie wieczne. Zemsta.

Musiał tylko wypowiedzieć te słowa, odrzucić biel i wybrać czerń. Zimne strużki potu spłynęły mu po plecach, gdy słuchał głosów sprzed tysięcy lat szepczących:

– Weź. Weź. Weź.

Oczy mu się zamgliły, a przez tę mgłę zobaczył brata takiego, jakim go znalazł w błocie na poboczu drogi. Z rozerwanego gardła tryskała krew, sączyła się z ust. Jaki blady, pomyślał nieprzytomnie Hoyt. Jego twarz była taka biała przy mokrej czerwieni krwi.

Oczy Ciana – wyraziste i niebieskie – otworzyły się. Nagle odmalowały się w nich niewyobrażalny ból i przerażenie. Napotkały wzrok Hoyta i błagały:

– Ocal mnie. Tylko ty możesz mnie uratować. To nie na śmierć mnie skazano. Przywróć mnie do życia. Chociaż raz nie licz się z kosztami. Chcesz, żebym płonął przez całą wieczność? Ze względu na swoją własną krew, Hoyt, pomóż mi.

Zadrżał, ale nie od lodowatego podmuchu ani wilgoci, która unosiła się w powietrzu.

– Oddałbym moje życie za twoje. Przysięgam na to wszystko, czym jestem, czym obaj byliśmy. Wziąłbym na siebie twój los, Cian, gdybym miał taką możliwość. Ale tego nie mogę uczynić. Nawet dla ciebie.

Postać Ciana stanęła w ogniu, a wrzask, który wydał, przechodził ludzkie wyobrażenie. Skowycząc z bólu, Hoyt wrzucił księgę do kufra. Użył resztki sił, by zatrzasnąć zaklęciem wieko, po czym upadł na podłogę, gdzie skulił się jak nieutulone w żalu dziecko.

★ ★ ★

Może spał. Może coś mu się śniło, a kiedy się ocknął, burza minęła. Do pokoju sączyło się światło, jasne i ostre, raziło go w oczy. Zamrugał parę razy i jęknął, gdy żebra zaprotestowały przeciwko najmniejszemu ruchowi.

W białym świetle migotały złote i różowe promienie, emanujące ciepłem. Nagle Hoyt zdał sobie sprawę, że czuje zapach ziemi, soczystej i gliniastej, a także woń torfu wciąż płonącego w kominku.

Dostrzegł postać kobiety i wyczuł jej oszałamiającą piękność.

To nie był żądny krwi demon.

Zacisnął zęby i uniósł się na kolana. W jego głosie wciąż pobrzmiewały ból i złość, ale pochylił głowę.

– Pani.

– Moje dziecię.

Światło zdawało się spływać z jej postaci spowitej w białą suknię obszytą złotem. Włosy, opadające w jedwabistych falach na ramiona, miały ognistoczerwoną barwę jak u wojownika. W oczach, zielonych niczym mech w lesie, malowało się współczucie. Pomimo że była boginią walki, nie miała na sobie zbroi ani miecza u boku.

Nazywała się Morrigan.

– Dzielnie walczyłeś.

– Przegrałem. Straciłem brata.

– Straciłeś? – Podeszła do niego i podała mu dłoń, żeby mógł wstać. – Pozostałeś wierny przysiędze, mimo że pokusa była ogromna.

– Mogłem go ocalić.

– Nie. – Dotknęła jego twarzy i Hoyt poczuł emanujące z jej palców ciepło. – I tak byś go stracił, i siebie też. Przysięgam ci. Oddałbyś swoje życie za jego, ale nie mógłbyś oddać własnej duszy ani dusz innych. Masz wielki dar, Hoycie.

– Jaki z niego pożytek, skoro nie potrafiłem ochronić krwi z własnej krwi? Czy bogowie wymagają aż takiego poświęcenia, że skazują niewinnych na takie tortury?

– To nie bogowie go skazali i nie do ciebie należało jego ocalenie. Ale trzeba jeszcze wielu poświęceń, trzeba stoczyć wiele bitew. Poleje się krew, niewinnych także. Zostałeś wybrany do wielkiego zadania.

– Jak możesz o cokolwiek mnie teraz prosić, pani?

– Mogę. Czeka cię bitwa, największa, jaką kiedykolwiek stoczono. Dobro przeciwko złu. Musisz zebrać oddział.

– Nie potrafię. Nie chcę. Jestem... Boże, jestem taki zmęczony. – Opadł na łóżko i ukrył twarz w dłoniach. – Muszę pojechać do matki. Muszę jej powiedzieć, że poniosłem klęskę, nie ocaliłem jej syna.

– Nie poniosłeś klęski. Ponieważ oparłeś się ciemności, musisz użyć swojego daru, żeby stanąć z nią twarzą w twarz i zniszczyć to, co może unicestwić światy. Skończ z tym użalaniem się nad sobą!

Uniósł głowę, słysząc ostry ton w głosie bogini.

– Nawet bogowie muszą rozumieć żal, pani. Dziś w nocy zabiłem swojego brata.

– Twojego brata tydzień temu zabiła bestia. Ten, którego spotkałeś na klifie, nie był Cianem. Wiesz o tym. Ale on... istnieje.

Hoyt wstał chwiejnie.

– On żyje.

– To nie jest życie. Nie oddycha, nie ma duszy ani serca. Nosi imię, którego w tym świecie nikt jeszcze nie wymówił. Jest wampirem. Żywi się krwią. Poluje na ludzi, odbiera im życie albo, co gorsze, dużo gorsze, przemienia ich w sobie podobne bestie. Rozmnaża się, Hoyt, jak zaraza. Nie ma odbicia w lustrze i musi ukrywać się przed słońcem. To z nimi musisz stanąć do walki, z nim i innymi demonami, które już się gromadzą. Musisz zmierzyć się z nimi w walce w święto Samhain. I musisz zwyciężyć, inaczej świat, który znasz, i światy, których jeszcze nie poznałeś, zostaną zniszczone.

– I jak mam je znaleźć? Jak z nimi walczyć? To Cian był wojownikiem.

– Musisz opuścić to miejsce i ruszyć w drogę. Jedni przyjdą do ciebie, innych będziesz musiał odszukać sam. Czarownica, wojownik, uczony, jeden o wielu kształtach i ten, którego straciłeś.

– Tylko pięć osób? Razem będzie nas sześcioro przeciwko armii demonów? Pani...

– Krąg sześciu, tak mocny i trwały jak armia wroga. Kiedy ten krąg powstanie, utworzą się inne, ale tych sześcioro będzie moją armią. Będziesz uczył innych i sam studiował, staniesz się potężniejszy niż cała szóstka razem wzięta. Miesiąc na zgromadzenie kręgu, miesiąc na naukę i miesiąc na praktykę. Bitwa odbędzie się w Samhain. Ty, Hoycie, będziesz moim pierwszym wybrańcem.

– Chcesz, abym opuścił rodzinę, kiedy to coś, co zabrało mi brata, może przyjść także po nich?

– To, co zabrało twojego brata, stoi na czele złych mocy.

– Zraniłem ją... bestię. Zadałem jej ból.

– Tak, zrobiłeś to. Teraz nosi twój znak i gdy przyjdzie czas, znajdzie cię.

– A gdybym ruszył za nią teraz i teraz ją zniszczył?

– Nie możesz. W tych czasach jest poza twoim zasięgiem, a ty, moje dziecię, nie jesteś gotów stawić jej czoła. Z upływem czasu i światów jej pragnienie krwi stanie się nie do ugaszenia i tylko zagłada całej ludzkości może je zaspokoić. Zakosztujesz swojej zemsty, Hoycie, jeśli pokonasz demona. Będziesz podróżował daleko i bardzo cierpiał. A ja razem z tobą, znając twój ból, bo należysz do mnie. Myślisz, że twój los, twoje szczęście nic dla mnie nie znaczą? Jesteś tak samo moim synem jak swojej matki.

– A co z moją matką, pani? Z moim ojcem, siostrami, ich rodzinami? Jeśli nie będę ich chronił, zginą pierwsi, gdy przyjdzie do bitwy.

– Bitwa nadejdzie, ale nie będą w niej uczestniczyć. – Rozłożyła ręce.

– Miłość do rodziny jest częścią twej mocy i nie zamierzam cię prosić, żebyś się jej wyrzekł. Nie będziesz mógł jasno myśleć, dopóki nie będziesz pewny, że są bezpieczni.

Odchyliła głowę i podniosła ręce, zwracając dłonie wnętrzem ku górze. Ziemia zadrżała lekko pod jego stopami, a gdy podniósł wzrok, zobaczył gwiazdy przecinające nocne niebo. Kule światła spłynęły na dłonie Morrigan i stanęły w płomieniach.

Serce waliło mu mocno o obolałe żebra, gdy przemówiła, a ogniste włosy otoczyły jej rozświetloną twarz:

– Wykute w ogniu bogów, przez światło i noc. Tarcza i symbol, prawdziwy i prosty. Za wiarę, za lojalność, oto dary dla ciebie. Ich magiczną siłę niech ożywi krew, twoja i moja.

Hoyt poczuł przeszywający ból w dłoni i patrzył, jak w płonącym ogniu miesza się ich krew.

– I niech tak pozostanie na wieki. Niech będą błogosławieni ci, którzy noszą Krzyż Morrigan.

Ogień zgasł, a w dłoniach bogini zabłysły srebrne krzyże.

– To ich ochroni. Zawsze muszą nosić te krzyże, w dzień i w nocy, od urodzin aż do śmierci. Możesz być pewny, że wówczas twoi bliscy będą bezpieczni, kiedy ich opuścisz.

– Jeśli to zrobię, czy ocalisz mego brata?

– Chcesz targować się z bogami?

– Tak.

Uśmiechnęła się jak rozbawiona matka do dziecka.

– Zostałeś wybrany, Hoycie, bo wiedziałam, że wpadniesz na taki pomysł. Opuścisz to miejsce i zbierzesz tych, których wskazałam. Będziesz ich szkolił i przygotowywał. Walka zostanie stoczona na miecze i kopie, na zęby i kły, podstępnie i zdradziecko. Jeśli zwyciężysz, światy wrócą do równowagi, a ty dostaniesz wszystko, czego zapragniesz.

– Jak mam walczyć z wampirami? Już raz przegrałem.

– Ucz się i studiuj – odpowiedziała. – Ucz się od jednego z nich, od tego, którego stworzyła, który był twój, zanim go zabrała. Najpierw musisz znaleźć swojego brata.

– Gdzie?

– Nie tylko gdzie, ale i kiedy. Spójrz w ogień, a zobaczysz.

Zobaczył, że znowu są w domu i stoją przed kominkiem. Płomienie strzeliły w górę i zmieniły się w wieże w wielkim mieście. Doszły go głosy i dźwięki, których nigdy wcześniej nie słyszał. Tysiące ludzi śpieszyło po kamiennych ulicach. A za nimi pędziły maszyny.

– Co to za miejsce? – Hoyt ledwo zdołał wyszeptać te słowa. – Co to za świat?

– Nazywa się Nowy Jork i jest odległy o jakieś tysiąc lat od naszego. Zło wciąż chodzi po świecie, Hoycie, tak samo jak niewinność i dobro. Twój brat żyje już bardzo długo, dla niego minęły wieki. Radzę ci, abyś o tym pamiętał.

– Czy teraz jest bogiem?

– Jest wampirem. Musi cię uczyć i walczyć u twego boku. Bez niego nie zwyciężysz.

Takie wielkie miasto, pomyślał. Budynki ze srebra i kamienia wyższe niż wszystkie katedry.

– Czy tam właśnie odbędzie się bitwa, w tym Nowym Jorku?

– Dowiesz się gdzie i jak. Teraz musisz iść, zabrać to, co ci będzie potrzebne. Jedź do rodziny i daj te krzyże swoim bliskim. Musisz ich szybko opuścić i wyruszyć do Tańca Bogów. Będziesz potrzebował wszystkich umiejętności i mojej siły, żeby przejść. Znajdź brata, Hoycie. Pora ruszać.

Obudził się obok kominka, ciasno otulony kocem, ale to nie był sen. Na jego dłoni wysychała krew, a na kolanach leżały srebrne krzyże.

Jeszcze nie świtało, kiedy spakował księgi i napary, placki z mąki owsianej i miód. I drogocenne krzyże. Osiodłał konia, a potem, na wszelki wypadek, otoczył chatę jeszcze jednym ochronnym zaklęciem.

Obiecał sobie, że tu wróci. Odnajdzie brata i tym razem go ocali. Bez względu na to, co będzie musiał zrobić.

Pierwsze promienie słońca kładły się na drodze, gdy Hoyt wyruszał do An Clar, do swego rodzinnego domu.

2

Jechał na północ drogami rozmiękłymi od deszczu. Pochylał się w siodle zgięty z powodu bólu żeber, a przez głowę przelatywały mu straszne i zadziwiające obrazy wydarzeń zeszłej nocy.

Przysięgał sobie, że jeśli przeżyje, poświęci dużo więcej czasu i uwagi leczniczym zaklęciom.

Mijał pola, na których w łagodnych promieniach porannego słońca pracowali ludzie i pasło się bydło, oglądał jeziora koloru późnoletniego nieba. Przejeżdżał przez lasy, gdzie huczały wodospady, a w cieniach i mchach ukrywały się wróżki.

Wszyscy go tutaj znali i unosili czapki, gdy przejeżdżał Hoyt Czarnoksiężnik, ale nie przyjął gościny w żadnej chacie, nie szukał schronienia w wielkich domach ani u mnichów w klasztorach.

W tej podróży był sam i bez względu na czekające go bitwy i rozkazy bogów najpierw odwiedzi swoją rodzinę. Ofiaruje jej wszystko, co ma, zanim wyruszy, by dokonać tego, do czego został wybrany.

Pokonywał milę za milą i z trudem prostował się w siodle za każdym razem, gdy przejeżdżał przez wioskę. To poczucie godności kosztowało go wiele, aż w końcu musiał odpocząć na brzegu rzeki, gdzie woda bulgotała na kamieniach.

Kiedyś, pomyślał, lubił tę drogę do rodzinnego domu, prowadzącą przez pola i wzgórza lub wzdłuż brzegu morza. Samotnie lub w towarzystwie brata jechał po znajomych ścieżkach i drogach, czuł te same promienie słońca na twarzy. Zatrzymywał się na posiłek i odpoczynek w tym samym miejscu.

Lecz teraz słońce raziło go w oczy, a zapach ziemi i trawy nie poruszał otępiałych zmysłów.

Nie miał apetytu, ale zjadł trochę placka i zażył lekarstwo, jednak pomimo napoju i odpoczynku wciąż gorączkował, a żebra bolały go jak zepsuty ząb.

Czy w ogóle przyda się w tej walce?, zastanawiał się. Gdyby dziś musiał unieść miecz, żeby ratować własne życie, umarłby z pustymi rękami.

Wampir, pomyślał. To właściwa nazwa, jest erotyczna, egzotyczna i w jakiś sposób straszna. Gdy będzie miał czas i energię, zapisze wszystko, co wie. Nie był przekonany, że to właśnie jemu uda się ocalić ten i inne światy przed atakiem demonów, ale gromadzenie wiedzy jeszcze nikomu nie zaszkodziło.

Zamknął na chwilę oczy, gdyż głowę rozsadzał mu ból. Czarownica. Nie lubił mieć do czynienia z wiedźmami, zawsze mieszały dziwaczne kawałki tego i owego w garnkach i mamrotały zaklęcia.

Potem uczony. Może przynajmniej on się na coś przyda.

Czy wojownikiem jest Cian? Miał taką nadzieję. Cian dzierżący znów miecz i tarczę, walczący u jego boku. Hoyt mógł niemal uwierzyć, że wypełni powierzone mu zadanie, jeśli będzie miał przy sobie brata.

Jeden o wielu kształtach. Dziwne. Może chodziło o wróżkę, a jedynie bogowie wiedzieli, jak mało można było polegać na tych istotach. I to miał być pierwszy szereg w walce o światy?

Obejrzał dłoń, którą rano zabandażował.

– Lepiej by było dla wszystkich, gdybym śnił. Jestem chory i zmęczony, i nawet w najlepszej formie żaden ze mnie żołnierz.

Wracaj. Głos był cichszy niż szept. Hoyt zerwał się na równe nogi, sięgnął po miecz.

Wracaj do swoich ksiąg i ziół, Hoycie Czarnoksiężniku. Myślisz, że możesz pokonać Królową Demonów? Wracaj, wracaj i zajmij się swoim żałosnym życiem, a ona cię oszczędzi. Jeśli wyruszysz w drogę, Lilith nakarmi się twoim ciałem i wypije twą krew.

– Boi się sama mi to powiedzieć? I słusznie, bo będę ją ścigał przez to życie i wszystkie następne, jeśli będę musiał. Pomszczę mojego brata, a w bitwie, która nadejdzie, wytnę jej serce i spalę.

Umrzesz w męczarniach, a ona uczyni cię swoim sługą na wieczność.

– Jesteś irytujący. – Hoyt uniósł miecz i gdy kruk uniósł się do góry, przeciął ostrzem powietrze. Nie trafił, ale płomień, który rzucił drugą ręką, dosięgnął celu. Kruk zaskrzeczał, a na ziemię opadł popiół.

Hoyt popatrzył z niesmakiem na ostrze. Był blisko ptaszyska i na pewno by trafił, gdyby nie rany. Przynajmniej tyle nauczył go Cian.

Wziął garść soli z torby przy siodle i posypał nią popioły, po czym schował miecz i z zaciśniętymi zębami wspiął się na konia.

– Sługa na wieczność – wymamrotał. – Jeszcze zobaczymy.

Ruszył powoli dalej, wiedząc, że ból rozsadzi mu klatkę piersiową, jeśli zmusi konia do galopu. Drzemał i śnił, że znowu walczy z Cianem na urwisku, ale tym razem to on spadł i rozbił się na bezlitosnych skałach.

Obudził się nagle, gdy przeszył go przeraźliwy ból.

Koń stanął i zaczął skubać trawę na poboczu. Przed nimi jakiś mężczyzna wznosił mur ze stalowoszarych kamieni. Miał ostrą bródkę, żółtą jak janowiec, który porastał niskie wzgórza, a nadgarstki szerokie niczym gałęzie drzew.

– Życzę ci dobrego dnia, panie, skoro już się obudziłeś. – Mężczyzna dotknął czapki w geście pozdrowienia i pochylił się po następny kamień. – Jedziesz z daleka.

– To prawda. – Hoyt nie był do końca pewny, gdzie jest, czuł lepkie ciepło gorączki. – Zmierzam do An Clar, na ziemi Mac Cionaoith. Co to za miejsce?

– Miejsce, w którym jesteś – odpowiedział mężczyzna wesoło. – Nie ukończysz podróży przed zmrokiem.

– Nie. – Hoyt popatrzył na drogę, która wydawała się ciągnąć w nieskończoność. – Przed zmrokiem nie zdążę.

– Za tym polem jest chata, w której płonie ogień, ale nie masz czasu, żeby tam się schronić. Przed tobą jeszcze długa droga, a czas płynie nawet teraz, gdy rozmawiamy. Jesteś wyczerpany – powiedział mężczyzna ze współczuciem.

– A będziesz jeszcze bardziej zmęczony, nim to wszystko dobiegnie końca.

– Kim jesteś?

– Znakiem na twojej drodze. Kiedy dotrzesz do drugiego rozwidlenia, pojedź na zachód. Gdy usłyszysz szum rzeki, jedź wzdłuż niej. Obok jarzębiny zobaczysz świętą studnię, Studnię Bridget. Tam twoje obolałe ciało odpocznie przez noc. Nie zapomnij ochronić się kręgiem, Hoycie Czarnoksiężniku, bo będą cię ścigać. Czekają tylko, aż zajdzie słońce. Musisz być przy studni, wewnątrz kręgu, przed zmrokiem.

– Jeśli pójdą za mną, zaprowadzę ich prosto do mojej rodziny.

– Oni znają twoją rodzinę, ale zostawisz bliskim krzyże Morrigan, swoją krew i wiarę. – Oczy mężczyzny były bladoszare i przez chwilę odbiła się w nich niezbadana głębia. – Jeśli przegrasz, zginą nie tylko twoi krewni. Teraz idź. Słońce już jest po zachodniej stronie.

Jaki miał wybór? Z powodu gorączki wszystko wydawało mu się snem: śmierć brata, stwór na klifie, który nazywał siebie Lilith. Naprawdę odwiedziła go bogini czy też miotał się uwięziony w sennym koszmarze?

Może już umarł i teraz odbywa podróż do piekła.

Ale na rozstajach skręcił na zachód, a kiedy usłyszał szum wody, ruszył wzdłuż rzeki. Wstrząsały nim dreszcze, drżał od gorączki i z lęku przed zbliżającym się mrokiem.

Spadł raczej, niż zsiadł z konia i bez tchu oparł czoło o szyję zwierzęcia. Rana na dłoni otworzyła się i bandaż przesiąkł krwią. Na zachodzie słońce gorzało jak kula ognia.

Świętej studni, otoczonej niskim kwadratem z kamienia, strzegła jarzębina. Ci, którzy przybyli tu, żeby odpocząć lub się modlić, przyczepili do gałęzi pamiątki, wstążki i amulety. Hoyt przywiązał konia, ukląkł, wziął mały czerpak i napił się chłodnej wody. Uronił kilka kropel na ziemię dla bogów i wymamrotał modlitwę dziękczynną. Położył miedziaka na kamieniu, znacząc go własną krwią.

Czuł, że nogi ma jak z waty, jednak zmusił się do koncentracji i zaczął tworzyć krąg.

To prosta magia, jeden z najbardziej podstawowych czarów, ale moc Hoyta była na wyczerpaniu. Czuł na plecach zimne strużki potu, gdy zmagał się ze słowami, myślami i mocą, która zdawała się wyślizgiwać z jego dłoni jak mokry węgorz.

Usłyszał, że coś przedziera się przez las, ukrywa w najgłębszych cieniach, gęstniejących z każdą chwilą, gdy słońce chowało się za koronami drzew.

Szły po niego, czekały tylko, aż zgaśnie ostatni promień światła i Hoyt zostanie sam w ciemnościach. Umrze tutaj, w samotności, zostawi rodzinę bez ochrony. A wszystko to dla jakiegoś kaprysu bogów.

– Bądźcie przeklęci, jeśli ja będę. – Podniósł się z trudem. Wiedział, że została mu już tylko jedna szansa. Zdarł bandaż z dłoni i zamknął krąg własną krwią.

- W tym kręgu pozostanie światło. Z mojej woli będzie płonęło całą noc. Ta magia jest czysta i siły ciemności nie mają tu wstępu. Ogniu, przybądź, ogniu, powstań, wzbij się i pal jasno.

W środku kręgu zamigotały słabe płomienie. Zaszło słońce i to, co ukrywało się w cieniu, wyskoczyło z lasu, przybierając postać czarnego wilka o nabiegłych krwią oczach. Zwierzę skoczyło i Hoyt dobył miecza, ale bestia odbiła się od magicznej ściany kręgu.

Wilk wył i warczał, jego białe kły lśniły w ciemności, gdy biegał tam i z powrotem, jakby szukał słabszego miejsca w kręgu.

Z lasu wyskoczył następny, potem jeszcze jeden i jeszcze, aż Hoyt doliczył się sześciu. Biegały razem, kręciły się, czujne jak żołnierze.

Za każdym razem, gdy atakowały krąg, koń parskał i rżał. Hoyt podszedł do niego, nie spuszczając oczu z wilków, i położył mu dłoń na karku. Przynajmniej tyle mógł zrobić. Gładził wierzchowca i szeptał uspokajające słowa, aż zwierzę wpadło w trans, po czym wyjął miecz i wbił go w ziemię przy ognisku.

Wyjął resztkę prowiantu, nabrał wody ze studni i zmieszał zioła – choć bogowie sami widzieli, że jego medycyna nie przynosi żadnych efektów. Usiadł przy ognisku, z mieczem po jednej i szpadą po drugiej stronie, laskę położył na kolanach.

Drżąc, owinął się płaszczem i zmusił do zjedzenia placka jęczmiennego z miodem. Wilki przysiadły na tylnych łapach, uniosły łby i jednym głosem zawyły do księżyca.

– Głodne, co? – wymamrotał Hoyt, szczękając zębami. – Tu nic dla was nie ma. Och, dałbym wiele za łóżko i przyzwoitą herbatę. – Siedział, patrząc w ogień, aż oczy zaczęły mu się kleić, a głowa opadła. Nigdy w życiu nie czuł się tak samotny ani tak niepewny jutra.

Myślał, że to Morrigan znów do niego przyszła, bo kobieta była bardzo piękna i miała ognistorude włosy do ramion. Ubrana była w dziwny czarny strój, miała odsłonięte ramiona, znad stanika ukazywały się wzgórki piersi. Na szyi nosiła pentagram z kamieniem księżycowym w środku.

– Tak nie może być – powiedziała ze zniecierpliwieniem. Uklękła przy Hoycie i położyła mu dłoń na czole; palce miała chłodne jak wiosenny deszcz. Pachniała lasem, ziemią i tajemną mocą.

Przez chwilę czuł przemożną ochotę, żeby po prostu położyć głowę na jej piersi i zasnąć wśród tych zapachów.

– Jesteś rozpalony. No dobrze, zobaczmy, co tu masz.

Na moment jej postać stała się nieostra, ale po chwili znowu się skrystalizowała. Oczy miała zielone jak u bogini, ale dotyk człowieka.

– Kim jesteś? Jak weszłaś do kręgu?

– Bez czarny, krwawnik. Nie masz pieprzu? No trudno, poradzimy sobie z tym, co mamy.

Patrzył, jak krząta się po kobiecemu, nabiera wody ze studni i podgrzewa ją nad ogniem.

– Wilki – mruknęła i zadrżała, a Hoyt wyczuł jej lęk. – Czasami śnią mi się czarne wilki i kruki. A czasem kobieta, ona jest najgorsza, ale po raz pierwszy śniłam o tobie. – Zamilkła i długo patrzyła na niego zielonymi oczami. – A mimo to znam twoją twarz.

– To mój sen.

Roześmiała się i wsypała zioła do gorącej wody.

– Niech i tak będzie. Zobaczmy, czy możemy jakoś ci pomóc go przeżyć. Przesunęła dłonią nad kubkiem.

– Zioła i wodo, mocy uzdrowienia, przez córkę Hekate doprowadzone do wrzenia. Ochłodź jego czoło, przywróć mu siły, zmniejsz ból, niech moc magiczną ma napój mój.

– Niech bogowie mają mnie w swojej opiece. – Uniósł się z trudem na łokciu. – Jesteś czarownicą.

Podeszła do niego z kubkiem w dłoni, usiadła obok i objęła Hoyta ramieniem.

– Oczywiście. A ty nie?

– Ja nie. Jestem cholernym czarnoksiężnikiem. Zabierz ode mnie tę truciznę. Nawet zapach jest obrzydliwy.

– Może i tak, ale to cię uleczy. – Położyła sobie jego głowę na ramieniu. Próbował się wyrwać, lecz zatkała mu nos i wlała wywar do gardła. – Chorzy mężczyźni są jak dzieci. I popatrz na swoją rękę! Cała brudna i zakrwawiona. Mam coś na to.

– Zostaw mnie – zaprotestował słabo, ale jej zapach i dotyk były jednocześnie kojące i uwodzicielskie. – Pozwól mi umrzeć w spokoju.

– Nie umrzesz. – Jednak rzuciła czujne spojrzenie na wilki. – Jak silny jest twój krąg?

– Wystarczająco silny.

– Wierzę, że masz rację.

Powieki znowu mu opadły – z wyczerpania lub po walerianie, której dodała do napoju. Usiadła tak, żeby mógł położyć jej głowę na kolanach, i patrząc w ogień, głaskała go po włosach.

– Już nie jesteś sam – powiedziała cicho. – I ja chyba też nie.

– Słońce... Daleko jeszcze do świtu?

– Niestety nie wiem. Postaraj się zasnąć.

– Kim jesteś?

Ale jeśli odpowiedziała, już nie słyszał.

Gdy się obudził, kobieta zniknęła, gorączka też. Przez liście przeświecały pierwsze promienie wschodzącego słońca.

Z wilków został tylko jeden, leżał na zewnątrz kręgu z rozszarpanym gardłem i brzuchem. Hoyt wstał, żeby podejść bliżej, a wtedy na martwe zwierzę padły promienie słońca.

Truchło stanęło w płomieniach, a po chwili na wypalonej ziemi pozostała tylko garstka prochu.

– Do diabła z tobą i tobie podobnymi!

Nakarmił konia i zaparzył herbatę. Prawie skończył przygotowania do dalszej jazdy, gdy zobaczył, że rana na dłoni się zagoiła, została tylko maleńka blizna. Pomachał palcami i uniósł dłoń do słońca.

Zaciekawiony podciągnął tunikę. Siniaki wciąż pokrywały cały jego bok, ale były dużo bledsze i mógł już poruszać się bez bólu.

Powinien być wdzięczny gościowi, który odwiedził go w nocy; była to raczej wizja niż wytwór rozgorączkowanego umysłu.

Ale Hoyt nigdy nie miał wizji tak wyraźnej i mógłby przysiąc, że wciąż czuje zapach kobiety i słyszy melodię jej głosu.

Powiedziała, że zna jego twarz. To dziwne, jednak w głębi duszy on też wiedział, że już ją gdzieś widział.

Umył się i poczuł, że apetyt mu wrócił; niestety musiał zadowolić się jagodami i piętką czerstwego chleba.

Zamknął krąg i posypał ziemię na zewnątrz solą, po czym wsiadł na konia i ruszył galopem.

Jeśli będzie miał szczęście, dotrze do domu w południe.

Przez resztę drogi nie widział żadnych znaków, nie napotkał zwiastunów ani pięknych czarownic. Jechał przez zielone pola, które ciągnęły się aż do szarych gór i tajemniczych głębokich lasów. Teraz już znał drogę, rozpoznałby ją nawet po upływie stu lat. Przeskoczył przez niski murek i popędził przez pole w stronę domu.

Widział dym lecący z komina. Wyobraził sobie matkę, jak siedzi w salonie, może dzierga koronki lub tka jeden ze swych gobelinów. Czekała na wieści o synach. Tak bardzo żałował, że nie może jej przekazać dobrych nowin.

Ojciec pewnie rozmawia z zarządcą albo objeżdża konno pola, zamężne siostry są w swoich domach, a mała Nola bawi się w stajni ze szczeniakami.

Dom stał w środku lasu – tak chciała babka, która przekazała swą moc jemu i, w mniejszym stopniu, Cianowi – niedaleko strumienia i miał w oknach szyby z prawdziwego szkła. Ogród był wielką dumą matki.

Jej róże stały w pełnym rozkwicie.

Jeden ze sług pośpieszył zabrać od niego konia. Hoyt potrząsnął tylko głową w odpowiedzi na pytające spojrzenie chłopaka. Podszedł do drzwi wciąż oznaczonych żałobnym kirem.

W środku drugi sługa wziął od Hoyta płaszcz. W sieni wisiały gobeliny matki i babki; podbiegł do niego jeden z wilczurów ojca.

Czuł zapach wosku, świeżych róż z ogrodu i torfu płonącego w kominku. Ruszył po schodach do salonu matki.

Czekała, tak jak się spodziewał. Siedziała w fotelu z dłońmi splecionymi na kolanach tak mocno, że aż pobielały jej kostki. Twarz miała zastygłą w bólu, a gdy zobaczyła minę Hoyta, w jej oczach pojawiła się rozpacz.

– Matko...

– Żyjesz. Jesteś zdrów i cały. – Wstała i wyciągnęła do niego ramiona.
– Straciłam jednego syna, ale wrócił do domu mój pierworodny. Musisz się posilić po podróży.

– Tak wiele mam ci do opowiedzenia.

– Opowiesz.

– Proszę, zbierz wszystkich. Nie mogę zostać długo. Przepraszam. – Pocałował ją w czoło. – Przepraszam, że muszę was zostawić.

Przyniesiono jedzenie i picie, a wokół stołu zgromadziła się cała rodzina, ale nie był to posiłek podobny do innych, spożywanych wśród śmiechu, głośnych rozmów i wesołych sprzeczek. Hoyt opowiadał i przyglądał się twarzom najbliższych, ich urodzie, sile i smutkowi.

– Jeżeli czeka nas bitwa, pójdę z tobą, będę walczył u twego boku.

Hoyt popatrzył na swego szwagra, Fearghusa, mężczyznę o szerokich ramionach i potężnych pięściach.

– Tam, gdzie ja idę, ty nie możesz wejść. Ta walka nie jest twoja, ty musisz zostać tu z Eoin i pilnować wraz z ojcem rodziny i ziemi. Odjechałbym z ciężkim sercem, gdybym wiedział, że ty i Eoin nie zajmiecie mojego miejsca. Musicie to nosić. – Wyjął krzyże.

– Każde z was i wszystkie dzieci, które się narodzą, będą je nosić. Dzień i noc, noc i dzień. To – uniósł jeden z nich – jest Krzyż Morrigan, wyleczony w magicznym ogniu przez bogów. Tego, kto ma krzyż, wampir nie może przemienić w podobnego sobie. Musicie przekazać to następnym, którzy przyjdą po was, w opowieściach i pieśniach. Każde z was złoży przysięgę, że będzie nosić ten krzyż aż do śmierci.

Wstał, powiesił każdemu amulet na szyi i wszyscy wypowiedzieli słowa przysięgi.

Potem ukląkł koło ojca. Zauważył z bólem, że jego dłonie są dłońmi starca, zawsze był raczej rolnikiem niż wojownikiem. Hoyt nagle zrozumiał, że ojciec umrze pierwszy, jeszcze przed świętem Jul. Wiedział, że już nigdy więcej nie spojrzy w oczy człowiekowi, który dał mu życie, i poczuł, że serce mu krwawi.

– Muszę wyjechać, ojcze. Proszę cię o błogosławieństwo.

– Pomścij swego brata i wróć do nas.

– Wrócę. – Hoyt wstał. – Muszę się przygotować do podróży.

Poszedł do pokoju na szczycie wieży i zaczął pakować zioła i napoje lecznicze, nie wiedząc, które mu się przydadzą.

– Gdzie twój krzyż?

W drzwiach stała Nola, ciemne włosy sięgały jej do pasa. Miała tylko osiem lat i była oczkiem w głowie Hoyta.

– Nie zrobiła go dla mnie – odpowiedział wesoło. – Ja mam inną ochronę, a ty nie powinnaś się martwić. Wiem, co robię.

– Nie będę płakała, jak będziesz odjeżdżał.

– A dlaczego miałabyś płakać? Przecież wyjeżdżałem już wcześniej i zawsze wracałem, prawda?

– Teraz też wrócisz. Do wieży. A ona przyjedzie z tobą.

Ułożył ostrożnie buteleczki w kufrze i popatrzył uważnie na siostrę.

– Kto przyjedzie?

– Kobieta z czerwonymi włosami. Nie bogini, ale śmiertelniczka, która nosi znak czarownicy. Nie widzę Ciana i nie wiem, czy zwyciężysz, ale widzę cię tutaj, z nią. Boisz się.

– Czyż mężczyzna powinien iść na bitwę bez lęku? Czy to nie strach trzyma go przy życiu?

– Nie znam się na bitwach. Chciałabym być mężczyzną, wojownikiem.

– Gorzko wykrzywiła miękkie usteczka. – Nie powstrzymałbyś mnie przed pójściem z tobą, tak jak powstrzymałeś Fearghusa.

– Jakże mógłbym się odważyć? – Zamknął kufer i podszedł do siostry. – Boję się. Nie mów pozostałym.

– Nie powiem.

Tak, moje kochanie, pomyślał, uniósł jej krzyż i za pomocą magii wyrył na nim jej imię.

– Teraz będzie tylko twój – powiedział.

– Mój i tych, które będą nosić moje imię po mnie. – Oczy jej zwilgotniały, ale łzy nie popłynęły. – Zobaczysz mnie znowu.

– Oczywiście, że tak.

– Kiedy wrócisz, krąg się zamknie. Nie wiem, jak i dlaczego.

– Co jeszcze widzisz, Nola?

Potrząsnęła głową.

– Jest ciemno, nie widzę dobrze. Każdego wieczora będę zapalała dla ciebie świeczkę.

– Dzięki jej światłu trafię do domu. – Pochylił się, żeby ją objąć. – Za tobą będę najbardziej tęsknił. – Pocałował ją delikatnie. – Uważaj na siebie.

– Będę miała córki! – zawołała za nim.

Hoyt odwrócił się i uśmiechnął. Taka drobniutka, pomyślał, a taka twarda.

– Naprawdę?

– Taki mój los – powiedziała z rezygnacją, a on bardzo się starał nie roześmiać. – Ale nie będą słabe. Nie będą siedziały i przędły, piekły i gotowały całymi dniami.

Teraz już uśmiechnął się szeroko i wiedział, że ta chwila stanie się szczęśliwym wspomnieniem.

– Och, nie będą? Co w takim razie, młoda damo, będą robiły twoje córki?

– Będą wojowniczkami. A ta wampirzyca, która mieni się królową, będzie przed nimi drżała.

Założyła ręce na piersi w geście bardzo podobnym do tego, jaki miała zwyczaj czynić ich matka, ale dużo bardziej stanowczo.

– Jedź z bogami, bracie.

– Pozostań w jasności, siostro.

Patrzyli, jak odjeżdża: trzy siostry, mężczyźni, którzy je kochali, ich dzieci, rodzice Hoyta, nawet słudzy i stajenni. Spojrzał po raz ostatni na dom, zbudowany przez jego pradziadka z kamieni w przesiece, przy strumieniu, na ziemi, którą kochał z całego serca.

Uniósł dłoń w geście pożegnania i odjechał w stronę Tańca Bogów.

Stał w wysokiej trawie, usłanej żółtymi jaskrami. Niebo zakryły chmury, słońce przebijało przez nie pojedynczymi promieniami. Świat zamarł w takiej ciszy, że Hoyt czuł się, jakby jechał przez obraz. Szare niebo, zielona trawa, żółte kwiaty i starożytny krąg kamieni powstały w tańcu poza czasem.

Hoyt czuł ich moc, słyszał cichy pomruk. Oprowadził wokół nich konia i zatrzymał się na chwilę, żeby przeczytać stary napis wyryty na głazie.

– Słowa czekają – przetłumaczył ze staroirlandzkiego. – Czas płynie. Bogowie patrzą.

Już miał zsiąść z konia, gdy kątem oka dostrzegł po drugiej stronie pola błysk złota. Stała tam łania, jej zielone oczy błyszczały jak drogocenne kamienie, które miała na obroży. Podeszła do niego dostojnie i przemieniła się w kobietę.

– Szybko przybyłeś, Hoycie.

– Pożegnanie z rodziną jest bolesne, nie chciałem go przedłużać.

Zeskoczył z konia i skłonił się nisko.

– Pani.

– Dziecię. Byłeś chory.

– Miałem gorączkę, już minęła. Czy to ty posłałaś do mnie czarownicę?

– Nie trzeba posyłać tego, kto sam przyjdzie. Spotkasz ją znowu, innych też.

– Mojego brata.

– On będzie pierwszy. Wkrótce zajdzie słońce. Oto klucz do przejścia. – Otworzyła dłoń i pokazała mu małą, kryształową różdżkę. – Trzymaj go przy sobie, nie zgub i nie połam. – Zaczął wsiadać na konia, ale bogini potrząsnęła głową i wyjęła mu cugle z ręki. – Nie, musisz iść pieszo. Twój koń wróci bezpiecznie do domu.

Skazany na kaprysy bogów Hoyt wziął kufer i torbę. Przytroczył do pasa miecz, uniósł laskę.

– Jak go znajdę?

– Przez portal, w świecie, który dopiero będzie. Idź do Tańca, unieś klucz, wypowiedz zaklęcie. Po drugiej stronie jest twoje przeznaczenie. Od tego momentu los ludzkości znajduje się w twoich rękach. Przez portal – powtórzyła. – Do świata, który dopiero będzie. Do Tańca, unieś klucz, wypowiedz zaklęcie. Przez portal...

Jej głos szedł za nim między wielkimi głazami. Hoyt stłumił w sobie strach. Jeżeli na to się narodził, to niech tak będzie. Wiedział, że życie jest długie.

Uniósł kryształ, na który padł pojedynczy promień słońca. Moc przeszyła mu ramię jak strzała.

– Słowa czekają. Czas płynie. Bogowie patrzą.

– Powtórz – poleciła mu bogini i zaczęła recytować wraz z nim.

– Słowa czekają. Czas płynie. Bogowie patrzą.

Powietrze wokół niego zadrżało, wypełniło się światłem, dźwiękami, wiatrem. Kryształ w uniesionej dłoni świecił jak słońce i śpiewał niczym syrena.

Usłyszał własny głos; krzyczał teraz zaklęcie, jakby było wyzwaniem.

I tak leciał, przez światło, wiatr i dźwięk, poza gwiazdami, księżycami i planetami. Nad wodą, od której widoku zrobiło mu się niedobrze. Coraz szybciej, aż światło go oślepiało, dźwięki ogłuszały, a wiatr wiał z taką siłą, że Hoyt się obawiał, czy nie obedrze mu skóry z kości.

Nagle światło przygasło, wiatr ustał, a wszystko zamilkło.

Hoyt oparł się na lasce, próbując złapać oddech i czekając, aż jego oczy przyzwyczają się do przyćmionego światła. Poczuł jakiś zapach – róż i chyba skóry, pomyślał.

Znalazł się w jakimś pokoju, ale nigdy wcześniej takiego nie widział. Pomieszczenie było fantastycznie umeblowane, z długimi, niskimi ławami w głębokim kolorze brązu i tkaniną na podłodze. Na ścianach wisiały obrazy, na innych ciągnęły się półki z książkami oprawionymi w skórę.

Oczarowany Hoyt zrobił krok w przód, ale jakiś ruch po lewej stronie sprawił, że zamarł.

Za stołem siedział jego brat, przed nim stała dziwna lampka, która rozpraszała mrok. Cian miał krótsze włosy, oczy błyszczały mu rozbawieniem.

W dłoni trzymał jakiś metalowy przedmiot i instynkt podpowiedział Hoytowi, że to broń.

Cian skierował to coś na serce brata i odchylił się z krzesłem, kładąc nogi na stół.

– Proszę, proszę, co przywlókł tu kot – powiedział z szerokim uśmiechem.

Hoyt, skonfundowany, zmarszczył brwi, szukając wzrokiem kota.

– Poznajesz mnie? – Zrobił krok w przód, bliżej źródła światła. – To ja, Hoyt. Twój brat. Przyszedłem, żeby...

– Mnie zabić? Za późno. Już dawno umarłem. Zostań na chwilę tam, gdzie jesteś, dobrze widzę w półmroku. Wyglądasz... cóż, tak naprawdę to dosyć głupio. Ale i tak jestem pod wrażeniem. Jak długo zajęło ci obliczenie odpowiedniego momentu w czasie?

– Ja... – Albo przejście przez portal uszkodziło mu mózg, albo widział przed sobą martwego brata, który wyglądał zupełnie jak żywy. – Cian.

– Nie używam już tego imienia. W tej chwili nazywam się Keene. Zdejmij płaszcz, Hoyt, zobaczmy, co tam masz pod spodem.

– Jesteś wampirem.

– Tak, bez wątpienia. Ściągaj płaszcz, już.

Hoyt odpiął broszę, która spinała poły, i pozwolił, by okrycie opadło.

– Szpada i miecz. Sporo broni jak na czarnoksiężnika.

– Nadchodzi bitwa.

– Tak myślisz? – Znowu ujrzał zimne rozbawienie w oczach Ciana. – Obiecuję ci, że przegrasz. To, co trzymam w dłoni, to pistolet. Całkiem niezły. Wystrzela pociski szybciej, niż zdążyłbyś mrugnąć. Zginiesz na miejscu, zanim w ogóle wyciągniesz miecz.

– Nie przyszedłem z tobą walczyć.

– Naprawdę? Ostatnim razem, gdy się spotkaliśmy... niech no odświeżę sobie pamięć. Ach tak, zepchnąłeś mnie ze skały.

– Ty pierwszy zrzuciłeś mnie z tego cholernego klifu – odpowiedział Hoyt z pasją. – I połamałeś mi przy tym żebra. Myślałem, że zniknąłeś. O litościwi bogowie, Cian, myślałem, że już nigdy cię nie zobaczę.

– Jak widzisz, jestem. Wracaj tam, skąd przyszedłeś, braciszku. Miałem tysiąc lat, żeby przeszła mi złość na ciebie.

– Dla mnie umarłeś dopiero tydzień temu. – Hoyt uniósł tunikę. – Nabiłeś mi te siniaki.

Spojrzenie Ciana powędrowało na tors brata, a potem z powrotem na jego twarz.

– Wkrótce się zagoją.

– Przyszedłem z polecenia Morrigan.

– Ach, Morrigan. – Roześmiał się głośno. – Tutaj nie czci się bogów. Ani Boga. Nie ma wróżek. W tych czasach nie ma miejsca ani dla ciebie, ani dla twojej magii.

– Ale jest dla ciebie.

– Dostosowanie to podstawa sztuki przeżycia. Tutaj pieniądze są bogiem, a władza jego boginią. Ja mam i jedno, i drugie. Pozbyłem się takich jak ty już bardzo dawno temu.

– Ten świat zginie, wszystkie światy zginą, jeśli nie pomożesz mi jej powstrzymać.

– Kogo powstrzymać?

– Tej, która cię stworzyła. Tej, która nosi imię Lilith.

3

*L*ilith. To imię przywołało Cianowi wspomnienia sprzed setek lat. Wciąż widział jej twarz, czuł jej zapach, pamiętał ten nagły, przerażający dreszcz w chwili, gdy odebrała mu życie.

Wciąż czuł smak jej krwi i mrocznego daru, który w niej zawarła.

Jego świat się zmienił, a on dostał przywilej – albo przekleństwo – obserwowania tych zmian przez niezliczone wieki.

Czyż nie przeczuwał, że coś się wydarzy? Inaczej dlaczego siedziałby w środku nocy i czekał?

Co za złośliwy kaprys losu przysłał tu jego brata – a raczej brata człowieka, którym kiedyś był – by po tylu wiekach wymówił teraz jej imię?

– No, udało ci się mnie zaintrygować.

– Musisz ze mną wrócić i przygotować się do bitwy.

– Wrócić? Do dwunastego wieku? – Cian roześmiał się krótko i zakołysał wraz z krzesłem. – Zapewniam cię, że nic nie może mnie skusić, abym to zrobił. Lubię obecne udogodnienia. Woda jest tu gorąca, Hoyt, i kobiety też. Nie interesują mnie twoje wojny i polityka, a już na pewno nie twoi bogowie.

– Walka zostanie stoczona z tobą albo bez ciebie, Cian.

– „Beze mnie" brzmi dużo lepiej.

– Nigdy nie unikałeś bijatyk, nie chowałeś się przed walką.

– Nie użyłbym słowa „chować" – odrzekł Cian pogodnie. – A czasy się zmieniają. Uwierz mi.

– Jeśli Lilith nas pokona, wszystko, co znasz, zginie. Ludzkość czeka zagłada.

Cian przekrzywił głowę.

– Ja nie jestem człowiekiem.

– Czy tak brzmi twoja odpowiedź? – Hoyt pochylił się do przodu. – Zamierzasz siedzieć, nic nie robiąc, podczas gdy ona będzie siać zniszczenie? Kiedy będzie robiła innym to, co zrobiła tobie? Gdy zabije twoją matkę, twoje siostry? Będziesz tu siedział, kiedy ona zmieni Nolę w to, czym sam jesteś?

– Oni nie żyją. Od dawna. Został po nich tylko popiół. – Czyż nie widział ich grobów? Nie mógł się powstrzymać i wrócił do domu, stanął nad grobami najbliższych i grobami tych, którzy przyszli później.

– Zapomniałeś wszystkiego, czego się nauczyłeś? Mówisz, że czasy się zmieniają, ale to coś więcej niż zmiana. Czy znalazłbym się tutaj, gdyby czas był jednolity? Ich los nie został jeszcze przesądzony, twój też nie. Zostawiłem ojca, pomimo że umiera. Już nigdy nie zobaczę go żywego.

Cian wstał powoli.

– Nie masz pojęcia, jaka ona jest i do czego jest zdolna. Była stara, żyła całe wieki, kiedy mnie wzięła. Myślisz, że powstrzymasz ją mieczem i płonącymi strzałami? Jesteś większym głupcem, niż mi się wydawało.

– Spróbuję ją powstrzymać przy twojej pomocy. Pomóż mi. Zrób to, jeśli nie dla ludzkości, to dla siebie. A może przyłączysz się do niej? Jeśli nie zostało w tobie nic z mojego brata, zakończmy to tutaj i teraz.

Hoyt dobył miecza.

Przez dłuższą chwilę Cian patrzył na ostrze i ważył pistolet w dłoni, jednak po chwili schował broń do kieszeni.

– Odłóż miecz. Chryste, przecież nigdy ze mną nie wygrałeś, kiedy byłem żywy.

W oczach Hoyta pojawiła się złość.

– Ostatnim razem nie poszło ci zbyt dobrze.

– To prawda. Dochodziłem do siebie całymi tygodniami. W dzień kryłem się w jaskiniach, umierałem z głodu. Wiesz, wtedy jej szukałem. Lilith, która mnie stworzyła. Nocami usiłowałem znaleźć choć trochę pożywienia, by przeżyć. Porzuciła mnie wtedy, więc mam z nią rachunki do wyrównania. Odłóż ten przeklęty miecz.

Hoyt zawahał się, a Cian na niego skoczył. W ułamku sekundy przeskoczył nad jego głową, wylądował za nim i niedbałym ruchem nadgarstka wytrącił mu miecz z dłoni.

Hoyt obrócił się powoli. Czuł zimne ostrze na gardle.

– Niezła zagrywka – powiedział z trudem.

– Jesteśmy szybsi i silniejsi. Nie ogranicza nas sumienie. Musimy zabijać, żeby jeść. Sztuka przetrwania.

– Więc dlaczego wciąż żyję?

Cian wzruszył ramionami.

– Powiedzmy, że dzięki mojej ciekawości i przez wzgląd na dawne czasy. – Odrzucił miecz na drugi koniec pokoju. – No dobrze, napijmy się.

Podszedł do szafki i otworzył ją. Kątem oka dostrzegł, jak miecz wraca przez pokój wprost do ręki Hoyta.

– Ty też nieźle sobie radzisz – powiedział spokojnie i wyjął butelkę wina. – Nie możesz zabić mnie stalą, ale mógłbyś – gdybyś miał trochę szczęścia – odciąć mi jakąś część ciała, którą wolałbym zatrzymać. Nasze członki nie odrastają.

– Odłożę broń i ty zrób to samo.

– Dobrze. – Cian wyjął pistolet z kieszeni i rzucił go na stół. – Tyle że wampir zawsze jest uzbrojony. – Wyszczerzył kły. – Nic nie możesz na to poradzić. – Nalał dwa kieliszki wina, a Hoyt odłożył miecz i szpadę. – Usiądź i wyjaśnij mi, dlaczego miałbym zawracać sobie głowę ratowaniem świata. W obecnych czasach jestem bardzo zajęty. Prowadzę interesy.

Hoyt wziął kieliszek i powąchał jego zawartość.

– Co to jest?

– Bardzo przyjemne czerwone wino hiszpańskie. Nie mam zamiaru cię otruć. – Żeby to udowodnić, sam pociągnął łyk. – Mógłbym skręcić ci kark jak zapałkę. – Usiadł i wyciągnął nogi. – W dzisiejszym świecie to, co teraz robimy, nazwalibyśmy spotkaniem, a ty za chwilę opowiesz mi anegdotę. A zatem... oświeć mnie.

– Musimy zebrać siły, zaczniemy od niewielkiej grupy. Uczony, czarownica, jeden w wielu postaciach i wojownik. To musisz być ty.

– Nie, nie jestem wojownikiem. Jestem biznesmenem. – Uśmiechnął się leniwie. – A zatem bogowie, jak zwykle, dali ci żałośnie mało i postawili przed tobą niewykonalne zadanie. Z tą grupką i jeszcze kimkolwiek na tyle głupim, by się do was przyłączyć, macie pokonać armię dowodzoną przez potężną bestię, najprawdopodobniej z oddziałami innych wampirów i demonów u boku, jeśli zechce je pofatygować. Inaczej świat zginie.

– Światy – poprawił go Hoyt. – Istnieje więcej niż jeden.

– W tym akurat masz rację. – Cian sączył z namysłem wino. Tutaj nie widział już prawie wyzwań dla siebie. To, przynajmniej, było interesujące.

– I jaka według twoich bogów ma być moja rola?

– Musisz pójść ze mną, nauczyć mnie wszystkiego, co wiesz, o jej gatunku i o tym, jak go zniszczyć. Jakie mają słabości, w czym tkwi ich siła. Jaka broń i magia zadziała przeciw nim. Mamy czas do Samhain, żeby się wyszkolić i stworzyć pierwszy krąg.

– Tak długo? – W głosie Ciana brzmiał lodowaty sarkazm. – Co będę z tego miał? Jestem bogatym człowiekiem, muszę chronić swoje zasoby.

– A czy ona pozwoli ci zachować te bogactwa, prowadzić dalej interesy, kiedy zawładnie światem?

Cian wydął wargi. Nie pomyślał o tym.

– Prawdopodobnie nie. Ale jeśli ci pomogę, na pewno zaryzykuję wszystko, co mam, i własną egzystencję. Kiedy jesteś młody...

– To ja jestem starszy.

– Nie, od prawie dziewięciuset lat. W każdym razie, kiedy jesteś młody, myślisz, że będziesz żył wiecznie, i podejmujesz każde głupie ryzyko. Ale żyjąc tak długo jak ja, stajesz się bardziej ostrożny. Bo przeżycie to podstawowy nakaz. Muszę przetrwać, Hoyt. To wspólna cecha ludzi i wampirów.

– Przetrwasz, siedząc sam w ciemności w tym ciasnym domku?

– To nie dom – odpowiedział Cian, błądząc myślami gdzie indziej. – To biuro. Miejsce, w którym prowadzę interesy. Mam wiele domów, to także sposób na przeżycie. Muszę radzić sobie z podatkami i innymi tego typu sprawami. Jak wielu z mojego gatunku, rzadko pozostaję dłużej w jednym miejscu. Jesteśmy nomadami z natury i konieczności.

Pochylił się do przodu i oparł dłonie na kolanach. Z niewieloma osobami mógł rozmawiać o tym, kim był. Taki uczynił wybór, na takie życie się zdecydował.

– Hoyt, widziałem wojny, niezliczone wojny, jakich nawet nie potrafisz sobie wyobrazić. Nie ma w nich wygranych. Jeśli zaczniesz walczyć, zginiesz. Albo staniesz się jednym z nas. To będzie wielka frajda dla Lilith przemienić w wampira czarnoksiężnika o twojej mocy.

– Myślisz, że mam jakiś wybór?

– O tak. – Cian znowu odchylił się na krześle. – Zawsze jest wybór. Ja dokonałem wielu. – Zamknął oczy i leniwie obracał kieliszek z winem. – Coś się zbliża. W świecie podziemnym zaczyna wrzeć. Jeśli chodzi o to, o czym mówisz, to większa sprawa, niż przypuszczałem. Powinienem był słuchać uważniej, ale z zasady nie zadaję się z wampirami.

Hoyt zmarszczył brwi, zdumiony, bo Cian zawsze był bardzo towarzyski.

– Dlaczego nie?

– Bo to kłamcy, mordercy i zwracają na siebie zbyt wiele uwagi. A ludzie, którzy się z nimi zadają, są zwykle straceńcami lub szaleńcami. Ja płacę podatki, wypełniam deklaracje i siedzę cicho. Mniej więcej co dziesięć lat przeprowadzam się, zmieniam nazwisko i kryję się przed radarem.

– Nie rozumiem połowy z tego, co mówisz.

– Domyślam się. Ona uczyni z tego piekło dla każdego. Krwawe jatki zawsze się tak kończą, a demony, które planują zagładę świata, są niedorzecznie krótkowzroczne. W końcu musimy żyć na tym świecie, prawda?

Przez chwilę siedzieli w ciszy. Cian słyszał każde uderzenie serca brata, cichy pomruk klimatyzacji, szmer lampy stojącej na biurku po drugiej stronie pokoju. Mógł wyłączyć te wszystkie dźwięki, zwykle tak robił.

Przez te wszystkie lata nauczył się wielu rzeczy.

Wybór, pomyślał znowu. A dlaczego nie?

– W tym wszystkim chodzi o krew – powiedział, nie otwierając oczu. – Od krwi się zaczyna i na niej kończy. Obaj potrzebujemy jej, żeby żyć, twój gatunek i mój. To krew poświęcamy dla bogów, których czcisz, dla krajów, dla kobiet. I przelewamy ją z tych samych przyczyn. Tylko mój gatunek nie zasłania się wymówkami. – Otworzył oczy i pokazał Hoytowi, że mogą rozbłysnąć na czerwono. – Po prostu ją bierzemy. Jesteśmy głodni krwi, pragniemy jej nade wszystko. Bez niej przestajemy istnieć. To leży w naszej naturze, uwielbiamy polować, zabijać i pożerać. Oczywiście jednym z nas sprawia to większą przyjemność niż innym, tak jak ludziom. Niektórzy z nas lubią sprawiać ból, wzbudzać strach, męczyć i torturować ofiary. Nie wszyscy jesteśmy z tego samego materiału.

– Ty morderco!

– Kiedy polujesz na jelenia w lesie i odbierasz mu życie, czy to jest morderstwo? Dla nas nie jesteście niczym więcej.

– Widziałem, jak umierałeś.

– Upadek z klifu nie był...

– Nie. Widziałem, jak cię zabijała. Najpierw myślałem, że to sen. Patrzyłem, jak wychodzisz z szynku, wsiadasz z nią do powozu. I łączysz się z nią, gdy wyjeżdżaliście z wioski. Widziałem, jak jej oczy się zmieniają, jak jej kły błyszczą w ciemności, zanim zatopiła je w twoim gardle. Widziałem twoją twarz. Ból, szok i...

– Podniecenie – dokończył Cian. – Ekstaza.

– Próbowałeś walczyć, ale dopadła cię jak zwierzę i myślałem, że nie żyjesz. Ale ty nie umarłeś. Nie do końca.

– Żeby się najeść, po prostu pijesz krew i pozbawiasz jej schwytaną ofiarę. Ale żeby człowiek stał się wampirem, musi się napić krwi swego stworzyciela.

– Przecięła własną pierś i przycisnęła do rany twoje usta, a ty wciąż walczyłeś, aż w końcu zacząłeś ssać jak niemowlę.

– To ogromna pokusa, tak samo jak chęć przetrwania. Wybór był jeden: pić albo umrzeć.

– Kiedy skończyła, wyrzuciła cię na ulicę i tam zostawiła. – Hoyt pociągnął tęgi łyk wina na to wspomnienie. – Tam cię znalazłem, całego we krwi i błocie. I to jest sposób na przeżycie? Jeleniowi okazuje się więcej szacunku.

– Chcesz mnie pouczać? – Cian wstał po butelkę. – Czy chcesz się czegoś dowiedzieć?

– Muszę wiedzieć.

– Jedni polują w grupie, inni samotnie. Najbardziej bezbronni jesteśmy zaraz po przebudzeniu – od tego pierwszego, w grobie, aż do każdej pobudki po przespanym dniu. Jesteśmy stworzeniami nocy. Słońce oznacza dla nas śmierć.

– Płoniecie w jego promieniach.

– Coś jednak wiesz.

– Widziałem. Polowały na mnie, gdy jechałem do domu. Pod postaciami wilków.

– Tylko wampiry o wielkiej mocy i w podeszłym wieku albo pozostające pod opieką innego potężnego demona mogą zmieniać postać. Większość musi pozostać przy tej, w której zmarli. Ale i tak nie starzejemy się fizycznie. Miły bonus.

– Wyglądasz, jakbyś się postarzał – odparł Hoyt. – Chociaż nie. To wina stroju, który nosisz, i fryzury. Poruszasz się też inaczej.

– Zważ, że nie jestem już tym, kim byłem. Mamy wyostrzone zmysły, to ułatwia nam przetrwanie. Ogień niszczy nas, tak jak słońce. Woda święcona, jeśli została pobłogosławiona z wiarą, spali nas, tak samo krzyż, jeżeli walczący ufa jego mocy. Ten znak nas odrzuca.

Krzyże, pomyślał Hoyt. Morrigan dała mu krzyże. Poczuł ogromną ulgę.

– Metal jest w sumie bezużyteczny – ciągnął Cian – chyba że udałoby ci się odciąć mi głowę. To by poskutkowało. Ale inaczej...

Znowu wstał i podniósł miecz Hoyta. Podrzucił broń do góry, złapał za rękojeść i wbił sobie ostrze w pierś.

Krew przesiąkła przez białą koszulę, a Hoyt zerwał się na równe nogi.

– Zapomniałem, jak bardzo to boli. – Cian skrzywił się i wyrwał ostrze. – Taką mam zapłatę za przechwałki. Zrób to samo drewnem, a zostanie z nas popiół. Ale musisz przebić serce. Umieramy w męczarniach, w każdym razie tak mi powiedziano.

Wyjął chusteczkę, wytarł ostrze i zdjął koszulę. Rana już się zamykała.

– Umieramy raz i niełatwo nas uśmiercić po raz drugi. Walczymy zajadle z każdym, kto spróbuje. Lilith jest najstarszym wampirem, jakiego kiedykolwiek znałem. Będzie walczyła najbrutalniej ze wszystkich. – Zamilkł i wpatrzył się w kieliszek z winem. – Twoja matka. W jakim stanie ją zostawiłeś?

– Ze złamanym sercem. Byłeś jej ukochanym synem. – Hoyt wzruszył ramionami, gdy Cian spojrzał mu w twarz. – Obaj o tym wiemy. Prosiła mnie, żebym próbował, żebym znalazł jakiś sposób. W żałobie nie mogła myśleć o niczym innym.

– Obawiam się, że nawet twoje zaklęcia nie potrafią wskrzeszać umarłych. Albo nieumarłych.

– Owej nocy poszedłem na twój grób, błagałem bogów, by zesłali ukojenie jej sercu. Znalazłem tam ciebie, całego w ziemi.

– Wydostanie się z grobu to brudna robota.

– Pożerałeś królika.

– Pewnie nie mogłem znaleźć nic innego. Muszę przyznać, że tego nie pamiętam. Pierwsze godziny po przebudzeniu są pełne chaosu. Czuje się tylko głód.

– Uciekłeś przede mną. Wiedziałem, kim jesteś – słyszałem plotki o takich istotach – a ty uciekłeś. Poszedłem na klif i ujrzałem cię znowu. Zrobiłem to na prośbę matki, błagała mnie, żebym złamał czar.

– To nie jest czar.

– Myślałem, miałem nadzieję, że jeśli zniszczę to, co cię stworzyło... albo osłabię, wówczas zabiję potwora, którym się stałeś.

– I nie udało ci się ani jedno, ani drugie – przypomniał mu Cian. – Co tylko pokazuje, przeciwko jakim siłom chcesz wystąpić. Byłem młody i ledwo wiedziałem, kim jestem i co potrafię. Uwierz mi, ona będzie miała sprytniejszych po swojej stronie.

– Czy ja będę miał ciebie po swojej?

– Nie masz cienia szansy, żeby wygrać.

– Nie doceniasz mnie. Mam dużo więcej niż cień. Nieważne, czy minął rok czy tysiąc lat, wciąż jesteś moim bratem. Moim bliźniakiem. Krwią z mojej krwi. Sam powiedziałeś, że krew jest najważniejsza.

Cian przesunął palcem po kieliszku z winem.

– Pójdę z tobą. – Uniósł ten sam palec, zanim Hoyt zdążył przemówić. – Dlatego, że jestem ciekawy i nieco znudzony. Siedzę w tym miejscu już od ponad dziesięciu lat, więc i tak już pora na przeprowadzkę. Nie licz na mnie, Hoyt. Najpierw dbam o siebie.

– Nie wolno ci polować na ludzi.

– Już rozkazy? – Cian wygiął lekko usta. – Typowe. Tak jak powiedziałem, dbam najpierw o siebie. Nie karmiłem się ludzką krwią od ośmiuset lat. Cóż, może siedmiuset pięćdziesięciu, bo raz czy dwa zszedłem na złą drogę.

– Dlaczego?

– Żeby sobie udowodnić, że potrafię się pohamować. Poza tym są inne sposoby na przeżycie w świecie ludzi. Trudno robić z nimi interesy, jeśli patrzy się na nich jedynie jak na przekąskę. Po śmierci zwykle zostaje ślad. Nadchodzi świt.

Zaniepokojony Hoyt rozejrzał się po pozbawionym okien pokoju.

– Skąd wiesz?

– Czuję to. I jestem zmęczony pytaniami. Na razie będziesz musiał u mnie zostać. Nie możesz chodzić sam po mieście, nie wyglądamy identycznie, ale i tak jesteś do mnie zbyt podobny. I musisz zmienić te ciuchy.

– Chcesz, żebym nosił... co to jest?

– Spodnie – odrzekł Cian sucho i przeszedł przez pokój do prywatnej windy. – Mam tu mieszkanie, tak jest łatwiej.

– Spakuj rzeczy, których potrzebujesz, i ruszamy.

– Nie podróżuję w dzień i nie słucham niczyich rozkazów. Już od dłuższego czasu sam je wydaję. Muszę załatwić kilka spraw, zanim wyjadę. Wejdź tutaj.

– Co to jest? – Hoyt stuknął laską w ścianę windy.

– Środek transportu. Pojedziemy na górę, do mojego mieszkania.

– Jak?

Cian przeczesał palcami włosy.

– Słuchaj, na górze mam książki i inne pomoce edukacyjne. Możesz spędzić następnych kilka godzin na zgłębianiu kultury, mody i technologii dwudziestego pierwszego wieku.

– Co to jest technologia?

Cian wciągnął brata do windy i nacisnął guzik.

– Jeszcze jeden bóg.

* * *

Ten świat, te czasy były pełne cudów. Hoyt bardzo chciał poznać wszystko wokół i zrozumieć. Pokoju nie oświetlały pochodnie, tylko coś, co Cian nazywał elektrycznością. Jedzenie trzymano w pudle wysokości człowieka, gdzie pozostawało zimne i świeże, a w jeszcze innym pudełku podgrzewano je i gotowano. Woda leciała z rurki do miski, gdzie znowu znikała.

Dom, w którym mieszkał Cian, był zbudowany wysoko nad miastem, a co to było za miasto! Wizja, którą przedstawiła mu Morrigan, była niczym w porównaniu z tym, co widział przez szklaną ścianę pokoju brata.

Hoyt pomyślał, że nawet bogowie byliby oszołomieni wielkością i rozmachem tego Nowego Jorku. Chciał jeszcze raz na niego popatrzeć, ale Cian kazał mu przysiąc, że nie odsłoni szklanej ściany i nie wyjdzie sam z domu.

Apartamentu, poprawił go Hoyt. Cian nazywał swój dom „apartamentem".

Cian miał książki, mnóstwo książek i magiczne pudełko, które nazywał telewizorem. Rzeczywiście, było w nim mnóstwo wizji, ludzi i miejsc, rzeczy i zwierząt. Pomimo że Hoyt bawił się nim tylko godzinę, i tak poczuł się zmęczony jego nieustającym brzęczeniem.

Obłożył się więc książkami i czytał, czytał, aż oczy go zapiekły, a głowa zrobiła się ciężka od zbyt wielu słów i obrazów, i zapadł w sen na czymś, co Cian nazywał sofą.

Śniła mu się czarownica, zobaczył ją otoczoną kręgiem światła. Miała na sobie tylko naszyjnik, a jej skóra opalizowała mlecznym blaskiem w płomieniach świec.

Jej piękność aż płonęła.

Nad głową trzymała w obu dłoniach kryształową kulę. Słyszał szept i chociaż nie mógł rozróżnić słów, wiedział, że szepcze zaklęcia, czuł ich moc. I wiedział, że go szukała.

Nawet przez sen czuł siłę jej przyciągania i tę samą niecierpliwość, której doświadczył w swoim kręgu, w swoim czasie.

Przez chwilę miał wrażenie, że ich oczy się spotkały ponad mgłą, i przeszyło go obezwładniające pożądanie. Jej usta otworzyły się, jakby zaraz miała do niego przemówić.

– Do diabła, co to za ubranko?

Hoyt obudził się i zobaczył nad sobą twarz olbrzyma. Był wysoki jak drzewo i tak samo gruby. Miał twarz, nad którą zaszlochałaby nawet matka, czarną jak Maur, z bliznami na policzku, otoczoną poplątanymi pasmami włosów.

Monstrum miało jedno oko czarne, drugie szare. Zmrużyło oba i ukazało duże, białe zęby.

– Nie jesteś Kainem.

Zanim Hoyt zdążył zareagować, przybysz schwycił go za kark i potrząsnął nim jak zły kot myszą.

– Postaw go na ziemię, King, zanim przemieni cię w słabego, białego człowieczka.

Cian wyszedł z sypialni i począłpał leniwie w stronę kuchni.

– Jakim cudem on ma twoją twarz?

– Ma swoją – odparł Cian. – Gdybyś się przyjrzał, zobaczyłbyś, że nie jesteśmy aż tak podobni. Kiedyś był moim bratem.

– Doprawdy? Sukinsyn. – King bezceremonialnie rzucił Hoyta na sofę. – Jak on tu się, u diabła, dostał?

– Czary. – Cian wyjął z zimnego pudełka świeżą paczkę krwi. – Bogowie i wojny, koniec świata, bla, bla, bla.

King popatrzył na Hoyta i wyszczerzył zęby w uśmiechu.

– A niech mnie diabli. Zawsze myślałem, że połowa tego gówna, o którym mi mówiłeś, była... no... gównem. Nie da się z nim gadać, zanim nie zapoda sobie wieczornej działki – wyjaśnił Hoytowi. – Masz jakieś imię, braciszku?

– Jestem Hoyt z Mac Cionaoith. I nigdy więcej nie podniesiesz na mnie ręki.

– Ale ma gadane.

– Czy on jest taki jak ty? – zapytali jednocześnie Hoyt i King.

Cian z wysiłkiem przelał krew do wysokiej, grubej szklanki i wstawił ją do mikrofalówki.

– Dwa razy nie. King zarządza moim klubem, tym na dole. Jest moim przyjacielem.

Hoyt skrzywił się z obrzydzeniem.

– Jest twoim ludzkim sługą.

– Nie jestem niczyim sługą!

– Czytałeś o tym. – Cian wyjął szklankę i wypił zawartość. – Niektóre wampiry o wysokiej pozycji mają ludzkie sługi. Ja wolę pracowników. Hoyt przyszedł zwerbować mnie do armii, z którą chce walczyć przeciwko złu.

– Skarbówka?

Cian uśmiechnął się, a Hoyt dostrzegł między nimi pewną nić porozumienia, coś, co kiedyś łączyło brata i jego.

– Chciałbyś. Nie, mówiłem ci, że słyszałem plotki. Najwidoczniej nie bez powodu. Bogowie mówią, że Lilith Wampirzyca gromadzi własną armię i zamierza zniszczyć ludzkość, przejąć władzę nad światami. Wojna, epidemie, plagi.

– Dworujesz sobie? – Hoyt ledwo mógł stłumić wściekłość.

– Jezu Chryste, Hoyt, mówimy o armiach wampirów i podróżach w czasie. Oczywiście, że wolno mi żartować na ten temat. I tak zapewne zginę, jeśli pójdę z tobą.

– Dokąd idziesz?

Cian wzruszył ramionami.

– Z powrotem w przeszłość, jak rozumiem, jako siła pomocnicza dla tego tu generała.

– Nie wiem, czy będziemy podróżowali wstecz, w przód czy na boki. – Hoyt rzucił książki na stół. – Ale na pewno wrócimy do Irlandii. Tam się dowiemy, dokąd mamy iść dalej.

– Masz piwo? – zapytał King.

Cian otworzył lodówkę, wyjął butelkę harpa i rzucił olbrzymowi.

– No to kiedy wyruszamy? – King zdjął nakrętkę i pociągnął długi łyk.

– Ty nie. Mówiłem ci już, że gdy przyjdzie na mnie czas, przekażę ci kontrolę nad klubem. Najwidoczniej ta chwila nadeszła.

– Zbierasz armię, generale? – zapytał King Hoyta.

– Nazywam się Hoyt. Tak.

– No to właśnie zdobyłeś pierwszego rekruta.

– Przestań. – Cian ominął blat, który oddzielał salon od kuchni. – To nie dla ciebie. Nie masz pojęcia, w co się pakujesz.

– Ale znam ciebie – odparł King. – Wiem, że lubisz dobrą bijatykę, a już dawno w żadnej nie brałeś udziału. Mówisz o wielkiej bitwie, walce dobra ze złem. Lubię sam wybierać, po której jestem stronie.

– Jeśli on jest królem*, to dlaczego miałby słuchać twoich rozkazów? – zapytał Hoyt, a czarny olbrzym śmiał się tak długo i głośno, że musiał usiąść na sofie.

– Tu cię ma.

– Kiedyś zginiesz przez ten brak lojalności.

– Mój wybór, bracie. – King wzniósł butelkę w stronę Ciana. Znowu przepłynęło między nimi coś potężnego, chociaż nawet na siebie nie spojrzeli. – Nie sądzę, żebym był nielojalny.

– Hoyt, wyjdź na chwilę. – Cian machnął dłonią w stronę swojej sypialni. – Idź tam. Muszę porozmawiać w cztery oczy z tym idiotą.

Zależy mu na nim, pomyślał Hoyt, idąc do pokoju brata. Cian troszczył się o tego człowieka, a więc jednak miał cechy ludzkie. Nigdzie nie wyczytał, że wampiry mogą darzyć ludzi prawdziwymi uczuciami.

Rozejrzał się po sypialni i zmarszczył brwi. Gdzie trumna? W książkach było napisane, że za dnia wampiry śpią w trumnach, w ziemi z własnego grobu, a tu stało tylko ogromne łóżko, miękkie jak chmura, i pokryte gładkimi tkaninami.

* *King* (ang.) – król (wszystkie przypisy od tłumaczki).

Za drzwiami słyszał podniesione głosy, ale postanowił dokładniej obejrzeć sypialnię brata. Ubrań wystarczyłoby dla dziesięciu mężczyzn, pomyślał, zaglądając do szafy. Cian zawsze był próżny. Żadnego lustra. W książkach wyczytał, że wampiry nie mają odbicia. Wszedł do łazienki i szczęka mu opadła. Obszerna wygódka, którą pokazał mu Cian, zanim udał się na spoczynek, była niczym w porównaniu z tym. Balia mogłaby pomieścić sześć osób, a obok niej stało wysokie pudło z bladozielonego szkła.

Ściany i podłogę zrobiono z marmuru.

Zafascynowany wszedł do pudełka i zaczął się bawić srebrnymi nakrętkami, które wystawały ze ściany. Nagle wrzasnął jak opętany, gdy z rurek o płaskich główkach spadła na niego lodowata ulewa.

– Tutaj zdejmujemy ubranie, zanim wejdziemy pod prysznic. – Cian wszedł do środka, zakręcił wodę i powąchał Hoyta. – Chociaż z drugiej strony, w ubraniu czy bez, na pewno przyda ci się kąpiel. Śmierdzisz. Umyj się – rozkazał – i ubierz w ciuchy, które położyłem ci na łóżku. Idę do pracy.

Wyszedł szybko, zostawiając brata, żeby sam sobie radził.

Po jakimś czasie Hoyt odkrył, że temperaturę wody można zmieniać. Oparzył się, potem zamroził, ale w końcu udało mu się znaleźć złoty środek.

Jego brat musiał mówić świętą prawdę, kiedy opowiadał o swoim bogactwie, bo żył w niewyobrażalnym luksusie. Mydło miało trochę kobiecy zapach, ale nie było żadnego innego.

Hoyt pluskał się pod prysznicem i medytował, jak by go skopiować, za pomocą nauki lub magii, gdy już wróci do domu.

Ścierki, które wisiały obok, były równie miękkie jak tkaniny na łóżku i Hoyt czuł się jak wielki pan, wycierając nimi ciało.

Nie zależało mu na nowym ubraniu, ale jego własne było przemoczone. Zastanawiał się, czyby nie pójść i nie wyjąć z kufra zapasowej tuniki, ale doszedł do wniosku, że w kwestii stroju najlepiej będzie posłuchać brata.

Ubieranie się trwało dwa razy dłużej niż zwykle, ledwo sobie poradził z dziwnymi zapięciami. Buty nie miały sznurówek, po prostu wsuwało się w nie stopy, ale musiał przyznać, że są całkiem wygodne.

Żałował tylko, że nigdzie nie było lustra, żeby mógł się zobaczyć w nowym stroju. Otworzył drzwi sypialni i zatrzymał się w progu. Czarny król nadal siedział na kanapie i pił ze szklanej butelki.

– Tak lepiej – powiedział. – Może ujdziesz w tłoku, jeśli będziesz trzymał buzię na kłódkę.

– Co to za zapięcie?

– To rozporek. Ach, lepiej, żeby był zapięty, przyjacielu. – Wstał. – Cian poszedł na dół, do klubu. Jest już po zmierzchu. Zwolnił mnie.

– Spowolnił twoje ruchy? Mam na to remedium.

– Nie. Kurde. Zakończył naszą współpracę. Przejdzie mu. Jeśli on idzie walczyć, ja też. Nie musi mu się to podobać.

– Uważa, że wszyscy umrzemy.

– Ma rację, prędzej czy później na pewno. Widziałeś kiedyś, co wampir potrafi zrobić z człowiekiem?

– Widziałem, co wampirzyca zrobiła z moim bratem.

Oczy Kinga się zachmurzyły.

– Tak, tak, to prawda. Cóż, sprawa wygląda następująco: nie zamierzam siedzieć na dupie i czekać, aż któryś z nich zrobi ze mną to samo. On ma rację, chodzą plotki. Będzie walka i ja wezmę w niej udział.

Wielki mężczyzna, pomyślał Hoyt, o budzącej strach twarzy i ogromnej sile.

– Jesteś wojownikiem.

– Pewnie, stary. Zobaczysz, skopię tyłek jakiemuś wampirowi. Ale nie dzisiaj. Może pójdziemy na dół, zobaczymy, co się kręci. To go wkurzy.

– Do jego... – Jak Cian to nazywał? – Jego klubu?

– Bingo. Nazywa się Wieczność. O tym to już on coś wie.

4

Znajdzie go. Jeśli ten mężczyzna miał zamiar wciągać ją w swoje sny, zmuszać do opuszczenia ciała i prześladować jej myśli, to zamierzała go odszukać i dowiedzieć się dlaczego.

Od wielu dni czuła się tak, jakby stała na wysokiej, chwiejnej skale. Po jednej stronie było coś pięknego i jasnego, a po drugiej ziała zimna, przerażająca otchłań. Sama skała, choć trochę niestabilna, nie budziła w niej lęku.

Cokolwiek się z nią działo, nie miała wątpliwości, że on to spowodował, chociaż nie należał do jej czasów ani miejsca. W dwudziestym pierwszym wieku faceci w opończach i tunikach nie jeździli konno po Nowym Jorku.

Ale on był prawdziwy, z krwi i kości, tak samo realny jak ona. Miała tę krew na rękach, czyż nie? Chłodziła jego rozpalone czoło i patrzyła, jak spał. Jego twarz wydawała jej się znajoma, jakby zapamiętała ją ze snu albo widziała już gdzieś przelotnie.

Przystojna twarz, nawet wykrzywiona bólem, pomyślała, szkicując. Szczupła i wyrazista, arystokratyczna. Długi, wąski nos, silne, wyrzeźbione usta, mocno zarysowane kości policzkowe.

Powoli na kartce pojawiała się jego twarz, najpierw ogólny zarys, później szczegóły: głęboko osadzone oczy, intensywnie niebieskie, pod niemal mefistofelicznym łukiem brwi.

Tak, pomyślała, pamiętała go, potrafiła naszkicować, ale dopóki go nie znajdzie, nie będzie wiedziała, czy powinna skoczyć z tej skały czy nie.

Glenna Ward była kobietą, która lubiła wiedzieć.

Znała jego twarz, kształt i dotyk jego ciała, nawet tembr jego głosu. Wiedziała na pewno, że władał mocą. I wierzyła, że znał odpowiedź.

Cokolwiek miało się wydarzyć – a wszystkie znaki ostrzegały ją, że to coś wielkiego – on był z tym związany. Miała przeczucie, że nadszedł czas, żeby odegrała rolę swojego życia. A ranny facet spowity chmurą kłopotów i magii będzie stał u jej boku.

Mówił po gaelicku, w języku irlandzkich Celtów. Znała trochę ten język, używała go czasami w zaklęciach i mogła w nim czytać, jednak w przedziwny sposób nie tylko rozumiała wszystko, co mówił w tym śnie – doświadczeniu, wizji czy jak kto zwał – ale także sama biegle mówiła tym językiem.

Zatem ten nieznajomy musiał pochodzić z odległej przeszłości, zdecydowała, i prawdopodobnie skądś z Irlandii.

Wróżyła ze szklanej kuli i odprawiła czary nad zakrwawionym bandażem, który przyniosła z tej dziwnej podróży w... gdziekolwiek była. Jego krew i jej talent doprowadzą go do niego.

Spodziewała się, że czeka ją dużo pracy i ogromny wysiłek. A jeszcze więcej wysiłku będzie kosztowało ją przeniesienie się do jego czasu i miejsca, ale była gotowa spróbować. Usiadła w kręgu, wśród zapalonych świec, nad miską z wodą i ziołami. Jeszcze raz zaczęła go szukać, skupiając się na rysunku jego twarzy i ściskając w dłoni bandaż.

– Szukam mężczyzny o tej twarzy, w jakim czasie, w jakim miejscu się wydarzył. Palcami jego krwi dotykam i szukam, i pytam. Żądam odpowiedzi na moje pytanie. Niech tak się stanie.

Zobaczyła go oczyma duszy, jak ze zmarszczonymi brwiami studiował jakąś książkę. Skupiła się bardziej i ujrzała cały pokój. Pokój? Raczej przyćmione światło rzucające bladą poświatę na twarz i dłonie nieznajomego.

– Gdzie jesteś? – zapytała cicho. – Pokaż mi.

I zobaczyła budynek, ulicę.

Nie wiedziała, czy odpowiedź bardziej ją ucieszyła czy zdumiała. Ostatnia rzecz, jakiej się spodziewała, to odkrycie, że on był w Nowym Jorku, jakieś sześćdziesiąt przecznic od niej, i to w teraźniejszości.

Los musi się naprawdę spieszyć, uznała Glenna, więc kim ona jest, żeby podawać w wątpliwość jego wyroki?

Zamknęła krąg, odłożyła rekwizyty, schowała rysunek do szuflady biurka i poszła się ubrać. Co powinna na siebie włożyć kobieta, gdy wybiera się na spotkanie ze swoim przeznaczeniem? Coś zuchwałego? Stonowanego? W stylu biurowym? Coś egzotycznego? W końcu zdecydowała się na małą czarną.

Wyruszyła do miasta metrem, pozwalając umysłowi odpocząć. Serce biło jej mocno, przepełnione oczekiwaniem, które narastało w niej od kilku tygodni. Oto, pomyślała, następny krok do tego, co ma się wydarzyć.

A cokolwiek to jest, cokolwiek się stanie, chciała być na to gotowa. Później będzie podejmowała decyzje.

Wagon był zatłoczony, więc stała, trzymając się drążka nad głową i kołysząc lekko razem z pociągiem. Lubiła rytm tego miasta, jego szybkie tempo, eklektyczną muzykę. Wszystkie tony i odcienie.

Dorastała w Nowym Jorku, ale nie w centrum. Mała dzielnica na przedmieściach zawsze wydawała się jej zbyt ograniczona, zbyt zamknięta. Glenna zawsze chciała więcej. Więcej barw, więcej dźwięków, więcej ludzi, dlatego ostatnie cztery lata ze swoich dwudziestu czterech mieszkała w centrum.

I przez całe życie doskonaliła swoje rzemiosło.

Na następnej stacji ludzie wsiadali i wysiadali. Zignorowała wydawane przez nich dźwięki, przywołując w myślach obraz mężczyzny, którego szukała.

To nie twarz męczennika, pomyślała, jest w niej zbyt wiele siły. I poirytowania. Musiała przyznać, że takie połączenie wydało się jej bardzo interesujące.

Krąg, który stworzył, miał ogromną siłę, ale to, co go ścigało, było równie potężne. Czarne wilki prześladowały ją w snach, stworzenia, które nie były ani zwierzętami, ani ludźmi, tylko tym, co najgorsze z obu gatunków.

Bezwiednie dotknęła amuletu na szyi. Też była silna. Wiedziała, jak się chronić.

– Ona nakarmi się twoją krwią.

Usłyszała syk i poczuła lodowaty oddech na karku. To, co przemówiło, musiało się poruszać, zdawało się unosić wokół niej, zmrażając powietrze lodowatym oddechem.

Inni pasażerowie nadal siedzieli lub stali, czytali, gawędzili. Nikt nic nie zauważył, nikt nie spostrzegł potwora, który owijał się wokół ich ciał niczym wąż.

Miał czerwone oczy i długie, ostre kły, poplamione krwią, która obscenicznie skapywała mu z ust. Serce Glenny zacisnęło się w piersi niczym pięść i zaczęło jak szalone obijać się o żebra.

Potwór miał ludzką postać i – co z niewytłumaczalnego powodu dodawało mu grozy – ubrany był w garnitur. Niebieskie prążki, zarejestrowała bezwiednie, wykrochmalona, biała koszula i krawat w paski.

– Jesteśmy wiecznością. – Przesunął zakrwawioną dłonią po policzku kobiety, która czytała książkę w miękkiej oprawie. Na jej skórze został czerwony ślad, ale kobieta tylko przewróciła stronę i ponownie zagłębiła się w lekturze.

– Będziemy pędzić was jak bydło, ujeżdżać jak konie, łapać jak szczury. Wasza moc jest żałosna i słaba, a gdy już z wami skończymy, zatańczymy na waszych kościach.

– To dlaczego się boisz?

Stwór obnażył zęby, zawarczał i skoczył.

Glenna stłumiła okrzyk i poleciała do tyłu.

Pociąg wjechał do tunelu. Stwór zniknął.

– Uważaj, paniusiu – wymamrotał ze złością mężczyzna, na którego wpadła.

– Przepraszam. – Ścisnęła drążek śliską od potu dłonią.

Do samego końca jazdy czuła zapach krwi.

Po raz pierwszy w życiu Glenna bała się ciemności, ulic, ludzi, których mijała. Musiała powstrzymywać się siłą, żeby nie wybiec z wagonu i rozpychając przechodniów, nie popędzić w stronę schodów prowadzących do wyjścia.

Szła szybko i mimo hałasu miasta słyszała nerwowy stukot własnych obcasów i świst pełnego lęku oddechu.

Przed klubem Wieczność stała kolejka; pary i pojedyncze osoby czekały stłoczone w nadziei na zaproszenie do środka. Glenna nie zamierzała czekać, podeszła do bramkarza, uśmiechnęła się i zastosowała mały czar.

Wpuścił ją do środka, nie sprawdzając ani zaproszenia, ani dowodu tożsamości.

Klub pełen był muzyki, niebieskiego światła i podniecenia. Po raz pierwszy bliskość ludzi, pulsowanie i rytm nie sprawiały jej przyjemności.

Zbyt wiele twarzy, pomyślała. Za wiele serc. Szukała tylko jednego, lecz nagle odnalezienie go wśród tak wielu innych wydało jej się niemożliwe. Gdy przepychała się przez klub, przeszkadzały jej każdy dotyk i popchnięcie i wstydziła się swojego strachu.

Nie była bezbronna ani słaba, ale tak właśnie się czuła. Potwór w metrze wyglądał jak najgorszy z koszmarów. I ten koszmar został posłany specjalnie do niej.

Wiedział o jej strachu, pomyślała. I bawił się nim, prowokował jej lęk, aż miała kolana jak z waty, a wrzaski w jej głowie cięły umysł niczym sztylety.

Była zbyt zszokowana, zbyt przerażona, żeby sięgnąć po jedyną broń, jaką miała: magię.

Teraz przez strach zaczęła przebijać złość.

Tłumaczyła sobie, że jest poszukiwaczką, która podejmuje ryzyko i ceni wiedzę. Kobietą, która umie się bronić i posiada umiejętności niewyobrażalne dla większości ludzi. A mimo to spanikowała przy pierwszym kontakcie z prawdziwym niebezpieczeństwem. Wyprostowała plecy, wyrównała oddech i ruszyła prosto do wielkiego, okrągłego baru.

Zobaczyła go w połowie drogi.

Najpierw poczuła ogromną ulgę, a potem dumę, że tak szybko odniosła sukces.

Facet nieźle się pozbierał.

Potargane wcześniej włosy teraz miał modnie ostrzyżone, połyskliwie czarne i krótsze – ale wtedy był ranny, pogrążony w żałobie i miał nie lada kłopoty. Ubrany był na czarno, w czym było mu bardzo do twarzy. Pasował do niego też uważny, nieco zirytowany wyraz błyszczących oczu.

Z odzyskaną pewnością siebie Glenna uśmiechnęła się i stanęła przed nim, zagradzając mu drogę.

– Szukałam cię.

Cian zatrzymał się w pół kroku. Był przyzwyczajony do kobiecych zaczepek i czasem nawet czerpał z tego pewną przyjemność, zwłaszcza gdy kobieta była tak wyjątkowej urody jak ta. W jej błyszczących zielonych oczach igrało zalotne rozbawienie, usta miała pełne i zmysłowe, a głos niski i uwodzicielski.

Była zgrabna, a skąpa, czarna sukienka podkreślała jej mleczną skórę i silne, muskularne ciało. Może nawet zabawiłby się nią przez kilka chwil, gdyby nie nosiła tego naszyjnika.

Wiedźmy, a jeszcze gorzej wariatki, które bawiły się czarami, zwykle sprawiały same kłopoty.

– Lubię być poszukiwanym przez piękne kobiety, kiedy mam czas, żeby mnie znaleziono. – I na tym chciał poprzestać, ale wtedy ona dotknęła jego ramienia.

Poczuł coś. I najwidoczniej ona też, bo jej oczy się zwęziły, a uśmiech zbladł.

– Ty nie jesteś nim. Tylko wyglądasz jak on. – Ścisnęła go mocniej za ramię. – Ale to też nie do końca prawda. A niech to szlag. – Opuściła rękę i potrząsnęła głową. – Powinnam była wiedzieć, że nie pójdzie mi tak łatwo.

Tym razem to on położył jej dłoń na ramieniu.

– Znajdźmy jakiś stolik. – W ciemnym, odludnym kącie, pomyślał Cian. Warto się dowiedzieć, kim albo czym ona jest.

– Potrzebuję informacji. Muszę kogoś znaleźć.

– Musisz się napić – odpowiedział Cian uprzejmie i poprowadził ją szybko przez tłum.

– Słuchaj, jakbym chciała drinka, to sama bym go sobie kupiła. – Glenna zastanawiała się, czy nie urządzić sceny, ale doszła do wniosku, że pewnie wtedy ją wyrzucą. Rozważała użycie magii, ale wiedziała z doświadczenia, że uciekanie się do czarów w najdrobniejszych sprawach na ogół powoduje kłopoty.

Rozejrzała się dookoła, próbując ocenić sytuację. W klubie było mnóstwo ludzi, muzyka dudniła od głębokich basów, na tle których kobiecy głos mruczał zmysłowo słowa jakiejś piosenki. Co mógłby jej zrobić w takim miejscu?

– Szukam kogoś – powiedziała. Spokój, nakazała sobie w duchu, rozmawiaj i zachowuj się po przyjacielsku. – Pomyliłam cię z kimś. Tu jest dosyć ciemno, a wy jesteście do siebie podobni jak bracia. Muszę go znaleźć, to bardzo ważne.

– Jak on ma na imię? Może będę mógł ci pomóc.

– Nie znam jego imienia. – Poczuła się głupio. – I wiem, jak to brzmi. Ale powiedziano mi, że on tu jest. Myślę, że ma kłopoty. Gdybyś mógł tylko... – Usiłowała uwolnić się z jego uścisku, lecz przytrzymywał ją ręką twardą jak stal.

Co może jej tutaj zrobić? – pomyślała znowu. Prawie wszystko. Poczuła pierwsze ukłucie paniki, zamknęła oczy i sięgnęła po magię.

Jego dłoń drgnęła na jej ramieniu, po czym zacisnęła się jeszcze mocniej.

– A zatem jesteś prawdziwą czarownicą – wymamrotał i zwrócił na nią spojrzenie zimnych jak stal oczu. – Chyba załatwimy to na górze.

– Nigdzie z tobą nie pójdę. – Poczuła lęk podobny do tego, który dopadł ją w metrze. – To miało małą moc. Uwierz mi, nie chciałbyś, żebym dodała woltów.

– Uwierz mi – odparł aksamitnym głosem – nie chciałabyś mnie zdenerwować.

Pociągnął ją za spiralne schody. Glenna zaparła się mocno gotowa walczyć wszelkimi dostępnymi środkami. Wbiła mu w stopę dziesięciocentymetrowy obcas szpilki i walnęła pięścią w szczękę. Zamiast marnować oddech na wrzaski, zaczęła recytować zaklęcia.

Zaparło jej dech w piersiach, gdy podniósł ją, jakby nic nie ważyła. Miała nadzieję, że za trzydzieści sekund, gdy dokończy zaklęcie, napastnik będzie leżał rozłożony na łopatki, ale to nie powstrzymało jej przed walką. Wierzgała rękami i nogami i postanowiła jednak zacząć wrzeszczeć.

W tym momencie drzwi windy stanęły otworem.

I on tam był, we własnej osobie, tak podobny do mężczyzny, który niósł ją właśnie na ramieniu, że uznała, iż jego także mogłaby znienawidzić.

– Postaw mnie, ty sukinsynu, albo zamienię to miejsce w księżycowy krater.

Kiedy otworzyły się drzwi jeżdżącego pudełka, Hoyta zaatakowały dźwięki, zapachy i światła. Wszystko to uderzyło prosto w niego, paraliżując zmysły. Na pół oślepiony zobaczył brata z szarpiącą się kobietą w ramionach.

Jego kobietą, zauważył i przeżył kolejny szok. Czarownica z jego snu była teraz półnaga i używała języka, jaki rzadko słyszał nawet w najpodlejszych karczmach.

– W taki sposób odpłacasz się komuś, kto ci pomógł? – Odgarnęła włosy z twarzy i wbiła w niego ostre spojrzenie zielonych oczu. Przeniosła wzrok na Kinga i obejrzała go od stóp do głów, a Murzyn parsknął.

– No dawajcie – powiedziała. – Poradzę sobie z wami trzema.

Mówiła to, wisząc na ramieniu Ciana jak worek ziemniaków, i Hoyt nie był pewien, jak zamierzała spełnić swoją groźbę. Ale czarownice bywały podstępne.

– A zatem jesteś prawdziwa – powiedział miękko. – Śledziłaś mnie?

– Nie pochlebiaj sobie, dupku.

Cian podniósł ją bez wysiłku.

– Twoja? – zapytał Hoyta.

– Niezupełnie.

– Załatw to. – Postawił Glennę z powrotem na ziemi i przytrzymał jej pięść, zanim dotarła do jego twarzy. – Załatw, co masz załatwić, po cichu – nakazał jej – a potem znikaj. I żadnych czarów. Oboje. King.

Odszedł. Murzyn uśmiechnął się szeroko, wzruszył ramionami i poszedł za nim.

Glenna wygładziła sukienkę i odgarnęła włosy.

– Co się z tobą, do cholery, dzieje?

– Żebra mnie jeszcze trochę bolą, ale ogólnie nie jest źle. Dziękuję za pomoc.

Wpatrywała się w niego przez chwilę, po czym wypuściła głośno powietrze.

– Powiem ci, jak to załatwimy. Usiądziemy, a ty postawisz mi drinka. Bardzo mi się przyda.

– Ja... nie mam w tych spodniach monet.

– Typowe. Ja zapłacę. – Wzięła go pod ramię, żeby mieć pewność, że już jej nie zniknie, i zaczęła przepychać się przez tłum.

– Czy mój brat cię skrzywdził?

– Słucham?

Musiał krzyczeć. Jak ktokolwiek mógł rozmawiać w takim hałasie? Tu było stanowczo za dużo ludzi. Czyżby trafili na święto?

Kobiety wirowały w jakimś rytualnym tańcu ubrane jeszcze bardziej skąpo niż czarownica. Inne siedziały przy srebrnych stołach i piły z przezroczystych pucharów i kubków.

Muzyka dochodziła ze wszystkich stron jednocześnie.

– Pytałem, czy mój brat cię skrzywdził.

– Brat? To pasuje. Przede wszystkim uraził moją dumę.

Ruszyła po schodach na piętro, gdzie hałas nie był aż tak ogłuszający. Wciąż trzymając go pod ramię, popatrzyła w prawo, potem w lewo i skierowała się w stronę niskiej kanapy, na której siedziało wokół stolika pięcioro ściśniętych ludzi. Wydawało się, że wszyscy mówią naraz.

Uśmiechnęła się do nich, a Hoyt poczuł jej moc.

– Cześć. Chyba musicie już iść, prawda?

Wstali, nie przerywając rozmowy, i odeszli, zostawiając na stole te przezroczyste naczynia, niektóre prawie pełne.

– Przykro mi, że zepsułam im wieczór, ale myślę, że nasza sprawa jest ważniejsza. Proszę, usiądź. – Opadła na kanapę i wyciągnęła przed siebie długie, gołe nogi. – Boże, co za noc. – Machnęła jedną dłonią, a drugą musnęła naszyjnik, nie spuszczając oczu z twarzy Hoyta. – Wyglądasz dużo lepiej niż wtedy. Jesteś już zdrowy?

– Czuję się wystarczająco dobrze. Skąd przybywasz?

– Prosto do sedna. – Spojrzała na kelnerkę, która podeszła, żeby posprzątać stolik. – Poproszę martini Grey Goose, bez lodu, wytrawne, dwie oliwki. – Uniosła brew, patrząc na Hoyta, a gdy nic nie powiedział, pokazała dwa palce.

Odgarnęła włosy i pochyliła się w jego stronę. Z jej uszu zwisały dwie sprężynki splecione w celtycki węzeł.

– Przed tamtą nocą śniłam o tobie. Dwa razy – zaczęła. – Staram się zapamiętywać sny, ale udało mi się uchwycić dopiero ten ostatni. Wydaje mi się, że w pierwszym byłeś na cmentarzu, pogrążony w rozpaczy. Pamiętam, że twój smutek rozdzierał mi serce. Dziwne, ale teraz wspomnienia są dużo wyraźniejsze. W następnym śnie widziałam cię na klifie, nad morzem. Zobaczyłam też kobietę, która nie była ludzką istotą. Bałam się jej nawet we śnie. Ty też. – Odchyliła się do tyłu i zadrżała. – Och, tak, teraz pamiętam. Byłam przerażona, szalała burza. A ty... ty ją zaatakowałeś. Pchnęłam do ciebie całą moją moc, próbowałam ci pomóc. Wiedziałam, że ona jest... zła. Potwornie zła. Widziałam błyskawice, słyszałam wrzaski... – Nie mogła doczekać się drinka. – Obudziłam się i przez chwilę nie opuszczał mnie strach. Potem wszystko zniknęło.

Gdy Hoyt nadal milczał, Glenna wzięła głęboki oddech.

– No dobrze, na razie będziemy mówić o mnie. Użyłam szklanej kuli i drugiej kryształowej, ale nie mogłam nic wyraźnie zobaczyć. Tylko we śnie. Przyprowadziłeś mnie na to miejsce w lesie, do kręgu. Ty albo ktoś inny. Dlaczego?

– To nie była moja sprawka.

– Moja też nie. – Postukała w stół paznokciami równie czerwonymi jak usta. – Masz jakieś imię, przystojniaku?

– Jestem Hoyt z rodu Mac Cionaoith.

Jej twarz rozświetlił uśmiech, na widok którego Hoytowi serce załomotało w piersi.

– Nie jesteś stąd, prawda?

– Nie.

– Z Irlandii, słyszę to w twoim akcencie. A we śnie mówiliśmy po gaelicku, chociaż prawie nie znam tego języka. Tu nie chodzi tylko o to skąd, ale i z jakiego czasu jesteś, prawda? Nie przejmuj się, nie zaszokujesz mnie. Dzisiaj jestem uodporniona na wszystko.

Hoyt dyskutował w duchu z samym sobą. Ta kobieta została doń przysłana i weszła do środka kręgu, w którego obręb nie mogło wejść nic, co stanowiłoby dla niego zagrożenie. Kazano mu szukać czarownicy, ale nigdy, nigdy, nie spodziewał się kogoś takiego.

A jednak uleczyła go i została z nim, gdy zaatakowały ich wilki. Teraz przyszła w poszukiwaniu odpowiedzi i, być może, pomocy.

– Przeszedłem przez Taniec Bogów prawie dziewięćset lat temu.

– No dobrze – sapnęła. – Może jednak nie jestem aż tak odporna. Wymagasz ode mnie wielkiej wiary, ale po tym wszystkim, co się wydarzyło, chyba zaryzykuję. – Złapała kieliszek, który postawiła na stole kelnerka, i pociągnęła spory łyk. – Zwłaszcza jeśli to pomoże mi zamortyzować upadek. Poproszę o rachunek – powiedziała do kelnerki i wyjęła z torebki kartę kredytową.

– Coś się zbliża – dodała, gdy zostali sami. – Coś złego. Niewyobrażalnie, potwornie strasznego.

– Nie wiesz co?

– Nie widzę wszystkiego. Ale czuję i wiem, że jesteśmy związani tą sprawą. I wcale nie zachwyca mnie ta perspektywa. – Wypiła jeszcze trochę. – Nie po tym, co widziałam w metrze.

– Nie rozumiem cię.

– Coś bardzo nieprzyjemnego, monstrum w prążkowanym garniturze – wyjaśniła. – Powiedziało, że ona nakarmi się moim ciałem. Domyślam się, że mówił o kobiecie z klifu. Stąpam po bardzo grząskim gruncie, ale czy mamy do czynienia z wampirami?

– Co to jest „metro"?

Glenna zakryła twarz dłońmi.

– Dobrze, później opowiem ci o ostatnich osiągnięciach techniki, wydarzeniach, środkach transportu i tak dalej, ale na razie chciałabym wiedzieć, z czym mam się zmierzyć. I czego ode mnie oczekujesz.

– Nie znam twojego imienia.

– Przepraszam. Glenna. Glenna Ward. – Wyciągnęła dłoń, którą uścisnął po chwili wahania. – Miło mi cię poznać. A teraz, co tu się, u diabła, dzieje?

Hoyt zaczął mówić, a Glenna popijała martini. W pewnym momencie uniosła dłoń.

– Przepraszam, chcesz mi powiedzieć, że twój brat, ten facet, który mnie sponiewierał, jest wampirem?

– Nie pije ludzkiej krwi.

– Och, dobrze. Świetnie. Plus dla niego. Umarł osiemset siedemdziesiąt kilka lat temu, a ty przybyłeś do naszych czasów, żeby go odnaleźć.

– Bogowie nakazali mi zebrać armię, żeby zniszczyć zastępy wampirzycy Lilith.

– Och. Boże, potrzebuję jeszcze jednego drinka.

Chciał odstąpić jej swój, ale Glenna machnęła odmownie ręką i dała znak kelnerce.

– Nie, wypij. Myślę, że tobie też się przyda.

Spróbował trochę i zamrugał gwałtownie.

– Co to za napój?

– Martini z wódką. Wódka powinna ci smakować – dodała. – Podobno robią ją z ziemniaków.

Zamówiła jeszcze jednego drinka i coś do jedzenia, żeby złagodzić działanie alkoholu. Już spokojniejsza wysłuchała całej historii, nie przerywając.

– A ja jestem czarownicą.

Hoyt zdał sobie sprawę, że biła od niej nie tylko piękność, nie tylko moc, ale też wola poszukiwania i siła. Przypomniał sobie, że bogini mówiła o kimś, kogo będzie szukał. I kto będzie szukał jego.

Tak jak ta kobieta.

– Muszę w to wierzyć. Ty, mój brat i ja znajdziemy pozostałych i przystąpimy do dzieła.

– Do jakiego dzieła? Rozbijemy obóz? Czy ja wyglądam na żołnierza?

– Nie, nie wyglądasz.

Oparła brodę na pięści.

– Lubię być czarownicą i doceniam ten dar. Wiem, że płynie w mojej krwi z jakiegoś ważnego powodu. I w jakimś celu. Nie oczekiwałam, że w takim. – Popatrzyła mu prosto w twarz. – Już po pierwszym śnie o tobie wiedziałam, że to następny krok ku temu celowi. Bardzo się boję. Jestem naprawdę przerażona.

– Zostawiłem moją rodzinę, żeby tu przybyć, żeby się z tym zmierzyć. Zostawiłem moich najbliższych tylko ze srebrnymi krzyżami i zapewnieniem bogini, że będą chronieni. Nie wiesz, co to znaczy strach.

– No dobrze. – Położyła dłoń na jego ręce ze współczuciem, które, jak czuł, było nieodłączną cechą jej natury. – Masz wiele do stracenia. Ale ja też mam rodzinę i muszę być pewna, że nic nie grozi moim bliskim. Muszę mieć pewność, że przeżyją, żeby wypełnić swoje zadanie. Ona wie, gdzie jestem. Posłała to coś, żeby mnie przestraszyć, i domyślam się, że jest dużo lepiej przygotowana niż my.

– Zatem my też się przygotujemy. Muszę zobaczyć, co potrafisz.

– Chcesz przeprowadzać ze mną rozmowę kwalifikacyjną? Słuchaj, Hoyt, na razie twoja armia składa się z trojga ludzi. Nie chcesz chyba mnie obrażać.

– Z królem jest nas czworo.

– Z jakim królem?

– Czarnym olbrzymem. I nie lubię pracować z czarownicami.

– Serio? – syknęła, pochylając się w jego stronę. – Moich przodków palili na stosach, tak samo jak twoich. Jesteśmy dalekimi kuzynami, Merlinie. A ty mnie potrzebujesz.

– Może i potrzebuję, ale bogini nie powiedziała, że to musi mi się podobać, prawda? Chcę poznać twoje mocne i słabe strony.

– Rozumiem. – Skinęła głową. – A ja powinnam poznać twoje. Wiem już, że nie potrafisz uleczyć okulałego konia.

– To nieprawda – zaprotestował urażonym tonem. – Byłem wtedy ranny i nie mogłem...

– Uleczyć kilku złamanych żeber i rozcięcia na dłoni. Jeśli w ogóle stworzymy tę armię, to nie ty będziesz zajmował się rannymi.

– Bardzo proszę, to może być twoja działka – warknął. – I stworzymy tę armię. Takie jest przeznaczenie.

– Miejmy nadzieję, że moim przeznaczeniem jest powrót do domu w jednym kawałku. – Podpisała rachunek i wzięła torebkę.

– Dokąd idziesz?

– Do domu. Mam dużo do zrobienia.

– Nie w ten sposób. Od teraz musimy trzymać się razem. Ona cię zna, Glenno Ward. Zna nas wszystkich. Razem jesteśmy silniejsi i bardziej bezpieczni.

– Być może, ale ja potrzebuję kilku rzeczy z domu. Mam mnóstwo do zrobienia.

– To nocne stworzenia. Poczekaj do wschodu słońca.

– Już mi rozkazujesz? – Próbowała zażartować, lecz przed oczami stanął jej wyraźny obraz tego, co spotkała w metrze.

Teraz on złapał ją za rękę, przytrzymał na kanapie i poczuł gorąco, które przepłynęło między ich dłońmi.

– To dla ciebie zabawa?

– Nie. Jestem przerażona. Jeszcze kilka dni temu żyłam własnym życiem, na swoich warunkach, a teraz jestem prześladowana i mam stanąć do jakiejś apokaliptycznej walki. Chcę wrócić do domu. Potrzebuję swoich rzeczy. Muszę pomyśleć.

– To strach czyni cię bezbronną. Twoje rzeczy będą tam tak samo rano jak teraz.

Oczywiście miał rację. Poza tym nie była pewna, czy odważy się wyjść teraz sama w noc.

– I gdzie chcesz, żebym przeczekała do wschodu słońca?

– Mój brat ma na górze apartament.

– Twój brat. Wampir. – Opadła na oparcie kanapy. – Czyż to nie urocze?

– On cię nie skrzywdzi. Masz moje słowo.

– Wolałabym usłyszeć to od niego, jeśli nie masz nic przeciwko temu. A jeśli spróbuje... – Położyła dłoń płasko na stole i skupiła na niej wzrok. Po chwili nad jej ręką ukazała się mała kula płomieni. – Jeśli książki i filmy mówią prawdę, ten typ nie przepada za ogniem. Jeśli spróbuje mnie skrzywdzić, spalę go i zostaniesz sam w swojej armii.

Hoyt położył swoją dłoń na jej i płomień zamienił się w kostkę lodu.

– Nie przeciwstawiaj swoich umiejętności moim. Ani nie groź, że skrzywdzisz moją rodzinę.

– Niezła sztuczka. – Wrzuciła lód do pustej szklanki. – Ujmijmy to tak, mam prawo bronić się przed każdym, kto chciałby mnie skrzywdzić. Zgoda?

– Zgoda. Ale to nie będzie Cian. – Wstał i wyciągnął do niej rękę. – Przysięgam ci to, tu i teraz. Będę cię chronił, nawet przed nim, jeśli zamierzałby cię skrzywdzić.

– Dobrze. – Ujęła jego dłoń i wstała. Nagle coś poczuła i dostrzegła w jego oczach, że on także to poczuł. Coś więcej niż magię. – Wygląda na to, że zawarliśmy naszą pierwszą umowę.

Zeszli na dół i gdy zmierzali do windy, na drodze stanął im Cian.

– Chwila. Dokąd ją zabierasz?

– Ja idę z nim – poprawiła go Glenna. – Nigdzie mnie nie zabiera.

– Nie może teraz wyjść, to zbyt niebezpieczne. Musi poczekać na wschód słońca. Lilith już posłała do niej wywiadowcę.

– Magię zostaw za drzwiami – polecił Cian Glennie, po czym zwrócił się do brata: – Może spać w wolnym pokoju, ale to oznacza, że ty śpisz na kanapie. Chyba że się z tobą podzieli.

– Dlaczego ją obrażasz? – W głosie Hoyta zabrzmiała złość. – Ona została wysłana. Przychodząc tutaj, podjęła ryzyko.

– Nie znam jej – odpowiedział Cian po prostu. – I od teraz oczekuję, że zapytasz mnie o zdanie, zanim zaprosisz kogoś do mojego domu. – Wystukał kod windy. – Macie zostać na górze. Zamknę za wami windę.

– A jeśli wybuchnie pożar? – zapytała Glenna słodko i Cian prawie się uśmiechnął.

– Wtedy będziecie musieli otworzyć okno i wyfrunąć.

Glenna weszła do windy i położyła dłoń na ramieniu Hoyta. Zanim drzwi się zamknęły, obdarzyła Ciana tym swoim uśmiechem.

– Lepiej pamiętaj, z kim masz do czynienia – poradziła. – Bo może właśnie tak zrobimy.

Winda ruszyła, a Glenna zmarszczyła brwi.

– Chyba nie lubię twojego brata.

– W tej chwili też nie jestem z niego specjalnie dumny.

– Umiesz latać?

– Nie. – Popatrzył na nią. – A ty?

– Jeszcze nie.

5

Obudziły ją głosy. Były stłumione i przez chwilę się obawiała, że ma kolejną wizję. Bardzo ceniła swoją sztukę, ale znała też wartość snu – zwłaszcza po nocy pełnej martini i dziwnych nowin.

Schwyciła poduszkę i przykryła nią głowę.

Jej stosunek do Ciana nieco się zmienił, gdy zobaczyła jego pokój gościnny z ogromnym łóżkiem przykrytym cudownie miękką pościelą i mnóstwem poduszek, które zaspokoiły nawet jej umiłowanie luksusu.

Nie przeszkadzało jej też, że pokój jest przestronny, urządzony antykami i pomalowany na ciepły, zielony kolor cienistego lasu. Łazienka też była zabójcza, przypomniała sobie Glenna, układając się pod kołdrą. Olbrzymia, śnieżnobiała wanna królowała w pomieszczeniu wielkości połowy jej strychu, z kilometrami blatów w tym samym odcieniu zieleni. A na widok głębokiej umywalki z klepanej miedzi Glenna zamruczała z rozkoszy.

Niemal uległa pokusie zanurzenia się w wodzie, pełnej soli i olejków, które stały w ciężkich kryształowych słojach na blacie obok grubych, błyszczących świec, ale obraz bohaterek filmowych, zaatakowanych podczas kąpieli w wannie, powstrzymał ją przed realizacją tego zamiaru.

W sumie przy pied-à-terre wampira – nie mogła nazwać takiego luksusu kryjówką – jej strych w West Village wyglądał jak nora.

Pomimo że doceniała dobry gust gospodarza, zamknęła drzwi sypialni na klucz i nałożyła ochronny czar.

Przewróciła się na plecy wpatrzona w sufit widoczny w bladym świetle lampki, którą zostawiła zapaloną przed snem. Spała w pokoju gościnnym wampira, a czarownik z dwunastego wieku chrapał na kanapie w salonie. Piękny i poważny facet, z misją do wypełnienia, oczekiwał, że Glenna weźmie u jego boku udział w batalii przeciwko starożytnej potężnej królowej wampirów.

Przez całe życie miała do czynienia z magią, otrzymała umiejętności i dary, o których inni ludzie nawet nie śnili, że mogą istnieć naprawdę, jednak ta sytuacja wydała się jej zupełnie nieprawdopodobna.

Lubiła swoje życie takim, jakie było, ale nie miała żadnych wątpliwości, że już nigdy nie będzie takie samo. Zdawała sobie sprawę, że może je stracić.

Ale jaki miała wybór? Nie mogła nic nie robić, nie mogła przykryć głowy poduszką i ukrywać się przez resztę życia. To coś znało ją, już nasłało na nią swego sługę.

Jeśli udawałaby, że nic się nie stało, to coś mogłoby ją odnaleźć w każdej chwili, w każdym miejscu.

Czy teraz będzie bała się nocy? I zerkała trwożliwie przez ramię za każdym razem, gdy wyjdzie po zmroku? Zastanawiała się, czy wampir, którego tylko ona może zobaczyć, wśliźnie się do metra, gdy następnym razem będzie jechała do centrum.

Nie, tak nie można żyć. Jedynym sposobem na przeżycie – i jedynym wyjściem – jest stawienie czoła problemowi i poskromienie strachu. I musiała to zrobić, łącząc swoją siłę z mocą i umiejętnościami Hoyta.

Wiedziała, że już nie zaśnie. Spojrzała na zegarek i wywróciła oczami, widząc tak wczesną godzinę. Zrezygnowana zwlokła się z łóżka.

* * *

W salonie Cian zakończył noc szklaneczką brandy i kłótnią z bratem.

Zdarzało się, że wracał do mieszkania o świcie z poczuciem pustki i samotności. W ciągu dnia nie spotykał się z kobietami, nawet przy zaciągniętych żaluzjach. Zdaniem Ciana seks był źródłem zarówno siły, jak i bezbronności. A on nie chciał pokazywać swoich słabych stron po wschodzie słońca.

Pomiędzy wschodem a zmrokiem rzadko miewał towarzystwo. To były długie i samotne godziny, ale gdy wszedł do mieszkania i zastał tam brata, doszedł do wniosku, że wolał je puste niż wypełnione nieoczekiwanymi gośćmi.

– Chcesz, żeby tu została, dopóki nie zdecydujesz, jaki będzie wasz następny krok? A ja ci mówię, że to niemożliwe.

– Jak inaczej mamy jej zapewnić bezpieczeństwo? – denerwował się Hoyt.

– Nie wydaje mi się, żeby jej bezpieczeństwo było na liście moich największych zmartwień.

Jak bardzo jego brat się zmienił, pomyślał z niesmakiem Hoyt, skoro nie chce bez namysłu stanąć w obronie kobiety, w obronie niewinnej istoty!

– Teraz wszyscy podejmujemy ryzyko. Musimy trzymać się razem, nie mamy innego wyboru.

– Ja mam wybór i nie zamierzam dzielić mieszkania z czarownicą. Ani z tobą – dodał, machając szklaneczką brandy. – W ciągu dnia nikogo tu nie wpuszczam.

– Ja byłem tu wczoraj.

– Wyjątek. – Cian wstał. – I już tego żałuję. Prosisz o zbyt wiele tego, który troszczy się o tak mało.

– Jeszcze nawet nie zacząłem prosić. Wiem, co trzeba zrobić. Mówiłeś o przetrwaniu. Twoje tak samo stoi pod znakiem zapytania jak jej. I moje.

– Nawet bardziej, jeśli twój rudzielec postanowi przebić mi pierś kołkiem podczas snu.

– Ona nie jest moja... – Sfrustrowany Hoyt machnął ręką. – Nigdy nie pozwoliłbym, żeby cię skrzywdziła. Przysięgam ci. W tym miejscu, w tym czasie jesteś moją jedyną rodziną. Krwią z mojej krwi.

Twarz Ciana była jak wykuta z kamienia.

– Ja nie mam żadnej rodziny. Ani niczyjej krwi poza swoją własną. Im szybciej to zrozumiesz, Hoyt, i zaakceptujesz, tym lepiej. To, co robię, robię dla siebie, nie dla ciebie. Nie dla twojej sprawy, tylko dla siebie. Powiedziałem, że będę walczył u twojego boku, i tak zrobię. Ale z własnych pobudek.

– Jakie one są? Przynajmniej to mi powiedz.

– Lubię ten świat. – Cian przysiadł na oparciu fotela i łyknął brandy.

– Lubię to, co w nim osiągnąłem, i zamierzam to zatrzymać na moich warunkach, a nie według kaprysu Lilith. Dla mnie to jest warte walki. Poza tym każde stulecie ma swoje okresy nudy i wygląda na to, że właśnie w takim utknąłem. Ale moja cierpliwość ma granice i trzymanie twojej kobiety w moim mieszkaniu je przekracza.

– Ona nie jest moją kobietą.

Cian uśmiechnął się leniwie.

– Jeśli jej nie zrobisz swoją, to jesteś w tych sprawach jeszcze głupszy, niż zapamiętałem.

– To nie jest gra, Cian. To walka na śmierć i życie.

– Wiem o śmierci więcej, niż ty kiedykolwiek się dowiesz. Więcej o krwi, bólu i okrucieństwie. Przez całe wieki obserwowałem, jak ludzie wciąż i na nowo huśtają się bliscy zagłady z własnej ręki. Gdyby Lilith miała więcej cierpliwości, mogłaby poczekać, aż sami się wykończą. Szukaj przyjemności, gdzie tylko się da, bracie, bo życie jest długie i często bywa żmudne. – Uniósł szklankę w toaście. – Jeszcze jeden powód, dla którego będę walczył: to jakieś zajęcie.

– To dlaczego nie przyłączysz się do niej? – warknął Hoyt. – Do tej, która stworzyła cię tym, czym jesteś?

– Ona zrobiła ze mnie wampira, ale to ja stworzyłem siebie takiego, jaki jestem. Dlaczego sprzymierzę się z tobą, nie z nią? Tobie mogę ufać. Dotrzymasz danego słowa, bo taki już jesteś. Ona nigdy tego nie zrobi, to nie leży w jej naturze.

– A co z twoim słowem?

– Interesujące pytanie.

– Ja też chciałabym poznać odpowiedź – powiedziała Glenna, stając w drzwiach. Miała na sobie czarny jedwabny szlafrok, który znalazła w szafie pośród innych damskich fatałaszków. – Wy dwaj możecie się sprzeczać do końca świata, tak robią mężczyźni, zwłaszcza bracia, ale skoro ryzykuję własne życie, to chciałabym wiedzieć, na kogo mogę liczyć.

– Widzę, że czujesz się jak u siebie w domu – zauważył Cian.

– Mam ci go oddać?

Przechyliła głowę i sięgnęła do paska. Cian się uśmiechnął, Hoyt zarumienił.

– Nie zachęcaj go – powiedział. – Jeśli możemy przeprosić cię na chwilę...

– Nie, nie możecie. Chcę usłyszeć odpowiedź na twoje pytanie. I chcę wiedzieć, czy jeśli twój brat poczuje lekki głód, zacznie na mnie patrzeć jak na przekąskę.

– Nie żywię się ludźmi. A już na pewno nie czarownicami.

– Przez twoją głęboką miłość do ludzkości?

– Przez niechęć do kłopotów. Jeśli się żywisz ludźmi, musisz zabijać, inaczej zaczynają o tobie mówić. Nawet jeżeli zmienisz rodzaj łupu, i tak ryzykujesz. Wampiry też plotkują.

Glenna myślała nad tym przez chwilę.

– To ma sens. No dobrze, wolę sensowną prawdę od kłamstw.

– Powiedziałem ci, że on cię nie skrzywdzi.

– Chciałam usłyszeć to od niego. – Zwróciła się z powrotem do Ciana.

– Jeśli obawiasz się, że ja zagrażam tobie, mogę dać ci słowo – ale dlaczego miałbyś mi uwierzyć?

– To ma sens – powtórzył jej słowa.

– Twój brat już mi zapowiedział, że mnie powstrzyma, gdybym próbowała. To mogłoby okazać się trudniejsze, niż sądzi, tylko że... byłabym głupia, gdybym w obecnej sytuacji próbowała zabić ciebie, a z niego zrobić sobie wroga. Jestem przerażona, ale nie głupia.

– Zatem ja też będę musiał uwierzyć ci na słowo.

Przesunęła palcami po jedwabnej tkaninie i posłała mu zalotny uśmiech.

– Gdybym zamierzała cię zabić, już bym próbowała rzucić zaklęcie. Wiedziałbyś, gdybym to zrobiła, poczułbyś. I jeśli już na samym początku nie będziemy sobie ufać, to jesteśmy skończeni, zanim w ogóle zaczęliśmy.

– I tu masz rację.

– Teraz chcę wziąć prysznic i zjeść śniadanie. Potem jadę do domu.

– Ona zostaje. – Hoyt stanął pomiędzy nimi. Gdy Glenna uczyniła krok do przodu, podniósł rękę i siła jego mocy rzuciła ją do tyłu na drzwi.

– Poczekaj no jedną cholerną minutę...

– Milcz. Nikt z nas nie opuszcza tego mieszkania sam. Absolutnie nikt. Jeśli mamy działać razem, zaczynamy od teraz. Życie każdego z nas jest w rękach pozostałych. I dużo więcej.

– Nigdy więcej nie używaj swojej mocy przeciwko mnie.

– Zrobię to, co będę musiał. Zrozum mnie. – Hoyt popatrzył na nich. – Oboje zrozumcie. Ubierz się – polecił Glennie. – Potem pojedziemy po to, co ci potrzebne. Pośpiesz się.

W odpowiedzi odwróciła się i trzasnęła za sobą drzwiami.

Cian roześmiał się.

– Umiesz oczarować damę. Idę do łóżka.

Hoyt został sam w salonie i zastanawiał się, dlaczego bogowie uznali, że potrafi ocalić światy z takimi sprzymierzeńcami u boku.

Glenna nie powiedziała ani słowa, napełniając dziwną karafkę wodą ze srebrnej rury w kuchni Ciana, ale mężczyzna, który miał siostry, wiedział, że kobiety często używają milczenia jako broni.

Moda damska mogła zmienić się radykalnie przez ostatnich dziewięćset lat, ale był przekonany, że współczesne kobiety nie różniły się za bardzo charakterem od swoich przodkiń.

Chociaż i tak kobiecy charakter stanowił dla niego niezgłębioną tajemnicę.

Miała na sobie tę samą sukienkę co wczoraj, ale nie włożyła butów. Hoyt nie rozumiał, dlaczego widok jej bosych stóp aż tak go poruszył, i wcale nie był z tego zadowolony.

Nie powinna była flirtować z jego bratem, pomyślał z niechęcią. To czas walki, a nie umizgów. A jeśli zamierzała przechadzać się z obnażonymi nogami i ramionami, to będzie musiała...

Kazał sobie przestać. Nie musi patrzeć na jej nogi, prawda? Ani traktować jej inaczej niż narzędzie. To bez znaczenia, że jest śliczna ani że jej uśmiech rozniecał mu ogień w sercu.

Nie miało znaczenia – nie mogło mieć – że kiedy na nią patrzył, to pragnął jej dotknąć.

Zatopił się w lekturze, odpowiadając ciszą na milczenie Glenny i przywołując się w duchu do porządku.

Nagle w powietrzu zaczął się unosić jakiś uwodzicielski zapach. Zerknął na Glennę, zastanawiając się, czy próbuje jakiejś swojej kobiecej magii, ale stała odwrócona do niego plecami, na czubkach palców tych ślicznych bosych stóp, i próbowała sięgnąć po kubek z szafki.

Zdał sobie sprawę, że kusząca woń unosi się z karafki, wypełnionej teraz brązowym płynem.

Przegrał bitwę na milczenie. Z doświadczeń Hoyta mężczyźni zawsze ją przegrywali.

– Co warzysz?

Nalała czarnego płynu z karafki do kubka, odwróciła się i wbiła w Hoyta spojrzenie chłodnych zielonych oczu.

Wstał i wziął drugi kubek. Nalał sobie płynu tak samo jak ona, powąchał – nie wyczuł żadnej trucizny – i napił się.

Płyn był elektryzujący niczym nagły przypływ magicznej siły. Mocny jak martini poprzedniego wieczoru, ale inny.

– Bardzo dobre – powiedział i wypił więcej.

W odpowiedzi Glenna minęła go, przeszła przez kuchnię i zniknęła za drzwiami pokoju gościnnego.

Hoyt uniósł oczy do nieba. Czy będzie musiał znosić złe humory i dąsy zarówno ze strony tej kobiety, jak i własnego brata?

– Jak? – zapytał. – Jak mam dokonać tego, co zostało mi nakazane, skoro już ze sobą walczymy?

– Może przy okazji zapytasz swoją boginię, co myśli o tym, że tak mną rzuciłeś. – Glenna wróciła do kuchni, w butach i z sakiewką, którą widział u niej poprzedniego wieczoru.

– W ten sposób bronię się przed twoim kłótliwym usposobieniem.

– Lubię się kłócić. I nie życzę sobie, żebyś popychał mnie za każdym razem, gdy nie spodoba ci się, co mam do powiedzenia. Zrób to jeszcze raz, a oddam. Mam swoje zasady co do używania magii jako broni, ale dla ciebie zrobię wyjątek.

Miała rację, co było jeszcze bardziej irytujące.

– Co to za napój?

Glenna wypuściła głośno powietrze.

– To kawa. Chyba piłeś kiedyś kawę, wydaje mi się, że już Egipcjanie ją znali.

– Nie taką – odrzekł.

A ponieważ się uśmiechnęła, doszedł do wniosku, że najgorsze już minęło.

– Jak tylko przeprosisz, możemy iść.

Powinien był wiedzieć lepiej. Kobiety już takie były.

– Przepraszam, że zostałem zmuszony do użycia mocy, aby powstrzymać cię przed spędzeniem całego ranka na kłótniach.

– Możesz sobie być mądralą. Ten jeden raz. Przeprosiny przyjęte. Chodźmy. – Podeszła do windy i wcisnęła guzik.

– Czy wszystkie kobiety w obecnych czasach są agresywne i mają ostry język czy tylko ty?

Rzuciła mu spojrzenie przez ramię.

– Na razie tylko mną musisz się martwić. – Weszła do windy i przytrzymała drzwi. – Idziesz?

Glenna opracowała podstawową strategię. Najpierw musi złapać taksówkę. Cokolwiek będą mówić, jakkolwiek dziwnie Hoyt będzie się zachowywał, na pewno nie wzbudzi zainteresowania nowojorskiego taksiarza.

Poza tym nie miała jeszcze w sobie tyle odwagi, żeby wsiąść znowu do metra.

Tak jak oczekiwała, gdy tylko wyszli z budynku, Hoyt stanął jak wryty i zaczął rozglądać się dookoła, na prawo, na lewo, w dół i do góry. Przyglądał się samochodom, przechodniom, budynkom.

Nikt nie zwracał na niego uwagi, a nawet gdyby ktoś dostrzegł jego zdumienie, uznałby go za turystę.

Gdy otworzył usta, żeby coś powiedzieć, Glenna położyła palec na wargach.

– Będziesz miał miliony pytań, więc może lepiej zacznij je zbierać i zapamiętywać? W końcu do nich dojdziemy. Na razie złapię dla nas taksówkę. Jak już będziemy w środku, postaraj się nie mówić nic zbyt dziwacznego.

Pytania mogły mu się kłębić w głowie jak mrówki, ale postanowił zachowywać się z godnością.

– Nie jestem głupcem. Wiem bardzo dobrze, że tutaj nie pasuję.

Nie, nie był głupi, pomyślała Glenna, wychodząc na ulicę i podnosząc rękę. Nie był też tchórzem. Spodziewała się, że stanie osłupiały, ale oczekiwała też, że w obliczu całego tego pośpiechu, hałasu i tłumu zobaczy w jego oczach przerażenie, a nie dostrzegła ani cienia lęku. Jedynie ciekawość, odrobinę fascynacji i szczyptę niechęci.

– Nie podoba mi się zapach tutejszego powietrza.

Odepchnęła go do tyłu, gdy zszedł za nią z krawężnika.

– Przyzwyczaisz się. – Podjechała taksówka i Glenna wyszeptała do Hoyta, otwierając drzwi: – Rób to, co ja, usiądź i rozkoszuj się przejażdżką.

W środku zamknęła drzwi po jego stronie i podała kierowcy adres. Taksówka włączyła się do ruchu, a oczy Hoyta zrobiły się jeszcze większe.

– Nie znam się na tym – powiedziała, przekrzykując indyjską muzykę, która dudniła w aucie. – To jest taksówka, taki samochód. Jeździ dzięki silnikowi działającemu na benzynę i olej.

Objaśniała mu najlepiej, jak umiała, po co są światła sygnalizacyjne, pasy, wieżowce, sklepy i wszystko, co tylko przyszło jej do głowy. Zdała sobie sprawę, że czuje się, jakby sama patrzyła na miasto po raz pierwszy, i zaczęło jej to sprawiać przyjemność.

Hoyt słuchał. Niemal widziała, jak pochłania i magazynuje w swojej bazie danych wszystkie informacje, widoki, dźwięki i zapachy.

– Jest ich tak wielu – powiedział cicho i z takim smutkiem, że oderwała wzrok od ulicy i popatrzyła na niego. – Tak wielu ludzi – powtórzył, patrząc przez okno. – Nieświadomych tego, co ich czeka. Jak mamy ocalić taką ciżbę?

Wtedy to do niej dotarło; poczuła się, jakby dostała cios w żołądek. Tak, tylu ludzi. A to tylko fragment miasta w jednym stanie.

– Nie możemy. Nie wszystkich. – Sięgnęła po jego dłoń i ścisnęła ją mocno. – Nie myśl o nich wszystkich, bo oszalejesz. Zajmiemy się jednym po drugim.

Taksówkarz zatrzymał auto i Glenna wyjęła pieniądze – od razu pomyślała o finansowej stronie przedsięwzięcia i jak ma sobie poradzić z tym małym problemem przez następnych kilka miesięcy. Gdy znaleźli się na chodniku, znowu ujęła dłoń Hoyta.

– Mieszkam w tym domu. Jeśli zobaczysz kogoś w środku, uśmiechnij się i wyglądaj czarująco. Pomyślą, że sprowadziłam sobie kochanka.

Na jego twarzy odbił się szok.

– A sprowadzasz?

– Od czasu do czasu. – Otworzyła drzwi i wcisnęli się do maleńkiego korytarza przed drzwiami windy, która, jak się po chwili okazało, była jeszcze mniejsza.

– Czy wszystkie budynki mają te...

– Windy. Nie, ale wiele. – Gdy dojechali na górę, Glenna odsunęła metalową kratę i weszła do mieszkania.

Pokój nie był duży, ale doskonale oświetlony. Na ścianach, pomalowanych na kolor zielonej cebulki, wisiały obrazy Glenny i jej fotografie. Chodniki, które sama utkała, rozjaśniały podłogi paletą żywych barw.

W mieszkaniu panował porządek, co pasowało do jej charakteru. Składane łóżko na dzień stawało się usłaną poduszkami kanapą. Wnęka kuchenna lśniła czystością.

– Mieszkasz sama? Nikt ci nie pomaga?

– Nie stać mnie na pomoc i lubię mieszkać sama. Gospodyni i służbie trzeba płacić, a ja nie zarabiam zbyt wiele pieniędzy.

– W twojej rodzinie nie ma mężczyzn? Nie dostajesz żadnej pensji ani zapomogi?

– Żadnej, odkąd skończyłam dziesięć lat – powiedziała sucho. – Pracuję. Dziś kobiety pracują tak samo jak mężczyźni. Nie liczymy na to, że jakiś facet będzie się o nas troszczył, finansowo ani w żaden inny sposób. – Rzuciła torebkę na stół. – Zarabiam na życie, sprzedając zdjęcia i obrazy. Rysunki na ogół idą na pocztówki, takie kartki, które ludzie wysyłają sobie nawzajem.

– Ach, jesteś artystką.

– Tak – przyznała rozbawiona, że przynajmniej jej profesja mu się spodobała. – Dzięki pocztówkom płacę czynsz, ale od czasu do czasu sprzedaję też jakiś obraz. I lubię pracować dla siebie. To szczęście, że sama sobie ustalam plan zajęć, nie muszę się przed nikim tłumaczyć i mam czas, żeby zrobić to, co musi zostać zrobione.

– Moja matka też jest na swój sposób artystką. Jej gobeliny są piękne.

– Podszedł do obrazu syreny wynurzającej się ze spienionego morza. W jej twarzy była moc, rodzaj wiedzy, która wydała się Hoytowi na wskroś kobieca. – To twoje dzieło?

– Tak.

– Widać w nim talent i magię, która wypełnia kolory i kształty.

Więcej niż akceptacja, uznała. Teraz słyszała w jego głosie podziw i pozwoliła, żeby to uczucie ją ogrzało.

– Dzięki. Normalnie tak entuzjastyczna recenzja rozjaśniłaby mój dzień, ale od wczoraj tyle się wydarzyło. Muszę się przebrać.

Skinął automatycznie głową i przeszedł do następnego obrazu.

Za jego plecami Glenna przechyliła głowę i wzruszyła ramionami. Podeszła do starej szafy, wybrała ubranie i ruszyła do łazienki.

Zwykle mężczyźni zwracali na nią więcej uwagi, pomyślała, zdejmując sukienkę. Na to, jak wygląda, w jaki sposób się porusza. Nie czuła się dobrze, aż tak ignorowana, nawet jeżeli Hoyt miał ważniejsze sprawy na głowie.

Przebrała się w dżinsy i białą koszulkę na ramiączkach. Zrzuciła delikatny czar, który z próżności nałożyła rano, i związała włosy w krótki kucyk.

Gdy wróciła, Hoyt oglądał jej zioła w kuchni.

– Nie dotykaj moich rzeczy! – Uderzyła go lekko w dłoń.

– Ja tylko... – Zamilkł i celowo popatrzył nad jej ramieniem. – Czy właśnie tak chodzisz ubrana w miejscach publicznych?

– Tak. – Odwróciła się i również celowo podeszła zbyt blisko niego. – Jakiś problem?

– Nie. Nie nosisz butów?

– W domu niekoniecznie. – Ma takie niebieskie oczy, pomyślała. Takie przejrzyste i błękitne na tle tych czarnych, gęstych rzęs. – Co teraz czujesz? Kiedy jesteśmy sami. Blisko.

– Niepokój.

– To najmilsza rzecz, jaką mi dotychczas powiedziałeś, ale chciałam zapytać, czy czujesz coś tutaj? – Przyłożyła pięść do brzucha, nie spuszczając oczu z Hoyta. – Jakby napięcie. Nigdy czegoś takiego nie miałam.

On też to czuł, tak samo jak płomień w głębi serca.

– Nic nie jadłaś – powiedział z wysiłkiem i ostrożnie odstąpił krok do tyłu. – Musisz być głodna.

– Czyli tylko ja – wymamrotała. Odwróciła się i otworzyła szafkę. – Nie wiem, czego będę potrzebowała, więc wezmę jak najwięcej. Nie podróżuję z jedną walizeczką, ty i Cian musicie się z tym pogodzić. Pewnie powinniśmy wyjechać najszybciej, jak to możliwe.

Uniósł dłoń i już prawie dotknął jej włosów, pragnął to zrobić, odkąd tylko ją zobaczył, ale po tych słowach opuścił rękę.

– Wyjechać?

– Chyba nie zamierzasz siedzieć w Nowym Jorku i czekać, aż armia sama do ciebie przyjdzie? Portal jest w Irlandii i należy przypuszczać, że walka też się tam odbędzie. Potrzebujemy tego portalu, więc musimy jechać do Irlandii.

Patrzył na nią, gdy pakowała butelki i fiolki do kuferka podobnego do tego, jaki sam posiadał.

– No tak, masz rację. Oczywiście, że masz rację. Musimy wziąć się do dzieła. Podróż zajmie większość czasu, który został nam dany. Och, Jezu, na statku będę chorował jak kot.

Popatrzyła na niego.

– Na statku? Nie mamy czasu na „Queen Mary", skarbie. Polecimy.

– Mówiłaś, że nie potrafisz latać.

– Samolotem potrafię. Będziemy musieli wykombinować, jak zdobyć dla ciebie bilet. Nie masz dowodu ani paszportu. Możemy rzucić czar na agenta w biurze podróży, na celnika. – Machnęła ręką. – Pomyślę nad tym.

– Jakim samym lotem? Ja nie będę leciał?

Zerknęła na niego, a potem oparła się o blat i śmiała tak długo, aż rozbolał ją brzuch.

– Później ci wyjaśnię.

– Nie jestem tu po to, żeby dostarczać ci rozrywki.

– Nigdy bym cię o to nie podejrzewała. Ale to miły dodatek. Och, do diabła, nie wiem, co zabrać. – Postąpiła krok do tyłu i przesunęła dłońmi po twarzy. – To moja pierwsza apokalipsa.

– Zioła, kwiaty i korzonki rosną w Irlandii, i to w całkiem dużej ilości.

– Lubię mieć swoje. – Co było głupie i dziecinne, ale i tak... – Zabiorę tylko to, co niezbędne, potem spakuję książki, ubrania i tak dalej. I muszę jeszcze zadzwonić, odwołać kilka spotkań.

Z wahaniem zamknęła wypełniony kuferek i zostawiła go na blacie. Podeszła do dużej, drewnianej komody stojącej w rogu i otworzyła ją za pomocą czaru.

Zaciekawiony Hoyt podszedł bliżej i zajrzał ponad ramieniem Glenny do środka.

– Co tu trzymasz?

– Księgi z czarami, przepisy, kule o potężnej mocy. Niektóre z nich dostałam w spadku.

– Ach, zatem jesteś z rodu czarownic.

– Tak. I jedyną z mojego pokolenia, która praktykuje. Moja matka porzuciła magię, gdy wyszła za mąż. Ojciec nie lubił, gdy czarowała. Dziadkowie nauczyli mnie wszystkiego.

– Jak mogła porzucić coś, co było jej nieodłączną częścią?

– Sama wiele razy zadawałam mamie to pytanie. – Przysiadła na piętach i dotykała poszczególnych przedmiotów. – Dla miłości. Ojciec chciał prowadzić normalne proste życie, a ona pragnęła mojego ojca. Ja nie mogłabym tego zrobić. Nie sądzę, żebym mogła kochać tak mocno, żeby wyrzec się tego, kim jestem. Ktoś musi mnie pokochać na tyle, żeby zaakceptować mnie właśnie taką.

– Silna magia.

– Owszem. – Wzięła do ręki zamszową sakiewkę. – To mój skarb. – Wyjęła kryształową kulę, z którą widział ją w swojej wizji. – Jest w mojej rodzinie od bardzo dawna, od ponad dwustu pięćdziesięciu lat. Chwila dla kogoś w twoim wieku, ale dla mnie szmat czasu.

– Silna magia – powtórzył, bo gdy ujęła kulę w dłonie, zobaczył, jak kryształ pulsuje niczym bijące serce.

– Masz rację. – Popatrzyła na niego pociemniałymi oczami. – I chyba pora, żebyśmy jej użyli, nie sądzisz, Hoyt? Ona wie, kim jestem i gdzie jestem. Pewnie to samo wie o tobie i Cianie. Zróbmy pierwszy krok. – Uniosła kulę. – Zobaczmy, gdzie się ukryła.

– Tu i teraz?

– Nie widzę lepszego miejsca ani czasu. – Wstała i wskazała brodą na wzorzysty dywan leżący na środku pokoju. – Możesz go zwinąć?

– To niebezpieczny krok. Powinniśmy nad tym pomyśleć.

– Możesz myśleć przy zwijaniu dywanu. Mam wszystko, czego nam potrzeba. Na czas poszukiwań możemy ją oślepić.

Zrobił to, o co go prosiła, i ujrzał pod dywanem namalowany na podłodze pentagram. Musiał przyznać, że poczuł się lepiej na myśl o zrobieniu pierwszego kroku, wolałby jednak uczynić go sam.

– Nie wiemy, czy można ją oślepić. Ona już piła krew czarnoksiężnika i to zapewne nie raz. Jest bardzo potężna i przebiegła.

– My też. Mówisz, że za trzy miesiące chcesz stanąć do bitwy. Kiedy zamierzasz zacząć przygotowania?

Skinął głową.

– W takim razie teraz i tutaj.

Glenna położyła kulę w centrum pentagramu i wyjęła z komody dwa *athame**. Położyła je w kole, po czym wzięła świece, srebrną misę i kryształowe różdżki.

– Nie będę potrzebował tych wszystkich rzeczy.

– Ale ja wolę ich używać. Połączmy siły, Merlinie.

Wziął do ręki *athame* i przyjrzał się jego rzeźbionej rękojeści, a Glenna otoczyła pentagram świecami.

– Czy będzie ci przeszkadzało, jeśli będę pracowała nago?

– Tak – odpowiedział, nie podnosząc wzroku.

– No dobrze, pójdę na kompromis i dla dobra pracy zespołowej nie zdejmę ubrania. Ale ono mi przeszkadza.

Rozpuściła włosy, napełniła srebrną misę wodą z flakonu i wrzuciła do niej zioła.

– Zwykle, gdy tworzę krąg, wzywam boginie, i teraz też wydaje mi się to jak najbardziej właściwe. Co ty na to?

– Może być.

– Prawdziwy z ciebie gaduła, co? No dobrze. Gotów? – Gdy skinął głową, podeszła do przeciwległego ramienia pentagramu. – Boginie Wschodu, Za-

---

* *Athame* (celt.) – sztylet o dwustronnym ostrzu, służący do kreślenia magicznych znaków, kierowania energią uwalnianą w czasie rytuałów i zaklęć. Najlepiej, jeśli ma czarną rękojeść, ponieważ ten kolor pochłania moc, dzięki czemu odrobina energii właściciela będzie zmagazynowana w sztylecie.

chodu, Północy i Południa – zaczęła, poruszając się po linii koła – prosimy was o błogosławieństwo. Wzywamy was, abyście strzegły tego kręgu i wszystkiego, co w nim jest.

– Moce Powietrza, Wody, Ognia i Ziemi – zaintonował Hoyt. – Wyruszcie z nami w podróż między światami.

– Nocy i dniu, dniu i nocy, wzywamy waszej świętej pomocy. Strzeżcie tego kręgu i wszystkich w jego zasięgu. Takie jest me żądanie i tak niech się stanie.

Czarownice, pomyślał, i te ich rymy. Ale poczuł ruch powietrza, woda w misce zakołysała się, a płomienie świec zamigotały.

– Powinniśmy wezwać Morrigan – powiedziała Glenna. – To ona była posłańcem.

Hoyt zaczął recytować zaklęcie, ale uznał, że chce zobaczyć, co potrafi ta czarownica.

– To twoje święte miejsce. Poproś o przewodnictwo i rzuć czar.

– No dobrze. – Odłożyła sztylet i uniosła dłonie skierowane wnętrzem ku górze. – W tym dniu, w tej godzinie wzywam świętą moc bogini Morrigan i modlę się, aby obdarzyła nas swą łaską i męstwem. W twoim imieniu, Matko, chcemy zobaczyć i prosimy, abyś poprowadziła nas do światła. – Pochyliła się i ujęła kulę w dłonie. – Za pomocą tej kuli szukamy bestii, która prześladuje całą ludzkość, a jej oczy nie mogą nas dostrzec. Wyostrz nasz wzrok, nasze umysły, nasze serca, aby rozproszyły się chmury. Osłoń nas i pozwól zobaczyć to, czego szukamy.

W kuli zawirowały mgła i światło. Przez chwilę Hoytowi wydawało się, że dostrzega w krysztale światy: kolory, kształty, ruch. Usłyszał bicie serca takie samo jak jego. Jak Glenny.

Ukłąkł obok niej. I zobaczył to samo co ona.

Ciemne miejsce, pełne tuneli, skąpane w czerwonym świetle. Wydawało mu się, że słyszy morze, ale nie był pewien, czy dźwięk dochodzi z kuli, czy wydaje go buzująca w jego głowie moc.

Zakrwawione i poranione ciała leżały na stosach jak drewno. W klatkach płakali i wrzeszczeli ludzie, inni siedzieli bez ruchu, patrząc przed siebie martwymi oczami. Po tunelach poruszały się, ledwo mącąc powietrze, jakieś ciemne istoty, niektóre pełzały po ścianach jak robaki.

Zewsząd rozlegał się upiorny śmiech, wysokie, ohydne skrzeczenie.

Hoyt podążał z Glenną tunelem, w którym powietrze cuchnęło śmiercią i krwią, głęboko, głęboko pod ziemią. Kamienne ściany ociekały wodą i czymś znacznie gorszym, aż do drzwi oznaczonych starożytnymi znakami czarnej magii.

Poczuł, jak dech w nim zamiera, gdy przez nie przechodzili.

Spała na łóżku godnym królowej, z czterema filarami, usłanym prześcieradłami z najczystszego jedwabiu, białymi jak lód. Znaczyły je krople krwi.

Zsunięte prześcieradło odsłaniało nagie piersi Lilith, a jej piękność nie zbladła od ostatniego spotkania.

Obok niej leżał chłopiec. Taki młody, pomyślał Hoyt z nieutulonym smutkiem. Nie mógł mieć więcej niż dziesięć lat, był śmiertelnie blady, a pszeniczne włosy opadały mu na czoło.

Wokół migotały świece, rzucając na oboje chwiejne cienie.

Hoyt schwycił *athame* i uniósł go nad głową.

Wtedy otworzyła oczy i wbiła w niego wzrok. Wrzasnęła, ale w jej krzyku nie było strachu. Chłopiec otworzył oczy, wyszczerzył kły i skoczył na sufit, gdzie przycupnął jak jaszczurka.

– Bliżej – zaśpiewała jękliwie. – Podejdź bliżej, czarnoksiężniku, i przyprowadź swoją wiedźmę. Zrobię sobie z niej zabawkę, jak już wysączę do cna waszą krew. Myślisz, że możesz mnie tknąć?

Skoczyła z łóżka, a Hoyt poczuł, że leci do tyłu, przebijając się przez powietrze tak lodowate, że zmrożone igiełki zakłuły go w gardle.

I nagle siedział w kręgu, i patrzył w rozszerzone, ciemne oczy Glenny. Z nosa kapała jej krew.

Usiłowała zatamować ją ręką, jednocześnie próbując odzyskać oddech.

– Pierwsza część się udała – powiedziała z wysiłkiem. – Gorzej z oślepieniem.

– Ona też ma moc. I umiejętności.

– Czy kiedykolwiek czułeś coś takiego?

– Nie.

– Ja też nie. – Wzdrygnęła się. – Będziemy potrzebowali większego i mocniejszego kręgu.

6

Glenna, zanim się spakowała, oczyściła cały strych. Hoyt to rozumiał. Nie chciała zostawiać żadnego śladu, tego, czego dotknęli, żadnego echa zła w swoim domu.

Na koniec schowała narzędzia i książki do kufra. Po tym, co zobaczyła, co poczuła, nie zamierzała ryzykować i postanowiła zabrać wszystko, razem z większością kryształów, podstawowymi przyborami malarskimi i aparatami fotograficznymi.

Rzuciła ostatnie spojrzenie na stojące przy oknie sztalugi i ledwo rozpoczęty obraz. Jeśli wróci – nie, kiedy wróci, poprawiła się. Jak wróci, dokończy go.

Stanęła obok Hoyta, który przyglądał się stercie walizek.

– Żadnych komentarzy? – zapytała. – Żadnych kłótni ani sarkastycznych uwag na temat mojego bagażu?

– A po co?

– Rozsądne nastawienie. Teraz musimy rozwiązać mały problem, jak to wszystko przetransportować do mieszkania twojego brata. On pewnie nie wykaże się takim rozsądkiem, jak ty. Ale wszystko po kolei. – Zmarszczyła brwi, bawiąc się wisiorkiem. – Weźmiemy to wszystko sami czy spróbujemy użyć czarów? Nigdy nie przenosiłam niczego tak wielkiego.

– Potrzebowalibyśmy trzech tych twoich taksówek i całego dnia, żeby to przewieźć.

Ach, zatem on też się nad tym zastanawiał.

– Wyobraź sobie mieszkanie Ciana – rozkazał. – Pokój, w którym spałaś.

– Dobrze.

– Skoncentruj się. Przywołaj obraz tego pokoju z najdrobniejszymi szczegółami, kształtami, strukturą.

Skinęła głową i zamknęła oczy.

– Widzę.

Najpierw wybrał kufer, bo wyczuł, że w nim kryje się najwięcej mocy, która pomoże mu w wykonaniu zadania. Obszedł go trzy razy w jedną, potem trzy razy w drugą stronę, recytując zaklęcia.

Glenna z trudem utrzymywała koncentrację. Gdy Hoyt wymawiał słowa w prastarym języku, jego głos stał się głębszy, na swój sposób zmysłowy. Poczuła ciepło jego magii na skórze, a potem nagły i silny podmuch powietrza.

Gdy otworzyła oczy, kufra już nie było.

– Jestem pod wrażeniem. – Szczerze mówiąc, była zachwycona. Sama potrafiła, po odpowiednich przygotowaniach i z wielkim wysiłkiem, przenosić małe przedmioty na niewielkie odległości, ale Hoyt po prostu zdmuchnął stukilogramowy kufer.

Mogła sobie teraz wyobrazić tego mężczyznę, jak w rozwianych szatach stoi na szczycie skały w Irlandii, wyzywa na pojedynek burzę i staje twarzą w twarz z czymś, czego żaden człowiek nie powinien oglądać.

Poczuła przypływ czystego pożądania.

– Mówiłeś po celtycku?

– Po irlandzku – odpowiedział, ale widać było, że myśli ma zajęte czymś innym i Glenna już więcej się nie odezwała.

Okrążył bagaż jeszcze raz, teraz koncentrując się na walizkach z przyborami malarskimi i fotograficznymi. Glenna już chciała zaprotestować, ale nakazała sobie mieć więcej wiary. Zamknęła ponownie oczy i przywołała obraz pokoju gościnnego. Próbowała wspomóc Hoyta swoim darem.

W piętnaście minut dokonał tego, co jej zajęłoby długie godziny, jeśliby w ogóle się udało.

– Cóż, to było... coś. – Magia wciąż w nim wrzała, nadając jego oczom niespotykaną głębię i jednocząc oboje. Glenna czuła się, jakby związano ich niewidzialną liną, i była tak podniecona, że celowo musiała postąpić krok do tyłu, zerwać tę więź.

– Bez urazy, ale czy jesteś pewien, że są tam, gdzie powinny?

Wpatrywał się w nią tymi bezdennymi, niebieskimi oczami, aż ogień zapłonął w niej tak mocno, że zastanawiała się, czy z czubków jej palców nie strzelą płomienie.

Nie mogła znieść tego napięcia i pożądania, które pulsowało w każdym uderzeniu jej serca. Znowu zaczęła się cofać, ale Hoyt uniósł dłoń i ją zatrzymał.

Poczuła, jak coś przyciąga ją do niego, a jego do niej, ale jeszcze mogła się oprzeć, zerwać tę więź i uciec. Jednak stała, nie spuszczając wzroku z jego oczu, gdy pokonał odległość między nimi jednym dużym krokiem.

Przyciągnął ją do siebie tak gwałtownie, że aż straciła oddech, a po chwili jęknęła, gdy ich usta się spotkały. Gorący, oszałamiający pocałunek wprawił w drżenie jej ciało, wzburzył krew.

Płomienie świec zamigotały.

Glenna schwyciła Hoyta mocno za ramiona i rzuciła się w wir wrażeń. Tego właśnie pragnęła od pierwszej chwili, gdy ujrzała go we śnie.

Czuła jego dłonie na włosach, ciele, na twarzy i drżała, gdy jej dotykał. Teraz to już nie był sen, to działo się naprawdę.

Hoyt nie mógł przestać. Ona była jak uczta po długim poście i chciał kosztować jej bez końca. Usta miała pełne i miękkie i tak dobrze dopasowane do jego warg, jakby bogowie stworzyli je tylko w tym celu. Moc, którą władał, wzbudziła w nim niewyobrażalny głód, w jego sercu i w lędźwiach; głód, który musiał zaspokoić.

Coś zapłonęło między nimi. Wiedział o tym od pierwszej chwili, nawet obolały i z gorączką, wśród wilków skradających się wokół kręgu, i bał się tego tak samo jak tego, co ich czekało.

Odsunął się do głębi wstrząśnięty i zobaczył w jej oczach odbicie własnych doznań. Jaką cenę musieliby zapłacić oboje, gdyby przyjął to, co chciała mu ofiarować?

Przecież wszystko ma swoją cenę.

– Przepraszam. Ja... to czar tak na mnie podziałał.

– Nie przepraszaj, to obraźliwe.

Kobiety – tylko tyle był w stanie pomyśleć.

– A dotykanie cię w ten sposób nie jest obrazą?

– Gdybym nie chciała, żebyś mnie tak dotykał, powstrzymałabym cię. Och, nie pochlebiaj sobie – warknęła, gdy zobaczyła jego minę. – Możesz być silniejszy, fizycznie i pod względem magii, ale umiem się ochronić. A kiedy chcę przeprosin, to się ich domagam.

– Nie mogę złapać równowagi w tym miejscu i w twojej obecności – powiedział sfrustrowany. – I nie podoba mi się to, co do ciebie czuję.

– Twój problem. To był tylko pocałunek.

Złapał ją za rękę, zanim Glenna zdążyła się odwrócić.

– Nigdy nie uwierzę, że to tylko pocałunek. Widziałaś, z czym przyjdzie nam się zmierzyć. Pożądanie jest słabością, na którą nie możemy sobie pozwolić. Wszystkie siły musimy skierować ku zadaniu, które mamy wykonać. Nie zaryzykuję twojego życia i losów świata dla paru chwil przyjemności.

– Zapewniam cię, że byłoby ich więcej niż parę. Ale nie zamierzam spierać się z mężczyzną uznającym pożądanie za słabość. Zapomnijmy o tym i zabierajmy się do dzieła.

– Nie chcę cię skrzywdzić – zaczął Hoyt ze smutkiem, ale Glenna posłała mu ostre spojrzenie.

– Przeproś jeszcze raz, a skopię ci tyłek. – Wzięła torebkę i klucze. – Zgaś świece i chodźmy. Chcę się upewnić, że moje rzeczy dotarły bezpiecznie na miejsce, i trzeba się zająć przygotowaniami do podróży. Musimy wykombinować, jak cię przeszmuglować do Irlandii.

Wzięła ze stołu ciemne okulary i założyła je. Prawie minęła jej złość, gdy zobaczyła jego zdumioną minę.

– Przeciwsłoneczne – wyjaśniła. – Chronią oczy przed promieniami słońca, a w tym wypadku są seksownym i modnym dodatkiem.

Otworzyła żelazną kratę, odwróciła się i popatrzyła na swój strych, swoje małe królestwo.

– Muszę wierzyć, że tu wrócę. Muszę wierzyć, że zobaczę to wszystko jeszcze raz.

Weszła do windy i nacisnęła przycisk, zostawiając za sobą wszystko, co kochała.

Gdy Cian wyszedł z sypialni, Glenna gotowała w kuchni kolację. Po ich powrocie Hoyt zaszył się z książkami w gabinecie. Glenna od czasu do czasu czuła uderzenia mocy i domyśliła się, że wypróbowuje jakieś czary.

Przynajmniej zszedł jej z oczu, ale z głowy tak łatwo nie mogła się go pozbyć.

Zawsze była ostrożna z mężczyznami. Oczywiście lubiła ich, jednak nie poddawała się zbyt szybko. A niestety nie mogła zaprzeczyć, że tak właśnie zrobiła teraz. Postąpiła bezmyślnie, impulsywnie i najwyraźniej popełniła błąd. I pomimo że powiedziała Hoytowi, iż to był tylko pocałunek, tak naprawdę nigdy nie doświadczyła czegoś równie intymnego.

Pragnął jej, co do tego nie miała żadnych wątpliwości, ale nie z własnego wyboru. A Glenna wolała być wybieraną.

W jej pojęciu pożądanie nie było słabością, chociaż na pewno odwracało uwagę. Miał rację, nie mogli sobie pozwolić na żadne rozproszenie myśli. Siła charakteru i zdrowy rozsądek były cechami, które najbardziej ją w nim pociągały, ale zważywszy na jej temperament, były też najbardziej irytujące.

Dlatego zajęła się gotowaniem, to ją uspokajało i dawało zajęcie dla rąk.

Gdy zaspany Cian wszedł do kuchni, dziarsko kroiła warzywa.

– Najwidoczniej *mi casa* jest *su casa*.

Nie przerwała krojenia.

– Przywiozłam z domu trochę produktów, tylko nie wiem, co ty jadasz.

Popatrzył z powątpiewaniem na surową marchewkę i zieloną sałatę.

– Jedną z zalet mojego stanu jest to, że nie muszę zjadać swoich warzywek jak grzeczny chłopiec. – Poczuł zapach dochodzący z garnka i podszedł powąchać pikantny sos pomidorowy. – Z drugiej strony, to wygląda nieźle.

Oparł się o blat i patrzył, jak Glenna pracuje.

– Ty zresztą też.

– Nie marnuj na mnie swego wątpliwego czaru. Nie jestem zainteresowana.

– Mógłbym nad tym popracować, chociażby po to, żeby wkurzyć Hoyta. Mogłoby być zabawnie. On próbuje nie zwracać na ciebie uwagi, ale stoi już na straconej pozycji.

Jej dłoń zawisła na chwilę w powietrzu.

– Uda mu się. Jest bardzo zdeterminowany.

– Jeśli dobrze pamiętam, zawsze taki był. Trzeźwy, poważny i uwięziony ze swoim darem jak szczur w klatce.

– Tak to widzisz? – Odłożyła nóż i odwróciła się do Ciana. – Jako klatkę? Hoyt i ja mamy na ten temat inne zdanie. Prawda, to obowiązek, ale też przywilej i radość.

– Zobaczymy, czy będziesz taka radosna przy spotkaniu z Lilith.

– Już ją spotkałam. Urządziliśmy czary w moim mieszkaniu. Ukryła się w jaskini pełnej tuneli, chyba gdzieś blisko morza. Prawdopodobnie niedaleko klifu, gdzie walczyła z Hoytem. Dała nam niezły wycisk. Następnym razem nie pójdzie jej tak łatwo.

– Jesteście szaleni jak marcowe króliki, oboje. – Otworzył lodówkę i wyjął torebkę krwi. Rysy mu stężały, gdy Glenna wydała cichy jęk. – Będziesz musiała się do tego przyzwyczaić.

– Masz rację. Przyzwyczaję się. – Patrzyła, jak nalewa krew do grubej szklanki i wstawia ją do mikrofalówki. Tym razem nie mogła stłumić parsknięcia. – Przepraszam. Ale to takie cholernie dziwaczne.

Popatrzył na nią uważnie, jednak rozluźnił się, gdy nie dostrzegł na jej twarzy złośliwości.

– Napijesz się wina?

– Chętnie. Musimy jechać do Irlandii.

– Tak słyszałem.

– Teraz. Natychmiast. Jak tylko uda nam się wszystko załatwić. Ja mam paszport, ale musimy pomyśleć, jak Hoyt ma przejechać przez granicę. Będziemy też potrzebowali jakiegoś mieszkania, gdzie będziemy mogli... cóż, ćwiczyć.

– Cudowne wakacje – mruknął z ironią Cian, nalewając jej kieliszek wina. – Wiesz, muszę przekazać komuś nadzór nad moimi interesami, a to wcale nie będzie takie proste, skoro jedyny człowiek, któremu mógłbym powierzyć prowadzenie klubu na dole, uparł się, że wstąpi do armii Hoyta.

– Słuchaj, ja spędziłam prawie cały dzień na pakowaniu, zbieraniu moich raczej ograniczonych funduszy na opłacenie czynszu za październik, odwoływaniu spotkań i przekazywaniu bardzo lukratywnych zleceń kolegom. Będziesz musiał sobie jakoś poradzić.

Wyjął szklankę z mikrofalówki.

– A czym się zajmujesz? Co to za lukratywne zlecenia?

– Kartki z życzeniami na każdą okazję. Maluję. I robię zdjęcia.

– Jesteś w tym dobra?

– Nie, do bani. Oczywiście, że jestem dobra. Za pieniądze fotografuję głównie na ślubach, bardziej artystyczne rzeczy robię dla własnej przyjemności i tylko od czasu do czasu sprzedaję. Jestem na tyle elastyczna, że na razie głód nie zagląda mi w oczy. – Uniosła kieliszek. – A ty?

– Inaczej nie przeżyłbym milenium. A zatem dziś wieczorem wyjeżdżamy.

– Dziś wieczorem? Nie uda nam się...

– Bądź elastyczna – powiedział i łyknął ze szklanki.

– Musimy sprawdzić połączenia, kupić bilety na samolot...

– Mam własny samolot. Jestem licencjonowanym pilotem.

– Och.

– I to dobrym – zapewnił ją. – Latam od kilku dziesięcioleci, więc w tej kwestii nie masz się czym martwić.

Wampir, który pije krew z drogocennego szkła i pilotuje własny samolot! Nie, oczywiście, czym miałaby się martwić?

– Hoyt nie ma żadnych dokumentów, paszportu ani dowodu. Mogę rzucić czar na celników, ale...

– Nie trzeba. – Przeszedł przez pokój i odsunął panel w ścianie, pod którym ukazał się sejf.

Otworzył go, wyjął metalowe pudełko, przyniósł je na blat kuchenny i otworzył szyfrem.

– Sam może sobie wybrać – powiedział, wyjmując sześć paszportów.

– Proszę, proszę. – Wybrała jeden, otworzyła i popatrzyła na zdjęcie. – Dobrze, że jesteście tacy podobni. Brak luster w tym mieszkaniu mówi mi, że twierdzenie o braku odbicia jest prawdą. Nie masz kłopotu ze zdjęciami?

– Jeśli robi się zdjęcie z fleszem, jest taki moment, w którym można mnie uchwycić na fotografii.

– To ciekawe. Wzięłam swoje aparaty, spróbuję zrobić ci kilka zdjęć, jak będziemy mieli chwilę luzu.

– Pomyślę o tym.

Rzuciła paszport na blat.

– Mam nadzieję, że w tym twoim samolocie jest dużo miejsca na bagaż, bo będzie go sporo.

– Damy radę. Muszę wykonać parę telefonów i spakować swoje rzeczy.

– Poczekaj. Nie mamy gdzie się zatrzymać.

– To żaden problem – powiedział, wychodząc z pokoju. – Mam coś odpowiedniego.

Glenna odetchnęła głośno i popatrzyła na stojący na kuchence garnek.

– Cóż, przynajmniej najpierw zjemy solidny posiłek.

Sprawa okazała się wcale nie taka prosta, nawet z pieniędzmi i koneksjami Ciana. Tym razem musieli przetransportować bagaż w tradycyjny sposób. Glenna widziała, jak wszyscy trzej mężczyźni, z którymi związał ją los, próbują zredukować choć trochę jej rzeczy, ale od razu postawiła sprawę jasno: wszystko jedzie i koniec.

Nie miała pojęcia, co Cian spakował do jednej niezbyt dużej walizki i dwóch metalowych kufrów.

I nie była pewna, czy chce wiedzieć.

Nie mogła sobie wyobrazić, jak wyglądają razem: dwóch wysokich, ciemnowłosych mężczyzn, ogromny Murzyn i rudzielec z ilością bagażu, od której zatonąłby „Titanic".

Korzystała z przywileju bycia jedyną kobietą w tym gronie i pozwoliła mężczyznom załadować walizki, podczas gdy sama zwiedzała elegancki i lśniący samolot.

Musiała przyznać, że Cian nie żałował pieniędzy na wystrój. Fotele z błękitnej skóry były na tyle obszerne, by siedział w nich wygodnie nawet mężczyzna postury Kinga, a dywan tak gruby, że dałoby się na nim spać.

Samolot mieścił małą salę konferencyjną, dwie ekskluzywne łazienki i pokój, który z początku Glenna wzięła za przytulną sypialnię, ale potem doszła do wniosku, że jest czymś więcej, gdy zobaczyła, że nie ma w nim okien ani luster, a z boku stoi mała wanna. Kryjówka Ciana.

Przeszła do kuchni i doceniła fakt, że Cian już ją zaopatrzył. Nie umrą z głodu w podróży do Europy.

Europa. Przesunęła palcem po jednym z rozłożonych foteli. Zawsze chciała tam pojechać, przynajmniej na miesiąc. Malować, robić zdjęcia, zwiedzać. Zobaczyć starożytne miejsca, oglądać sklepy.

Teraz miała tam lecieć i to w warunkach dużo lepszych niż pierwsza klasa. Ale nie będzie spacerować po wzgórzach ani odwiedzać świętych miejsc.

– Cóż, chciałaś przeżyć jakąś przygodę – przypomniała sobie. – No to ją masz. – Zacisnęła palce na wisiorku, który nosiła na szyi, i pomodliła się o siłę i wiedzę, żeby przetrwać.

Gdy mężczyźni weszli na pokład, Glenna siedziała w jednym z foteli i popijała szampana.

– Otworzyłam bąbelki – poinformowała Ciana. – Mam nadzieję, że nie masz nic przeciwko temu. Wydawało mi się, że okazja tego wymaga.

– *Sláinte.* – Ruszył prosto do kokpitu.

– Zafundować ci wycieczkę? – zapytała Hoyta. – Chcesz się rozejrzeć? – wyjaśniła. – Pewnie King już latał tą ślicznotką i jest nią kompletnie znudzony.

– Bije klasę biznesową na głowę – przyznał King i wziął sobie piwo. – Szef wie, jak prowadzić tego ptaszka. – Klepnął Hoyta w ramię. – O nic się nie martw.

Ponieważ Hoyt nie wyglądał na przekonanego, Glenna wstała i nalała drugi kieliszek szampana.

– Proszę, napij się, rozluźnij. Spędzimy tu całą noc.

– W ptaku zrobionym z metalu i szmat. W latającej maszynie. – Hoyt skinął głową i ponieważ miał już kieliszek w ręku, napił się wina z bąbelkami. – To sprawa nauki i mechaniki.

Spędził bite dwie godziny, czytając o historii i tajnikach lotnictwa.

– Aerodynamika.

– Właśnie. – King stuknął butelką o szklanki Hoyta i Glenny. – Wypijmy za skopane tyłki.

– Wyglądasz, jakbyś nie mógł się tego doczekać – zauważyła Glenna.

– Masz cholerną rację. A kto by miał czas czekać? Musimy ocalić pieprzony świat. A szef? Przez ostatnie tygodnie był bardzo niespokojny. Jak on się denerwuje, to i ja się wkurzam.

– Nie martwi cię, że możesz umrzeć?

– Każdy w końcu umiera. – Zerknął w stronę kokpitu. – W ten czy w inny sposób. Poza tym nie będzie łatwo wykończyć takiego wielkiego sukinsyna jak ja.

Wszedł Cian.

– Jesteśmy gotowi, chłopcy i dziewczęta. Siadajcie, zapnijcie pasy.

– Będę ubezpieczał tyły, kapitanie. – King poszedł za Cianem do kokpitu.

Glenna usiadła i z uśmiechem poklepała siedzenie obok siebie. Była gotowa niańczyć Hoyta podczas jego pierwszego lotu.

– Musisz zapiąć pasy. Pokażę ci, jak to działa.

– Wiem, jak to działa. Czytałem o tym. – Patrzył przez chwilę na klamrę, po czym połączył obie metalowe części w jedną. – Czasami są turbulencje. Kieszenie powietrzne.

– W ogóle się nie denerwujesz.

– Przeszedłem przez portal czasu – przypomniał jej. Zaczął się bawić przyciskami na poręczy fotela i uśmiechnął rozbawiony, gdy oparcie najpierw się odchyliło, a potem wróciło do pionu. – Myślę, że spodoba mi się ta podróż. Cholerna szkoda, że musimy lecieć nad wodą.

– Och, prawie bym zapomniała. – Wyłowiła z torebki flakonik. – Wypij to, poczujesz się lepiej. Wypij – powtórzyła, gdy Hoyt zmarszczył brwi. – To tylko zioła i sproszkowany kryształ. Nic groźnego. Pomoże ci na mdłości.

Wypił, ale bardzo niechętnie.

– Dodałaś za dużo goździków.

– Podziękujesz mi, jak nie będziesz musiał używać rzyg-torebki.

Usłyszała szum silników i poczuła wibracje pod stopami.

– Duchy nocy, dajcie nam skrzydła, by ta podróż nam nie zbrzydła. Otocz-

cie nas bezpieczeństwem i mocami swymi, póki nie dotkniemy stopą ziemi.
– Zerknęła na Hoyta. – To nigdy nie zaszkodzi.

Nie pochorował się, ale widziała, że jej napój i jego silna wola toczą ciężką bitwę z nudnościami. Zrobiła mu herbatę, przyniosła koc i rozłożyła im obojgu siedzenia.

– Spróbuj trochę się przespać.

Zbyt chory, by się kłócić, Hoyt skinął głową i zamknął oczy. Glenna upewniła się, że jest mu wygodnie, i postanowiła zajrzeć do tamtych.

W kokpicie grała muzyka, rozpoznała „Nine Inch Nails". King zasnął na siedzeniu drugiego pilota i pochrapywał do taktu. Glenna spojrzała przez przednią szybę i poczuła, jak serce zamiera jej w piersi.

Przed sobą widziała jedynie ciemność.

– Nigdy wcześniej nie byłam w kokpicie. Wspaniały widok.

– Mogę wykopać tego tutaj, jeśli chcesz usiąść.

– Nie, dziękuję. Twój brat próbuje zasnąć. Nie czuje się najlepiej.

– Robił się zielony, nawet gdy przepływaliśmy przez Shannon*. Domyślam się, że już choruje jak kot po świeżych śliwkach.

– Nie, ma tylko mdłości. Dałam mu coś przed wylotem, do tego ma żelazną wolę. A ty coś chcesz?

Zerknął na nią przez ramię.

– No proszę, jak się przydajesz.

– Jestem zbyt niespokojna, żeby spać albo choćby usiedzieć w jednym miejscu. Kawy, herbaty, mleka?

– Chętnie napiłbym się kawy. Dzięki.

Zaparzyła mały dzbanek i przyniosła kawę w kubku. Stanęła za fotelem Ciana i zapatrzyła się w noc.

– Jaki był, kiedy był chłopcem?

– Taki, jak ci mówiłem.

– Czy kiedykolwiek wątpił w swoją moc? Wolałby nie mieć tego daru?

To dziwne uczucie, rozmawiać z kobietą na temat innego mężczyzny, pomyślał Cian. Zwykle, jeśli nie mówiły o sobie, wypytywały o jego sprawy, próbując uchylić rąbka „jego tajemnicy".

– Nigdy nic takiego nie mówił. A powiedziałby – dodał po chwili namysłu. – Kiedyś byliśmy ze sobą bardzo blisko.

– Czy był wtedy ktoś... kobieta, dziewczyna... w jego życiu?

– Nie. Patrzył na nie i miał kilka, jest czarnoksiężnikiem, nie mnichem. Ale nigdy nie opowiadał mi o żadnej szczególnej. I nigdy nie widziałem, żeby patrzył na jakąkolwiek dziewczynę tak, jak patrzy na ciebie. Powiedziałbym, że na twoją zgubę, Glenno. Ale śmiertelnicy są głupcami, jeśli chodzi o miłość.

– Uważam, że jeśli nie potrafisz kochać w obliczu śmierci, to nie warto stawać do walki. Lilith miała przy sobie dziecko. Mówił ci?

– Nie, nie mówił. Musisz zrozumieć, że tu nie ma miejsca na sentymenty. Dziecko jest łatwą zdobyczą i słodkim posiłkiem.

* Shannon – rzeka w Irlandii.

Glenna poczuła, jak żołądek podchodzi jej do gardła, ale starała się mówić spokojnie.

– Miał może osiem czy dziesięć lat. Leżał z nią w łóżku, w tej jaskini. Uczyniła go jednym z was.

– To cię bulwersuje i złości, i bardzo dobrze. Szok i złość mogą być dobrą bronią w odpowiednim ręku. Ale pamiętaj, jeśli zobaczysz to dziecko albo inne, podobne, zapomnij o litości, bo ono uśmierci cię bez zastanowienia, chyba że ty zabijesz je pierwsza.

Przyjrzała się profilowi Ciana, tak bardzo podobnemu do profilu jego brata, a jednak tak odmiennemu. Chciała zapytać, czy on sam kiedykolwiek przemienił dziecko w bestię lub karmił się jego krwią, ale się obawiała, że nie zdoła mu wybaczyć, usłyszawszy odpowiedź, a Cian był im potrzebny.

– Mógłbyś to zrobić, uśmiercić dziecko ze względu na to, czym się stało?

– Bez wahania i litości. – Zerknął na nią i Glenna zobaczyła, że on wie, jakie pytania kłębią się w jej głowie. – I jeśli ty nie będziesz umiała tego zrobić, to na nic nam się nie przydasz.

W tej chwili wyszła bez słowa i poszła położyć się koło Hoyta. Podczas rozmowy z Cianem przeniknął ją dojmujący chłód, więc przykryła się kocem i skuliła obok ciepłego męskiego ciała.

A kiedy w końcu zasnęła i śniła o dzieciach z pszenicznymi włosami i zakrwawionymi kłami.

Obudziła się gwałtownie i zobaczyła nad sobą Ciana. Już miała wrzasnąć, ale dostrzegła, że usiłuje obudzić brata.

Odgarnęła włosy i przesunęła palcami po twarzy, rzucając szybki czar. Rozmawiali przyciszonymi głosami, po irlandzku.

– Po angielsku proszę. Nie rozumiem, kiedy mówicie tak szybko, zwłaszcza z tym akcentem.

Obaj zwrócili na nią oszałamiająco błękitne oczy, a Cian wyprostował się, gdy podniosła swój fotel.

– Mówiłem, że została nam jakaś godzina lotu.

– Kto prowadzi samolot?

– Na razie King. Będziemy lądować o świcie.

– Dobrze. Świetnie. – Glenna ledwo stłumiła ziewnięcie. – Zrobię jakieś śniadanie i kawę, żebyśmy... O świcie?

– Tak, o świcie. Potrzebuję chmur, przydałby się też deszcz. Możesz to zrobić? Jeśli nie, King wyląduje, potrafi to zrobić, a ja spędzę resztę dnia w sypialni w samolocie.

– Powiedziałem, że mogę i zrobię.

– Razem to zrobimy – poprawiła go Glenna.

– W każdym razie pośpieszcie się, dobrze? Już raz czy dwa się przypaliłem, a nie jest to miłe uczucie.

– Bardzo proszę – wymamrotała, gdy odszedł. – Wyjmę parę rzeczy z walizki.

– Nie potrzebuję ich. – Hoyt odsunął ją na bok i stanął w przejściu między siedzeniami. – Tym razem zrobimy to po mojemu. W końcu to mój brat.

– No dobrze. Jak mogę pomóc?

– Przywołaj wizję. Chmury i deszcz. Deszcz i chmury. – Wziął laskę. – Zobacz to, poczuj, powąchaj. Gęsty i nieprzerwany deszcz, słońce uwięzione za chmurami. Blade światło, światło pozbawione mocy, które nie może wyrządzić krzywdy. Zobacz to, poczuj, powąchaj. – Przytrzymał laskę obiema rękami, rozstawił nogi dla utrzymania równowagi i podniósł ręce do góry. – Wzywam deszcz i czarne chmury przysłaniające niebo. Wzywam chmury nabrzmiałe od deszczu, który leje się z nieba. Zbierzcie się, rozpostrzyjcie i tak pozostańcie.

Poczuła moc, unoszącą się z niego i wprawiającą w drżenie powietrze. Samolot zatrząsł się, opadł lekko i uniósł z powrotem, ale Hoyt stał równie pewnie jak na stałym lądzie. Koniuszek laski błyskał niebieskim światłem.

Hoyt odwrócił się do niej i skinął głową.

– To powinno wystarczyć.

– No dobrze. W takim razie zrobię kawę.

Wylądowali w półmroku i deszczu gęstym jak szara zasłona. Według Glenny Hoyt trochę przesadził, podróż z lotniska do jakiegokolwiek piekielnego miejsca, w którym mieli zamieszkać, będzie koszmarem.

Ale gdy wyszła z samolotu na irlandzką ziemię, od razu to poczuła. Poczucie przynależności, natychmiastowe i zaskakujące nawet dla niej. Przed oczami stanął jej obraz farmy: zielone wzgórza, kamienne murki i biały dom z praniem powiewającym na sznurze w podmuchach wiatru. Przed domem był ogród z daliami wielkimi jak talerze i liliami białymi jak śnieg.

Obraz zniknął prawie tak szybko, jak się pojawił. Glenna zastanawiała się, czy to było wspomnienie z innego czasu, z innego życia, czy po prostu miała ten kraj we krwi. Jej babcia pochodziła z Irlandii, z farmy w hrabstwie Kerry. Zabrała swoją bieliznę pościelową i najlepszą zastawę – i oczywiście magię – i wyruszyła do Ameryki.

Glenna poczekała na Hoyta. Tu zawsze będzie jego dom, pomyślała, widząc radość na jego twarzy. Zatłoczone lotnisko czy szczere pole – tu zawsze będzie jego miejsce. I był gotowy umrzeć, żeby chronić to wszystko.

– Witaj w domu.

– Wszystko wygląda zupełnie inaczej.

– Część na pewno. – Ścisnęła jego dłoń. – Niezła robota z tą pogodą.

– Cóż, przynajmniej deszcz wydaje się znajomy.

King podbiegł do nich, mokry jak foka. Z grubych dredów kapała woda.

– Cian załatwił ciężarówkę na bagaże, więc weźcie tylko to, co możecie unieść albo co jest wam niezbędne. Reszta zostanie dowieziona za kilka godzin.

– Dokąd jedziemy? – zapytała Glenna.

– Ma tu jakieś mieszkanie. – King wzruszył ramionami. – I tam jedziemy.

Podstawiono furgonetkę, ale i tak było im ciasno, jednak Glennie bardzo podobała się jazda w ulewnym deszczu po mokrych drogach wąskich jak wierzbowe witki.

Widziała żywopłoty kapiące od fuksji, szmaragdowe wzgórza ciągnące się pod sinoszarym niebem i domy otoczone kwiatami – nie identyczne z tym, który zobaczyła oczami duszy, ale wystarczająco podobne, by wywołać uśmiech na jej twarzy.

Coś z tego kiedyś do niej należało. Może teraz tam wróci.

– Znam to miejsce – wymruczał Hoyt. – Znam ten kraj.

– Widzisz. – Glenna poklepała go po ręce. – Wiedziałam, że nie wszystko się zmieniło.

– Tak, to miejsce... – Złapał brata za ramię. – Cian.

– Nie przeszkadzać kierowcy. – Cian strząsnął rękę brata, po czym skręcił między żywopłotami na wąską przesiekę wśród gęstego lasu.

– Boże – westchnął Hoyt. – Słodki Boże.

Dom był z kamienia, stał samotnie pomiędzy drzewami cichy jak grobowiec. Stary, szeroki, z wystającą wieżą i koronką tarasów, w półmroku wydawał się opuszczony, jakby pochodził z innego czasu.

A mimo to w ogrodzie kwitły róże, lilie i okrągłe dalie. Między drzewami pięła się purpurowa naparstnica.

– Wciąż tu jest – wyszeptał Hoyt. – Przetrwał. Nadal stoi.

Glenna, która już zrozumiała, jeszcze raz uścisnęła jego dłoń.

– To twój dom.

– Ten, z którego wyjechałem zaledwie parę dni temu. Ten, który opuściłem prawie tysiąc lat temu. Wróciłem do domu.

7

Wszystko się zmieniło: meble, kolory, światło, nawet odgłos jego kroków na podłodze. Rozpoznał kilka przedmiotów: parę świeczników i komodę, ale stały na niewłaściwych miejscach.

W kominku leżały polana, jednak ogień nie płonął, nie było też psów skulonych na podłodze ani machających wesoło ogonami na powitanie.

Hoyt błąkał się po pokojach jak duch. Może nim właśnie był. W tym domu rozpoczęło się jego życie, tu spędził większość swoich dni, bawił się i pracował, jadł i spał.

Ale to było setki lat temu, więc może tak naprawdę jego życie też tutaj dobiegło końca.

Radość, którą poczuł na widok domu, minęła przygnieciona smutkiem z powodu tego wszystkiego, co stracił.

Wtedy zobaczył w szklanej gablocie, na ścianie, jeden z gobelinów matki. Podszedł do niego, dotknął palcami szkła, a ona stanęła przed nim jak żywa, zobaczył jej twarz, usłyszał głos, poczuł zapach.

– To był ostatni, który skończyła przed...

– Moją śmiercią – dokończył Cian. – Pamiętam. Znalazłem go na aukcji, tak jak parę innych rzeczy. Udało mi się kupić ten dom i większość ziemi jakieś czterysta lat temu.

– Ale już tu nie mieszkasz.

– Trochę mi nie po drodze, nie mogę tu ani pracować, ani zażywać rozrywek. Mam zarządcę, którego teraz odesłałem, i zwykle przyjeżdżam tu raz do roku.

Hoyt opuścił dłoń i obrócił się do brata.

– Dom się zmienił.

– Zmian nie da się uniknąć. Kuchnia została zmodernizowana, jest woda i elektryczność, ale przeciągi nadal szaleją. Sypialnie na górze są umeblowane, więc możecie sobie wybrać. Idę się przespać.

Przy drzwiach zatrzymał się i zerknął przez ramię.

– Och, i możesz już zatrzymać deszcz, jeśli chcesz. King, pomóż mi, proszę, zanieść tych kilka gratów na górę.

– Już. Niezła chata, jeśli ktoś lubi się pobać. – King podniósł kufer, jakby to była aktówka, i ruszył w stronę schodów.

– Wszystko w porządku? – zapytała Glenna Hoyta.

– Nie wiem. – Podszedł do okna, odsunął ciężkie zasłony i spojrzał na tonący w deszczu las. – Dom nadal stoi, kamienie, które kładli moi przodkowie, wciąż są na miejscu i jestem za to wdzięczny.

– Ale ich tu nie ma. Rodziny, którą zostawiłeś. Musi ci być bardzo ciężko, ciężej niż nam wszystkim.

– Nikomu z nas nie jest łatwo.

– Ja zostawiłam swój strych, a ty całe życie. – Podeszła i pocałowała go lekko w policzek. Pomyślała, że może powinna ugotować coś ciepłego, ale dostrzegła, że jedyne, czego Hoyt w tej chwili potrzebuje, to samotność. – Idę na górę, wybiorę sobie pokój, wezmę prysznic i położę się spać.

Skinął głową, nie odrywając wzroku od widoku za oknem. Ta pogoda pasowała do jego nastroju, ale powinien już zdjąć czar. Zrobił to, jednak deszcz wcale nie przestał padać, tylko zmienił się w mglistą mżawkę. Mgła snuła się po ziemi, otulając krzewy róż.

Czy to mogły być kwiaty jego matki? Wątpił, ale przynajmniej w ogrodzie rosły róże. To by sprawiło jej przyjemność. Zastanawiał się, czy ucieszyłaby się, widząc swoich synów znowu w domu, razem.

Skąd może to wiedzieć? Czy kiedykolwiek będzie wiedział?

Jednym zaklęciem rozpalił ogień w kominku i poczuł się trochę bardziej jak w domu. Jeszcze nie chciał iść na górę. Później, pomyślał, zaniesie swój kufer do wieży i znowu uczyni ją swoim azylem, ale na razie włożył płaszcz i wyszedł prosto w ciepły deszcz.

Najpierw poszedł do strumienia, gdzie przemoczone naparstnice pochylały ciężkie dzwony, a dzikie pomarańczowe lilie, ulubione kwiaty Noli, płonęły niczym języki ognia. W domu powinny stać kwiaty, pomyślał, tak jak zawsze. Będzie musiał nazrywać ich przed zmierzchem.

Obszedł dom dookoła, rozkoszując się zapachem wilgotnego powietrza, mokrych liści i róż. Musiał przyznać, że brat utrzymywał wszystko w doskonałym stanie. Stajnie wyglądały inaczej, ale wciąż znajdowały się na tym samym miejscu. Były większe niż kiedyś, z dobudówką zamkniętą szerokimi drzwiami.

Drzwi okazały się zamknięte, więc otworzył je za pomocą zaklęcia. W środku na kamiennej podłodze stał samochód. Inny niż ten w Nowym Jorku, nie przypominał też ani taksówki, ani furgonetki, którą jechali z lotniska. Ten był czarny i niższy, ze srebrną sylwetką jakiegoś drapieżnika na masce. Hoyt przesunął po rysunku palcami.

Nie rozumiał, dlaczego na tym świecie jest aż tyle rodzajów samochodów o różnych kształtach, kolorach i wielkości. Skoro jeden był sprawny i wygodny, to po co wymyślać inne?

Niedaleko auta stała wysoka ławka, a na ścianach i w szufladach czerwonej komody wisiały i leżały różne fascynujące narzędzia. Hoyt oglądał je przez dłuższą chwilę, przyjrzał się też stercie wygładzonego i przyciętego drewna.

Narzędzia, pomyślał, drewno, maszyny, ale żadnego życia. Nie ma stajennych, nie ma koni ani kotów polujących na myszy. Nie słychać popiskiwania szczeniaków, z którymi bawiła się Nola. Zamknął za sobą drzwi i poszedł zwiedzać stajnię.

Wszedł do siodlarni, gdzie zapach skóry i oleju przyniósł mu pociechę. Zauważył, że to pomieszczenie było równie dobrze wyposażone jak miejsce dla samochodu. Przesunął ręką po siodle, ukucnął, by przyjrzeć mu się bliżej, i dostrzegł, że nie różniło się bardzo od tego, którego sam kiedyś używał. Wziął do ręki uzdę i cugle i przez chwilę poczuł tak dojmującą tęsknotę za swym wierzchowcem, jakby tęsknił za kochanką.

Przeszedł do następnego pomieszczenia. Kamienna podłoga lekko tu opadała, po jednej stronie były dwie przegrody, po drugiej jedna. Kiedyś mieli ich więcej, ale te były większe, z gładkiego ciemnego drewna. Czuł zapach siana i zboża i...

Ruszył szybko po kamiennej podłodze.

W ostatniej z trzech przegród stał czarny jak węgiel ogier, na którego widok serce Hoyta skoczyło z radości. Jednak wciąż istniały konie! A ten był naprawdę wspaniały.

Gdy Hoyt otworzył wrota, zwierzę położyło uszy i zaczęło walić kopytem w klepisko, więc uniósł obie dłonie i zaczął przemawiać miękko po irlandzku:

– Wszystko w porządku, masz rację. Kto może mieć do ciebie pretensje za to, że nie ufasz obcym? Ale ja chcę cię tylko podziwiać, patrzeć na twoją piękną sylwetkę, nic więcej. Proszę, powąchaj mnie, nie bój się. Może zmienisz zdanie. Ach, mówiłem o wąchaniu, nie o szczypaniu. – Hoyt ze śmiechem odsunął rękę, gdy koń pokazał zęby.

Nie przestawał przemawiać miękkim głosem i stał bez ruchu, podczas gdy zwierzę parskało i kopało. W końcu zdecydował, że najlepszą taktyką będzie łapówka, i wyjął jabłko.

Dostrzegł w oczach konia błysk zainteresowania, więc uniósł owoc do ust i ugryzł.

– Pyszne. Może masz ochotę?

Koń postąpił krok do przodu, powąchał, parsknął i zaczął jeść jabłko Hoytowi z ręki. Żuł i łaskawie pozwalał się głaskać.

– Ja musiałem zostawić swojego konia. Piękna klacz, na której jeździłem przez osiem lat. Nazwałem ją Aster, bo miała tu znamię w kształcie gwiazdy. – Pogłaskał konia dwoma palcami po głowie. – Tęsknię za nią. Tęsknię za nimi wszystkimi. Pomimo licznych cudów dzisiejszego świata ciężko mi żyć z dala od tego, co znasz.

W końcu wyszedł z przegrody i zamknął za sobą wrota. Deszcz ustał, słychać było szum strumienia i kapanie kropli z liści na ziemię.

Czy w lasach wciąż mieszkały wróżki? Bawiły się, plotkowały i przyglądały ludzkim słabostkom? Jego umysł był zbyt zmęczony, by ich szukać, a serce zbyt ściśnięte, by dał radę pójść na miejsce, gdzie – jak wiedział – pochowano jego rodzinę.

Wrócił do domu, wziął kufer i wszedł wąskimi schodami na wieżę.

Ciężkie, pokryte symbolami magicznymi i zaklęciami drzwi były zamknięte. Hoyt przesunął palcami po wyżłobieniach, poczuł wibrację i ciepło. Ktokolwiek to zrobił, dysponował dużą mocą.

Cóż, on nie pozwoli, żeby ktoś zamykał przed nim drzwi jego własnego pokoju. Wypowiedział odpowiednie zaklęcie, dodając do niego sporą dawkę złości.

To był jego dom. I nigdy w życiu nikt nie zamknął przed nim tych drzwi.

– Zamki, stańcie otworem – rozkazał. – Mam prawo wejść do tego pokoju. Moja wola złamie czar.

Powiał wiatr i drzwi stanęły otworem. Hoyt, nadal wściekły, wszedł do środka i pozwolił, żeby drzwi zatrzasnęły się za nim z hukiem.

Pokój był pusty, jeśli nie liczyć pajęczyn i kurzu. I zimny, pomyślał. Zimny, zatęchły i od dawna nieużywany. Kiedyś pachniał ziołami i woskiem świec, płomieniem jego własnej mocy.

W końcu odzyska go takim, jaki był kiedyś. Miał sporo pracy i właśnie tutaj zamierzał ją wykonać.

Wyczyścił kominek i rozpalił ogień. Przytargał z dołu to, co uznał za niezbędne: stoły, krzesła. Cieszył się, że tutaj na górze nie ma elektryczności, wolał swoje światło.

Koniuszkami palców zapalił świece i przy ich świetle ułożył narzędzia i składniki.

Po raz pierwszy od kilku dni poczuł spokój w sercu i umyśle. Rozciągnął się na podłodze przed kominkiem, z płaszczem zwiniętym pod głową, i zasnął.

Śnił.

Stał z Morrigan na wysokim klifie. Pod ich stopami porośnięta ostrą trawą ziemia opadała stromymi stopniami, w oddali majaczyły zamglone góry. Pod nogami obojga jedne kamienie wznosiły się jak wieżyczki, inne leżały płaskie niczym wielkie stoły.

Z mgły dobiegał syk i urywany oddech czegoś starszego niż czas. W powietrzu buzowała wściekłość, jakby zaraz miało się wydarzyć coś bardzo złego.

Ale na razie, jak daleko Hoyt mógł sięgnąć wzrokiem, wszystko trwało w bezruchu.

– To twoje pole bitwy – powiedziała Morrigan. – Twój ostatni przyczółek. Przed tobą przyjdą tu inni, ale to ty ją tu przywiedziesz i stawisz jej czoło, a stawką będzie przetrwanie światów.

– Co to za miejsce?

– To Dolina Ciszy w Górach Mgły w Świecie Geall. Przeleje się tu krew, demonów i ludzi. To, co stanie się potem, zależy od tego, co zrobisz, ale przed bitwą twoja stopa nie może stanąć na tym polu.

– Jak mam tu wrócić?

– Zobaczysz.

– Jest nas tylko czworo.

– Przybędzie więcej. Teraz śpij, a kiedy się zbudzisz, działaj.

Wtedy mgły się rozstąpiły i ujrzał stojącą na tej samej skale dziewczynę. Była młoda i szczupła, brązowe włosy miała rozpuszczone, jak przystało pannie. Ubrana w suknię żałobną, oczy, teraz już suche, miała zaczerwienione od łez.

Stała ze wzrokiem wbitym w opustoszałą ziemię, tak jak on przed chwilą. Bogini przemówiła do niej, ale słowa nie były przeznaczone dla uszu Hoyta.

Na imię miała Moira i władała Geallią. Od momentu stworzenia na tej ziemi panował pokój, strzegli go jej przodkowie. Wiedziała, że teraz pokój już nie wróci, tak jak nie zagoi się rana w jej sercu.

Tego ranka pochowała matkę.

– Zaszlachtowali ją jak cielę.

– Rozumiem twój ból, dziecko.

Spojrzeniem podkrążonych oczu próbowała przeniknąć deszcz.

– Czy bogowie czują ból, pani?

– I rozumiem twój gniew.

– Nigdy w życiu nikogo nie skrzywdziła. Czym zasłużyła sobie na taką śmierć – ona, tak dobra, tak życzliwa! – Moira opuściła ręce wzdłuż ciała. – Nie potrafisz zrozumieć ani mojego bólu, ani złości.

– Inni umrą jeszcze gorszą śmiercią. Będziesz tu stała i nic nie zrobisz?

– A co mogę zrobić? Jak mamy się bronić przed takimi potworami? Czy obdarzysz mnie większą mocą? – Moira wyciągnęła dłonie, które nigdy nie wydawały się jej tak małe i puste. – Dasz więcej mądrości i sprytu? To, co mam, nie wystarczy.

– Dostałaś wszystko, czego potrzebujesz. Użyj tego, ucz się, ćwicz. Pozostali czekają na ciebie. Musisz wyruszyć dzisiaj, teraz.

– Wyruszyć? – Osłupiała Moira odwróciła się do bogini. – Moi ludzie stracili królową, czy mogłabym ich teraz zostawić? Jak w ogóle możesz mnie o to prosić? Musimy poddać się próbie, sami bogowie tak zdecydowali. Jeśli ja nie będę mogła zająć miejsca matki, przejąć jej korony i miecza, to i tak muszę tu pozostać, pomóc temu, kto to zrobi.

– Pomożesz, ruszając w drogę, tak właśnie zdecydowali bogowie. To twoja misja, Moiro z Geallii. Musisz opuścić ten świat, żeby go ocalić.

– Chcesz, żebym zostawiła mój dom, moich ludzi i to w taki dzień? Na grobie mojej matki jeszcze nie zwiędły kwiaty.

– Czy twoja matka chciałaby, żebyś stała, szlochała nad nią i patrzyła, jak giną twoi ludzie?

– Nie.

– Musisz wyruszyć, ty i ten, któremu najbardziej ufasz. Jedź do Tańca Bogów. Tam dam ci klucz, który zabierze cię na miejsce. Znajdź innych, stwórzcie armię. A kiedy przybędziesz tutaj, na tę ziemię, w Samhain, stoczycie bitwę.

Bitwę, pomyślała Moira. Nigdy nie walczyła, znała tylko pokój.

– Pani, a tu nie jestem potrzebna?

– Będziesz. Teraz każę ci pójść tam, gdzie jesteś potrzebna w tej chwili. Jeśli zostaniesz, jesteś stracona. Zginie twój kraj i inne światy. To zostało ci przeznaczone jeszcze przed twoimi narodzinami. Po to zostałaś stworzona. Ruszaj natychmiast. Pośpiesz się. One czekają tylko na zmierzch.

Ale tu jest grób mojej matki, pomyślała Moira z rozpaczą. Tu było jej życie i wszystko, co znała.

– Jestem w żałobie. Jeszcze kilka dni, Matko, błagam.

– Zostań chociaż dzień dłużej, a oto, co spotka twój kraj, twoich ludzi.

Morrigan machnęła ręką i mgły się rozstąpiły. Za nimi ukazała się czarna noc, rozpraszana jedynie srebrnym promieniem światła zimnego księżyca. Powietrze wypełniły wrzaski, dym i pomarańczowe języki ognia.

Moira zobaczyła wioskę, którą widziała z okna swojego domu. Sklepy i chaty płonęły, a krzyczeli przyjaciele i sąsiedzi. Ciała mężczyzn i kobiet leżały porozrywane na strzępy, potworne stworzenia, które zabiły jej matkę, piły krew dzieci.

Patrzyła, jak jej wuj walczy, wymachuje mieczem, dłonie i twarz ma skąpane we krwi. Ale one skakały na niego z góry, z dołu, potwory o długich kłach i dzikich, czerwonych oczach. Spadały na niego z wyciem mrożącym krew w żyłach. Krew spływała po ziemi, nad którą unosiła się przepiękna kobieta. Ubrana była w czerwoną, jedwabną suknię z ciasno zawiązanym stanikiem, wyszywanym klejnotami. Miała odkrytą głowę, a złote jak słońce włosy spływały na jej białe ramiona.

W ramionach trzymała dziecko jeszcze w pieluszkach.

Wokół trwała rzeź, a przepiękny potwór wyszczerzył kły i wbił je w gardło niemowlęcia.

– Nie!

– Zamknij się w swoim bólu i gniewie, a tak się stanie. – Zimna wściekłość w głosie Morrigan przebiła się przez przerażenie Moiry. – Wszystko, co znasz, będzie zniszczone, splądrowane, rozdarte na strzępy.

– Co to za demony? Jakie piekło zesłało je na nas?

– Ucz się. Weź to, co masz, i wyjdź na spotkanie swemu przeznaczeniu. Nadchodzi bitwa. Uzbrój się.

Moira obudziła się obok grobu matki, drżąc po ujrzanych przed chwilą potwornościach. Serce w piersi miała ciężkie jak kamienie, z których usypano kurhan jej rodzicielki.

– Nie potrafiłam cię ochronić, więc jak mam ocalić kogokolwiek innego? Jak mam powstrzymać to coś, co nadchodzi?

Opuścić wszystko, co znała i kochała? Bogom łatwo mówić o przeznaczeniu, pomyślała, wstając z trudem. Popatrzyła nad grobami na ciche, zielone wzgórza i błękitną wstążkę rzeki. Słońce stało wysoko i ogrzewało jej świat jasnymi promieniami. Słyszała śpiew skowronka, odległe porykiwanie bydła.

Bogowie uśmiechali się do tego kraju od setek lat i teraz przyszła pora, by za to zapłacić wojną, śmiercią i krwią. I to ona musiała zapłacić tę cenę.

– Każdego dnia będę za tobą tęskniła – powiedziała głośno i popatrzyła na grób ojca. – Ale teraz jesteście razem. Zrobię wszystko, co trzeba, żeby chronić Geallię, bo tylko ja po was zostałam. Przysięgam na tej świętej ziemi, przed tymi, którzy mnie stworzyli. Pojadę do obcych, do obcego świata i oddam życie, jeśli tak trzeba. Teraz tylko to mogę wam ofiarować.

Wzięła do ręki kwiaty, które ze sobą przyniosła, i położyła po kilka na każdym grobie.

– Pomóżcie mi tego dokonać – poprosiła i odeszła.

Czekał na nią na kamiennym murku. Wiedziała, że też jest pogrążony w żalu, ale dał jej chwilę samotności, której potrzebowała. To jemu ufała najbardziej ze wszystkich ludzi. Syn brata matki, tego wuja, którego widziała ginącego w walce.

Gdy podeszła, skoczył na równe nogi i rozłożył ramiona, a Moira oparła głowę na jego piersi.

– Larkin.

– Dopadniemy ich. Znajdziemy i zabijemy. Bez względu na to, czym są.

– Wiem, czym są, i masz rację, znajdziemy ich i zabijemy. Ale nie tutaj. Nie teraz. – Odsunęła się. – Przyszła do mnie Morrigan i powiedziała, co musimy zrobić.

– Morrigan?

Moira uśmiechnęła się lekko na widok pełnego podejrzliwości wyrazu jego twarzy.

– Nigdy nie zrozumiem, jak ktoś z twoimi umiejętnościami może wątpić w bogów. – Dotknęła dłonią jego policzka. – Czy mi zaufasz?

Ujął twarz Moiry w dłonie i pocałował ją w czoło.

– Wiesz, że tak.

Gdy powiedziała mu to, co sama usłyszała, jego twarz znów się zmieniła. Usiadł na ziemi i przeczesał palcami szopę złotych włosów. Zazdrościła mu ich przez całe życie, żałując, że jej własne miały zwykły odcień brązu. Jego oczy też były nakrapiane złotem, a jej – szare jak deszcz.

Był wysoki i miał kilka innych cech, których mu zazdrościła.

Skończyła mówić i wzięła głęboki oddech.

– Pojedziesz ze mną?

– Nigdy nie pozwoliłbym ci jechać samej. – Mocno uścisnął jej dłoń. – Moiro, skąd możesz wiedzieć, że ta wizja nie powstała w twoim złamanym sercu?

– Wiem. Jestem przekonana, że to, co widziałam, było prawdziwe. Ale nawet jeśli to tylko efekt bólu, stracimy jedynie trochę czasu na dojazd do Tańca. Larkin, ja muszę spróbować.

– W takim razie spróbujemy.

– Nikomu nie możemy o tym powiedzieć.

– Moiro...

– Posłuchaj mnie. – Schwyciła go za nadgarstek. – Twój ojciec zrobi, co w jego mocy, aby nas powstrzymać. Albo, jeśli mi uwierzy, zechce pojechać z nami, ale bogini powiedziała wyraźnie, że mam wziąć ze sobą jedynie tego, któremu ufam najbardziej. To możesz być tylko ty. Zostawimy mu wiadomość. Będzie chronił królestwo i władał Geallią podczas naszej nieobecności.

– Weźmiesz miecz... – zaczął Larkin.

– Nie. Miecz musi zostać. Taka była święta przysięga i ja nie zamierzam jej łamać. Miecz poczeka tu na mój powrót. Nie zajmę swojego miejsca, jeśli go nie uniosę, a nie uniosę go, jeżeli nie zasłużę na swoje miejsce. Mamy inne miecze. Bogini kazała mi się uzbroić i zadbać, żebyś ty też to uczynił. Spotkamy się za godzinę. Nikomu nic nie mów.

Uścisnęła jego dłonie.

– Przysięgnij mi na wspólną krew, która płynie w naszych żyłach. Na stratę, której doznaliśmy.

Jak mógł jej odmówić, skoro łzy jeszcze nie wyschły na jej policzkach?

– Przysięgam. Nikomu nic nie powiem. – Pogładził ją uspokajająco po ramionach. – I tak założę się, że wrócimy przed kolacją.

Moira pośpieszyła do domu, przez pole i wzgórze, do zamku, skąd jej przodkowie władali tym krajem od samego początku jego istnienia. Mijała ludzi, którzy pochylali głowy, chcąc jej okazać współczucie, a w ich oczach błyszczały łzy.

Wiedziała, że kiedy obeschną, wielu z nich będzie szukało u niej przewodnictwa i odpowiedzi. Wielu będzie się zastanawiało, jak poradzi sobie jako władczyni.

Ona też się nad tym zastanawiała.

Przeszła przez główną salę, gdzie dziś nie było słychać muzyki ani śmiechu. Zebrała ciężkie spódnice i weszła po schodach do swojej komnaty.

Wokół drzwi siedziały kobiety, szyły i zajmowały się dziećmi, rozmawiając przyciszonymi głosami, które brzmiały jak gruchanie gołębi.

Moira minęła je cicho i zniknęła w swoim pokoju. Przebrała się w strój do konnej jazdy, zawiązała buty. Nie czuła się dobrze, zrzucając tak szybko żałobną suknię, ale tunika i bryczesy były wygodniejsze w podróży. Splotła włosy w warkocz i zaczęła się pakować.

Doszła do wniosku, że będzie potrzebowała tylko tego, co ma na sobie. Potraktuje to jak wyjazd na polowanie – na tym przynajmniej się znała. Ułożyła na łóżku kołczan, łuk i krótki miecz i usiadła, żeby napisać list do wuja.

Jak powiedzieć człowiekowi, który przez tak wiele lat był dla ciebie jak ojciec, że zabierasz jego syna na wojnę, chociaż jej nie rozumiesz, żeby walczyć z czymś, czego nie da się pojąć, u boku ludzi, których nie znasz?

Wola bogów, pomyślała, zaciskając usta, pomimo że nie była pewna, czy poddaje się jej czy własnej wściekłości. Ale musiała pojechać.

Muszę to zrobić – pisała dalej, starannie stawiając litery. *Modlę się, abyś mi wybaczył i zrozumiał, że czynię to tylko dla dobra Geallii. Jeśli nie wrócę do Samhain, proszę, unieś miecz i władaj w moim imieniu. Wiedz, że jadę dla Ciebie, dla Geallii i przysięgam na krew mojej matki, że będę walczyła aż do śmierci w obronie tego, co kocham.*

Teraz wszystko to, co kocham, zostawiam w Twoich rękach.

Złożyła list, podgrzała wosk i nałożyła pieczęć.

Przypięła miecz, przerzuciła przez ramię kołczan i strzały.

– Pani! – zawołała jedna z kobiet, gdy Moira wyszła z komnaty.

– Jadę na samotną przejażdżkę – powiedziała to tak ostro i zdecydowanie, że za sobą usłyszała tylko ciche westchnienie.

Drżała, ale się nie zatrzymała. Gdy doszła do stajni, odesłała pachołka ruchem ręki i sama osiodłała konia, po czym popatrzyła z góry na piegowatą, łagodną twarz chłopaka.

– Po zachodzie słońca masz nie wychodzić na dwór. Dziś wieczorem i każdej nocy, dopóki nie powiem inaczej. Zrozumiałeś?

– Tak, pani.

Ujęła wodze i wbiła lekko pięty w boki konia, wprowadzając go w galop. Nie obejrzę się, pomyślała. Nie będzie patrzyła do tyłu, na dom, lecz prosto przed siebie.

Larkin czekał na nią, siedząc w niedbałej pozie na siodle, jego koń skubał trawę.

– Przepraszam, że to trwało tak długo.

– Kobiety zawsze potrzebują więcej czasu.

– Proszę cię o tak wiele. A jeśli już nigdy nie wrócimy? Zrównał konia z jej wierzchowcem.

– Nie martwię się, bo nie wierzę, żebyśmy dokądkolwiek wyruszyli. – Posłał jej łagodny uśmiech. – Po prostu chcę zrobić ci przyjemność.

– Poczułabym ogromną ulgę. – Ale znowu wprowadziła konia w galop. Cokolwiek ich czekało, chciała zmierzyć się z tym jak najszybciej.

Jechali równym tempem, jak tyle razy przedtem, przez wzgórza zalane promieniami słońca. Pola były usiane żółtymi jaskrami, nad którymi tańczyły obłoki motyli. Moira popatrzyła na kołującego nad nimi sokoła i w jakiś sposób ten widok przyniósł jej ulgę.

Jej matka uwielbiała obserwować sokoły. Mawiała, że to ojciec Moiry lata wolny jak ptak i patrzy na nie. Teraz modliła się, żeby matka też mogła tak pofrunąć.

Sokół obleciał kamienny krąg i krzyknął przeraźliwie.

Moira poczuła, że mdli ją ze zdenerwowania, przełknęła ślinę.

– Odjechaliśmy już dosyć daleko – zauważył Larkin. – Co proponujesz?

– Zimno ci? Czujesz ten chłód?

– Nie, jest ciepło. Słońce grzeje dziś mocno.

– Coś nas obserwuje. – Zadrżała, zeskakując z konia. – Coś lodowatego.

– Tu nie ma nikogo oprócz nas. – Larkin zszedł z konia i położył dłoń na rękojeści miecza.

– To patrzy. – Moira słyszała w głowie głosy, szepty i pomrukiwania. Jak w transie odczepiła torbę od siodła. – Weź wszystko, co ci będzie potrzebne, i chodź ze mną.

– Bardzo dziwnie się zachowujesz, Moiro. – Larkin westchnął, przerzucił torbę przez ramię i ruszył za kuzynką.

– Ona nie może tu wejść. Nigdy. Nieważne, jak wielką ma moc, nigdy nie może wejść do tego kręgu, dotknąć kamieni. Jeśli spróbuje, spłonie.

– Moiro... Twoje oczy.

Odwróciła się do niego, oczy miała niemal czarne, bezdenne. Otworzyła dłoń, w której leżała kryształowa różdżka.

– Musimy to zrobić, ty i ja. Płynie w nas jedna krew. – Wyjęła krótki miecz, rozcięła skórę na ręku i sięgnęła po jego dłoń.

– Bzdury – odparł Larkin, ale wyciągnął rękę i pozwolił się zranić.

Schowała broń i schwyciła jego zakrwawioną dłoń.

– Krew jest życiem i śmiercią – powiedziała. – A teraz otworzy nam drzwi.

Wciąż trzymając Larkina za rękę, weszła do kręgu.

– Światy czekają – zaczęła śpiewać słowa, które wirowały jej w głowie. – Czas płynie. Bogowie patrzą. Powtarzaj za mną.

Nagły podmuch wiatru położył wysoką trawę i rozwiał poły ich płaszczy. Instynktownie Larkin objął Moirę ramieniem i przycisnął do siebie, próbując osłonić ją własnym ciałem. Oślepiło ich światło.

Schwyciła go mocniej zakrwawioną dłonią i poczuła, że świat wiruje wokół nich.

Potem była już tylko ciemność, wilgotna trawa i mgła.

Wciąż stali w kręgu, na tym samym wzgórzu, ale coś się zmieniło. Moira zauważyła, że las wokół nich nie jest już taki sam.

– Konie zniknęły.

Potrząsnęła głową.

– Nie. To my zniknęliśmy.

Larkin podniósł wzrok i zobaczył ukryty za chmurami księżyc. Lodowaty wiatr przenikał go do szpiku kości.

– Jest noc. Przed chwilą nie było jeszcze południa, a już nadeszła noc. Gdzie my, do krócset, jesteśmy?

– Wiem tylko tyle, że tam, gdzie powinniśmy być. Musimy znaleźć pozostałych.

Larkin był zdenerwowany i zbity z tropu. Musiał przyznać, że nie sięgał myślą tak daleko, ale od tej chwili miał tylko jedno zadanie: troszczyć się o kuzynkę.

– Najpierw znajdziemy schronienie i przeczekamy do świtu. – Rzucił jej swoją torbę i wyszedł z kręgu szybkim krokiem, a idąc, zmieniał postać.

Zamiast skóry pojawiła się sierść, złota jak jego włosy, a w miejsce włosów – grzywa. Po chwili tam, gdzie przed chwilą był człowiek, stał koń.

– Cóż, tak chyba będzie szybciej. – Pomimo ściśniętego ze zdenerwowania żołądka Moira wskoczyła mu na grzbiet. – Jedźmy drogą prowadzącą do domu. Chyba tak będzie najsensowniej – o ile w tym wszystkim w ogóle jest jakiś sens. Lepiej nie galopuj, bo droga może się różnić od tej, którą znamy.

Wierzchowiec ruszył truchtem, a Moira przyglądała się uważnie drzewom i zalanym blaskiem księżycowym wzgórzom. Takie podobne, pomyślała, a jednak są pewne subtelne różnice.

Przy trakcie rósł ogromny dąb, którego wcześniej nie było, a szum strumienia dobiegał z niewłaściwego kierunku. Droga też była inna. Moira skierowała Larkina w stronę, w której w ich świecie stałby jej dom.

Wjechali między drzewa i kierując się instynktem, ruszyli wąską ścieżką.

Nagle koń zatrzymał się, uniósł łeb i wciągnął w chrapy powietrze. Przestąpił z nogi na nogę, napiął mięśnie.

– Co się stało? Co ty...

Rzucił się do galopu, nie zważając na niskie gałęzie i kamienie na drodze. Wiedząc, że Larkin potrafi wyczuć niebezpieczeństwo, Moira złapała go za szyję, ale to spadło na nich niczym błyskawica, wyskoczyło z drzew, jakby miało skrzydła. Moira zdążyła wrzasnąć i dobyć miecza, lecz wierzchowiec stanął już dęba i zaatakował napastnika przednimi kopytami.

Potwór krzyknął i zniknął w ciemności.

Moira chciała znowu spiąć konia do galopu, ale Larkin zaczął już zmieniać się z powrotem w człowieka. Stanęli plecami do siebie, z wyciągniętymi mieczami.

– Krąg – wyszeptała. – Gdyby tylko udało nam się wrócić do kręgu.

Potrząsnął głową.

– Jesteśmy odcięci – odrzekł. – I otoczeni.

Teraz nadeszły powoli, skradając się w ciemności. Pięć, nie, sześć, policzyła Moira i poczuła, jak krew ścina jej się w żyłach. Ich kły błyszczały w srebrnej poświacie księżyca.

– Trzymaj się blisko mnie – polecił Larkin. – Nie pozwól, żeby nas rozdzieliły.

Jeden ze stworów roześmiał się potwornie ludzkim śmiechem.

– Pokonaliście szmat drogi, żeby umrzeć – powiedział.

I skoczył.

8

Zbyt niespokojna, żeby spać, Glenna obejrzała dom. Był wystarczająco wielki, by pomieścić całą armię – a już z pewnością na tyle duży, by mogło w nim wygodnie mieszkać, nie wchodząc sobie w paradę, czworo obcych ludzi. Miał wysokie sufity – przepiękne, ozdobione plafonami – a do pokojów na górze prowadziły kręte schody. Jedne pomieszczenia były maleńkie jak cele, inne duże i pełne światła.

Ozdobne, kute z żelaza żyrandole w starym stylu pasowały do wystroju domu bardziej niż coś współczesnego, nawet bardziej niż elegancki kryształ.

Zaintrygowana tym wszystkim Glenna poszła po aparat. Przechodziła z pokoju do pokoju i gdy coś zauważyła, dostrzegła niezwykłą płaskorzeźbę czy intrygujące załamanie światła, robiła zdjęcie. Spędziła pół godziny, przyglądając się stworom wyrzeźbionym w czarnym marmurze kominka w głównym salonie.

Czarnoksiężnicy, wampiry, wojownicy. Marmurowe smoki i średniowieczne budowle ukryte w głębokim lesie. Doskonała pożywka dla sztuki, pomyślała. Równie dobrze może wykorzystać tę scenografię do podniesienia dochodów, gdy już wróci do Nowego Jorku.

Równie dobrze może zacząć myśleć pozytywnie.

Cian musiał poświęcić dużo czasu i pieniędzy na umeblowanie, zmodernizowanie i urządzenie tego domu. Ale w sumie ani jednego, ani drugiego mu nie brakowało. Bogate kolory, drogie tkaniny, połyskujące antyki nadawały wnętrzu atmosferę stylowego luksusu. A pomimo wszystko, pomyślała, ten dom stał tyle lat niezamieszkany i opuszczony.

Naprawdę szkoda. Marnotrawstwo piękna i tradycji. Glenna bolała nad każdym marnotrawstwem.

Chociaż i tak to szczęście, że Cian miał taki dom. Jego położenie, wielkość i, jak przypuszczała, historia czyniły zeń doskonałą bazę wojenną.

Znalazła bibliotekę i kiwnęła z aprobatą głową. Trzy ogromne, wypełnione książkami regały sięgały od podłogi do sufitu, a z okna zionął ogniem kolejny smok – tym razem na witrażu.

W kątach stały świeczniki wyższe od człowieka, a na stołach lampy z wysadzanymi kamieniami abażurami. Nie wątpiła, że orientalne dywany rozmiarów małych jezior były oryginalne i miały prawdopodobnie setki lat.

Nie tylko dobra baza, pomyślała, ale do tego jakże wygodna. Z tymi wielkimi stołami, głębokimi fotelami i ogromnym kominkiem biblioteka wydała jej się idealnym miejscem na narady wojenne.

Rozpaliła ogień w kominku i włączyła lampy, żeby rozproszyć mrok deszczowego popołudnia. Przyniosła z kufra kryształowe kule, książki i świece i porozkładała je w pokoju.

Żałowała, że nie ma kwiatów, ale to już był jakiś początek. Potrzebowała jednak czegoś więcej. Życie nie zależało od stylu, szczęścia ani nawet samej magii.

– Co porabiasz, Ruda?

Odwróciła się i zobaczyła potężną sylwetkę Kinga wypełniającą drzwi.

– Chyba można to nazwać wiciem gniazdka.

– Niezłe gniazdeczko.

– To samo myślałam. I cieszę się, że przyszedłeś, potrzebuję właśnie takiego mężczyzny jak ty.

– Tak jak wszystkie kobiety na świecie. Co masz na myśli?

– Sprawy praktyczne. Byłeś tu już wcześniej, prawda?

– Tak, parę razy.

– Gdzie jest broń? – Gdy uniósł w zdumieniu brwi, Glenna rozłożyła ręce. – Te pierońskie urządzenia potrzebne do bitwy – w każdym razie tak słyszałam, bo to moja pierwsza wojna. Poczułabym się lepiej, gdybym miała pod ręką parę haubic.

– Nie sądzę, żeby szef ich używał.

– To czego używa?

King pomyślał chwilę.

– Co tam masz?

– Parę rzeczy, które ułożyłam dla ochrony, odwagi, twórczego myślenia i tak dalej. Wydaje mi się, że to będzie dobre miejsce do planowania bitew. Pokój na narady wojenne. Co? – zapytała, gdy King uśmiechnął się szeroko.

– Chyba coś wyczułaś. – Podszedł do ściany pełnej książek i przesunął palcami po rzeźbionej listwie.

– Chyba nie chcesz mi powiedzieć, że tam jest... sekretny schowek – dokończyła ze śmiechem, gdy ściana się obróciła.

– W tym domu jest ich pełno. – King obrócił ścianę do końca, zanim Glenna zdążyła za nią zajrzeć. – Nie sądzę, żeby Cian był zadowolony, gdybyś zaczęła węszyć w tajnych przejściach, ale tu masz swoją broń.

Miecze, topory, maczugi, sztylety, kosy. Na ścianie wisiały wszelkie rodzaje broni ostrej, obok nich kusze, długie łuki, nawet coś, co wyglądało jak trójząb.

– To trochę przerażające – powiedziała Glenna, ale podeszła, żeby zdjąć ze ściany sztylet.

– Mała rada – zaczął King. – Walcząc czymś takim, będziesz musiała podejść naprawdę blisko przeciwnika, żeby go zranić.

– Masz rację. – Odłożyła sztylet i zdjęła miecz. – Uff, ciężki. – Odwiesiła miecz i wybrała floret. – Tak lepiej.

– Masz jakieś pojęcie, jak tego używać?

– Tnij, tnij, rąb, rąb? – Pomachała floretem na próbę i zauważyła ze zdziwieniem, że pasuje do jej dłoni. – No dobrze, nie mam zielonego pojęcia. Ktoś będzie musiał mnie nauczyć.

– Myślisz, że będziesz potrafiła przebić tym ciało wroga? – zapytał Cian, wchodząc do biblioteki. – Odciąć kość, przelać krew?

– Nie wiem. – Glenna opuściła broń. – Obawiam się, że będę musiała to sprawdzić. Widziałam, jaka ona jest, co zrobiła. Nie pójdę na bitwę uzbrojona jedynie w moje napoje i czary. I jestem pewna jak diabli, że nie będę stała i wołała „och", gdy będzie próbowała mnie ugryźć.

– Tym możesz je zranić, osłabić, ale nie zabić. Powstrzymasz je tylko wtedy, gdy odetniesz im głowę.

Glenna obejrzała z krzywą miną cienkie ostrze, po czym, zrezygnowana, odłożyła floret i wzięła cięższy miecz.

– Machanie tym wymaga sporej siły.

– W takim razie stanę się silna.

– Nie mówię tylko o sile mięśni.

– Zdobędę wystarczającą siłę. Nauczę się tego używać. Musicie coś wiedzieć, Hoyt i ty też – zwróciła się do Kinga – jeśli myślicie, że będę siedziała i mieszała zupę w kotle, gdy przyjdzie do bitwy, to grubo się mylicie. Nie zostałam tu wezwana po to, żeby chronili mnie mężczyźni. Nie otrzymałam mego daru, by w krytycznym momencie okazać się tchórzem.

– Kurde – powiedział King, szczerząc zęby w uśmiechu. – Zawsze lubiłem babki z jajami.

Glenna schwyciła miecz obiema rękami i przecięła ostrzem powietrze.

– To kiedy moja pierwsza lekcja?

Hoyt zszedł na dół. Starał się nie użalać nad tym, co zmieniło się w domu, co zniknęło. Kiedyś wróci do swego prawdziwego domu, rodziny i swojego życia.

Znowu zobaczy płonące na ścianach pochodnie, powącha róże matki w ogrodzie. Będzie spacerował po skałach za swoją chatą w Chirrai, wiedząc, że świat jest wolny od zarazy, która chciała go zniszczyć.

Potrzebował odpoczynku, to wszystko. Odpoczynku i samotności w miejscu, które znał i rozumiał. Teraz może pracować i snuć plany. Opuściło go to okropne uczucie, że został wrzucony w środek czegoś, czego nie pojmuje.

Zapadła noc i światło – dziwne i ostre, które dawała elektryczność – zalewało cały dom.

Zirytowało go, że nikogo nie ma, a z kuchni nie unosi się zapach kolacji. Pora zabrać się do pracy, wszyscy muszą zrozumieć, że nadszedł czas, by uczynić następny krok.

Usłyszał znajomy dźwięk, zatrzymał się i wciągnął głęboko powietrze, po czym rzucił się pędem w stronę, z której dochodził szczęk stali. Runął na litą ścianę w miejscu, gdzie kiedyś były drzwi, zaklął, obiegł ścianę dookoła i wpadł do biblioteki, w której jego brat celował mieczem w Glennę.

Nie myślał i nie wahał się. Pchnął całą swoją siłę na brata, aż miecz wypadł mu z dłoni i uderzył ze szczękiem o podłogę. Glenna nie mogła już powstrzymać opadającego ostrza i opuściła je na ramię Ciana.

– No pięknie. – Cian strzepnął miecz, który przerażona Glenna próbowała cofnąć.

– Och, Boże! O mój Boże! Mocno cię zraniłam? Bardzo krwawisz? – Upuściła broń i podbiegła do niego.

– Cofnij się! – Kolejny snop mocy odrzucił Glennę do tyłu, aż wylądowała na pupie. – Chcesz krwi? – Hoyt schwycił miecz Glenny. – No to chodź, weź sobie moją.

King zerwał ze ściany szpadę i skrzyżował jej ostrze z mieczem Hoyta.

– Do tyłu, chłoptasiu. Ale już.

– Nie wtrącaj się – rozkazał Kingowi Cian. – Odsuń się. – Powoli podniósł własny miecz i popatrzył bratu w oczy. – Prowokujesz mnie.

– Przestańcie! Przestańcie natychmiast! Co się, do cholery, z wami dzieje? – Nie bacząc na ostrza, Glenna stanęła między braćmi. – Na litość boską, zraniłam go. Pozwól mi zobaczyć, jak mocno.

– On cię zaatakował.

– Nieprawda. Uczył mnie.

– Nic się nie stało. Zniszczyłaś mi koszulę, a to już druga, odkąd was spotkałem. – Nie spuszczając wzroku z Hoyta, Cian odsunął Glennę na bok. – Gdybym chciał skosztować jej krwi, nie marnowałbym jej mieczem, ale co do twojej, chyba mógłbym zrobić wyjątek.

Glenna miała ochotę odetchnąć z ulgą i zacząć przepraszać, ale wiedziała, że wystarczy kiwnięcie palcem i tych dwóch skoczy sobie do gardeł.

Dlatego przemówiła ostrym głosem – zirytowana kobieta łająca dwóch chłopców:

– To był błąd, wypadek. Doceniam, że chciałeś mnie chronić – zwróciła się do Hoyta – ale nie potrzebowałam i nie potrzebuję rycerza na białym koniu. A ty – wskazała palcem na Ciana – wiedziałeś bardzo dobrze, jak on zrozumie tę scenę, więc nie bądź taki hardy. Ty – odwróciła się do Kinga – opuść ten miecz i nie dolewaj oliwy do ognia.

– Hej! Ja tylko...

– Narobiłeś jeszcze więcej zamieszania – przerwała mu. – A teraz idź i przynieś jakieś bandaże.

– Nie będą potrzebne. – Cian podszedł do ściany i odwiesił miecz. – Moje rany szybko się goją, pamiętaj o tym. – Wyciągnął rękę po broń Kinga i spojrzał na niego – niemal ciepło, pomyślała Glenna. Albo z dumą. – Odwrotnie niż nasza wkurzona wiedźma, ja doceniam twój gest.

– Nie ma sprawy. – King oddał Cianowi miecz i popatrzył nieśmiało na Glennę.

– Nie potrafiłeś wygrać ze mną na miecze nawet wtedy, gdy byłem człowiekiem – powiedział Cian do brata. – Więc nie licz, że uda ci się to teraz.

Glenna położyła dłoń na ramieniu Hoyta i poczuła, jak napinają mu się mięśnie.

– Odłóż to – poleciła cicho. – Pora z tym skończyć. – Przesunęła dłonią do jego nadgarstka i wyjęła mu miecz z ręki.

– Trzeba wyczyścić ostrze – zauważył Cian.

– Ja się tym zajmę. – King oderwał się od ściany. – Przy okazji upichcę coś na ząb, strasznie zgłodniałem.

Nawet gdy wyszedł, w pokoju było tyle testosteronu, że można by go było ciąć jednym z toporów Ciana, pomyślała Glenna.

– Czy możemy przystąpić do pracy? – zapytała rzeczowo. – Pomyślałam, że możemy urządzić w bibliotece centrum dowodzenia. Tu jest broń, książki dotyczące magii, sztuki wojennej, wampirów i demonów. Mam kilka pomysłów...

– Nie wątpię – wymamrotał Cian.

– Najpierw... – podeszła do stołu i wzięła do ręki kryształową kulę.

– Niczego się nie nauczyłaś za pierwszym razem? – zapytał Hoyt.

– Nie chcę jej szukać, wiemy, gdzie jest. Albo gdzie była. – Glenna usiłowała zmienić nastrój. Jeśli są tak spięci, to lepiej, żeby wykorzystali ten stres produktywnie. – Cały czas mówi się, że przyjdą inni. Myślę, że nadeszła pora, żeby ich poszukać.

Hoyt zamierzał zrobić dokładnie to samo, ale nie mógł się teraz do tego przyznać, żeby nie wyjść na głupca.

– Odłóż ją. Minęło zbyt mało czasu, odkąd używałaś jej ostatni raz.

– Wyczyściłam ją i naładowałam.

– Mimo wszystko. – Odwrócił się do ognia. – Teraz zrobimy to na mój sposób.

– Znana śpiewka. – Cian podszedł do barku i wziął ciężką karafkę. – Róbcie, co chcecie. Ja napiję się brandy. W innym pokoju.

– Proszę, zostań. – Glenna uśmiechnęła się na wpół przepraszająco, na wpół przypochlebnie. – Jeśli kogoś znajdziemy, powinieneś go zobaczyć. Będziemy musieli zdecydować, co robić. Wszyscy. Tak naprawdę powinnam pójść po Kinga.

Hoyt udawał, że nie zwraca na nich uwagi, ale wcale niełatwo było mu zignorować lekkie ukłucie zazdrości. Cian uczył ją posługiwać się mieczem, a ona dramatyzowała nad maleńkim zadraśnięciem na jego ramieniu.

Rozłożył ręce i próbował skupić się na płomieniach, podsycając je swoją irytacją.

– Niezły pomysł – Cian skinął głową w stronę Hoyta – ale on już chyba zaczął.

– Na litość... No dobrze, dobrze. Ale musimy stworzyć krąg.

– Nie potrzebuję do tego kręgu. Czarownice wiecznie tworzą kręgi i układają rymowane zaklęcia. Dlatego ich czary niewiele mają wspólnego z prawdziwą magią.

Glenna aż otworzyła usta ze zdumienia, a Cian uśmiechnął się do niej i mrugnął.

– Zawsze uwielbiał tylko siebie. Brandy?

– Nie. – Odłożyła kulę i skrzyżowała ramiona na piersi. – Dziękuję.

Ogień trzasnął i podskoczył w górę, płomienie lizały chciwie polana.

Hoyt używał swego własnego języka, który miał we krwi, by pobudzić płomienie do tańca. Gdzieś w głębi duszy miał świadomość, że się popisuje, przeciąga tę chwilę i dodaje jej dramatyzmu.

Wraz z chmurą dymu i sykiem płomieni w ogniu zaczęły ukazywać się obrazy. Cienie i ruch, kształty i sylwetki. Teraz Hoyt myślał już tylko o magii, czarach i mocy.

Poczuł, że Glenna zbliżyła się do niego – ciałem i umysłem.

Wśród płomieni cienie i sylwetki zaczęły nabierać kształtów.

Kobieta na koniu, z włosami splecionymi w długi warkocz i kołczanem przerzuconym przez ramię. Smukły wierzchowiec złotej maści biegł niemal dzikim galopem przez ciemny las. Na twarzy kobiety malowały się lęk i żelazna determinacja, gdy jechała przytulona do szyi konia, jedną ręką ściskając go za grzywę.

Człowiek, który nie był człowiekiem, wyskoczył z lasu, ale koń go odepchnął. Z ciemności wyłoniło się więcej potworów, zaczęły otaczać amazonkę i wierzchowca.

Koń zadrżał i w nagłym błysku światła na jego miejscu pojawił się człowiek, wysoki, młody i szczupły. On i kobieta stanęli plecami do siebie z obnażonymi mieczami, a wampiry rzuciły się na nich.

– To droga prowadząca do Tańca. – Cian podbiegł do ściany, schwycił miecz i obosieczny topór. – Idź do Kinga – rozkazał Glennie, pędząc do okna. – Zostańcie tutaj. Nikogo nie wpuszczajcie. Nikogo ani niczego.

– Ale...

Otworzył okno i wydawało się, że... przez nie wyfrunął.

– Hoyt...

Ale ten już chwytał szpadę i miecz.

– Zrób tak, jak powiedział.

Wyskoczył przez okno niemal tak szybko jak Cian. Glenna nie wahała się, tylko ruszyła za nimi.

Hoyt pobiegł do stajni, otwierając mocą drzwi. Gdy koń wybiegł z zagrody, Hoyt uniósł ręce, by go zatrzymać. Nie było czasu na uprzejmości.

– Wracaj! – krzyknął do Glenny.

– Jadę z tobą i nie traćmy czasu na kłótnie. – Gdy złapał konia za grzywę i wskoczył mu na grzbiet, Glenna odrzuciła głowę do tyłu. – W takim razie pójdę pieszo.

Zaklął siarczyście, ale wyciągnął do niej rękę. Koń zarżał na widok biegnącego w ich stronę Kinga.

– Co się, do diabła, dzieje?

– Kłopoty! – odkrzyknęła Glenna. – Na drodze do Tańca. – Koń zarżał znowu, a ona oplotła Hoyta ciasno ramionami. – Jedź!

Moira wciąż walczyła, ale już nie o swoje życie. Zjawiło się ich zbyt wiele i były za silne. Wiedziała, że umrze, walczyła teraz o czas, o każdy cenny oddech.

Nie było miejsca ani czasu na użycie łuku, ale miała krótki miecz, którym mogła ich dosięgnąć. Wrzeszczały, gdy cięła je ostrzem, i niektóre upadały, lecz po chwili wstawały i znowu ruszały do ataku.

Już nie mogła ich zliczyć, nie wiedziała, z iloma walczy Larkin, ale wiedziała, że jeśli ona się podda, dopadną go. Dlatego walczyła, żeby ustać na nogach, żeby móc go chronić.

Skoczyły na nią dwa naraz, a jej udało się zranić jednego. Czerwone oczy potwora pokryły się bielmem, a krew trysnęła z niego gwałtownym strumieniem. Ku przerażeniu Moiry jeden ze stworów dopadł do rannego i zaczął chłeptać jego krew. W tej samej chwili inny wykorzystał jej brak koncentracji i zaatakował, rzucił się na nią niczym wściekły pies o wyszczerzonych kłach i czerwonych oczach.

Słyszała, jak przerażony Larkin wykrzykuje jej imię, i próbowała walczyć, ale kły drasnęły jej gardło, wywołując niemożliwy do zniesienia ból.

Nagle ktoś wyskoczył z nocy, wojownik uzbrojony w topór i miecz. Moira patrzyła zamglonymi oczami, jak zrzucił potwora, który na niej siedział, i odciął mu głowę. Wampir wrzasnął, zapłonął żywym ogniem i obrócił się w popiół.

– Odcinaj im głowy! – krzyknął wojownik do Larkina i zwrócił na nią płonące, błękitne oczy. – Użyj strzał! Przebijaj drewnem serce!

Po czym zaczął wymachiwać mieczem, tnąc i rąbiąc na prawo i lewo.

Moira usiadła, wyciągnęła strzałę z kołczanu i próbowała nałożyć ją zakrwawioną ręką na cięciwę łuku. Zbliża się jakiś jeździec, pomyślała półprzytomnie, słysząc tętent kopyt.

Kolejna bestia rzuciła się na nią, szczerząc kły, dziewczyna, młodsza od niej. Moira uniosła łuk, ale nie miała czasu wystrzelić. Dziewczyna skoczyła i sama nabiła się na grot. Została z niej tylko garstka popiołu.

Jeździec zeskoczył z konia już z obnażonym mieczem w dłoni.

Nie umrą, pomyślała Moira, ocierając pot z czoła. Dziś wieczorem nie umrą. Napięła cięciwę i wypuściła strzałę.

Trzej mężczyźni uformowali trójkąt i walczyli zaciekle z bestiami, ale jednemu z potworów udało się prześlizgnąć. Przykucnął z boku, szykując się do ataku na konia, na którym siedziała kobieta i patrzyła na walkę. Moira odsunęła się nieco, próbując znaleźć czystą linię strzału, ale udało jej się tylko ostrzegawczo krzyknąć.

Drugi wojownik obrócił się z uniesionym mieczem, ale kobieta spięła konia, a ten zmiażdżył bestię kopytami.

Wojownik przebił mieczem szyję wampira, po którym zostały tylko krew i popiół.

Zapadła cisza. Moira opadła na kolana, próbując złapać oddech i powstrzymać mdłości. Larkin ukląkł koło niej i przesunął dłońmi po jej ciele i twarzy.

– Jesteś ranna. Krwawisz.

– To nic takiego, nic takiego. – Pierwsza bitwa, pomyślała. I wciąż żyje. – A ty?

– Tylko siniaki i zadrapania. Możesz wstać? Wezmę cię na ręce.

– Tak, mogę wstać i nie, nie będziesz mnie nosił. – Wciąż klęcząc, popatrzyła na mężczyznę, który przybył z ciemności. – Ocaliłeś mi życie. Dziękuję. Chyba mieliśmy was znaleźć, ale cieszę się, że to wy nas odnaleźliście. Jestem Moira, przybyliśmy przez Taniec z Geallii.

Przez długą chwilę tylko na nią patrzył.

– Musimy wracać do domu. Tu nie jest bezpiecznie.

– Na imię mi Larkin. – Chłopak wyciągnął dłoń. – Walczysz jak demon.

– Święta prawda. – Cian uścisnął szybko jego rękę. – Zabierzmy ich do domu – powiedział do Hoyta i zerknął na Glennę. – Widzę, że wzięliście mojego konia. Okazuje się, że to był dobry pomysł. Ona może pojechać z Glenną.

– Mogę iść... – zaczęła Moira i poczuła, że ktoś ją podnosi i sadza na wierzchowca.

– Musimy się śpieszyć – powiedział Cian stanowczo. – Hoyt, obejmij dowodzenie i trzymaj się blisko kobiet. Ja będę za tobą.

Hoyt położył dłoń na końskiej szyi i popatrzył na Glennę.

– Nieźle trzymasz się w siodle.

– Jeżdżę konno od czwartego roku życia. Nigdy więcej nie próbuj zostawić mnie w domu. – Odwróciła się i spojrzała przez ramię na Moirę. – Jestem Glenna. Miło cię poznać.

– Nigdy w życiu nie byłam tak zadowolona z czyjegokolwiek widoku. – Koń ruszył przed siebie, a Moira zerknęła do tyłu, ale nie dostrzegła już tamtego wojownika. Rozpłynął się w ciemności.

– Jak on ma na imię? Ten, który przybył pierwszy?

– To Cian. Hoyt idzie przed nami. Są braćmi, ale jeszcze wiele muszę ci wytłumaczyć. Jedno jest pewne, właśnie przeżyłaś swoją pierwszą bitwę. I skopaliśmy tyłki wampirom.

Moira ociągała się z pójściem do swego pokoju, jak mogła. W normalnych okolicznościach uznałaby się za gościa i odpowiednio zachowywała, ale wiedziała, że w tym wypadku jest inaczej. Ona i Larkin byli żołnierzami, choć należeli do bardzo małej armii.

Może to głupio z jej strony, ale czuła ulgę, że nie jest jedyną kobietą.

Siedziała w dziwacznej kuchni, a czarny jak węgiel mężczyzna krzątał się przy piecu, mimo że nie wyglądał na służącego.

Nazywał się King, ale rozumiała, że nie sprawował tu funkcji kucharza. Był takim samym żołnierzem jak ona.

– Poskładamy cię do kupy – powiedziała Glenna. – Jeśli chcesz się najpierw umyć, na górze jest prysznic.

– Poczekam, aż wszyscy wrócą.

Glenna przechyliła głowę.

– No dobrze. Nie wiem jak wy, ale ja mam ochotę na drinka.

– Mógłbym zabić za łyk czegoś mocniejszego – powiedział Larkin i uśmiechnął się. – I chyba właśnie to zrobiłem. Tak naprawdę wcale ci nie wierzyłem. – Położył rękę na dłoni Moiry. – Przepraszam.

– Nie szkodzi, nic się nie stało. Żyjemy i dotarliśmy tam, gdzie powinniśmy, to najważniejsze. – Podniosła wzrok na otwierające się drzwi, ale stanął w nich Hoyt, nie Cian. Jednak i tak wstała.

– Jeszcze nie podziękowaliśmy wam za pomoc. Było ich tak wiele. Przegrywaliśmy.

– Czekaliśmy na was.

– Wiem. Morrigan pokazała mi ciebie. I ciebie – zwróciła się do Glenny. – Czy to Irlandia?

– Tak.

– Ale...

Moira położyła dłoń na ramieniu Larkina.

– Nawet teraz mój kuzyn uważa, że Irlandia istnieje tylko w baśniach. Pochodzimy z Geallii, krainy stworzonej przez bogów ze skrawka irlandzkiej ziemi, by trwał w pokoju rządzony przez potomków wielkiego Finna.

– Ty jesteś uczoną.

– Cóż, kocha swoje książki, to pewne. Mmm, pyszne – powiedział Larkin, próbując wina.

– A ty jesteś jednym o wielu postaciach – dodał Hoyt.

– To muszę być ja.

Drzwi otworzyły się znowu, a Moirę ogarnęło przemożne uczucie ulgi. Cian popatrzył najpierw na nią, a potem na Glennę.

– Trzeba się nią zająć.

– Nie chciała się stąd ruszyć, póki wszyscy nie wrócą. Dopij spokojnie wino, Larkin, a ty, Moiro, chodź ze mną na górę.

– Mam tyle pytań.

– Jak my wszyscy. Pomówimy o tym przy kolacji. – Glenna wzięła dziewczynę za rękę i wyciągnęła z kuchni.

Cian zrobił sobie drinka i usiadł przy stole. Koszulę miał przesiąkniętą krwią.

– Masz zwyczaj zabierać swoją kobietę w takie dziwne miejsca?

Larkin pociągnął łyk wina.

– Ona nie jest moją kobietą, lecz kuzynką i prawda jest taka, że to ona mnie tu przywiodła. Miała jakąś wizję, sen czy coś w tym stylu, co zdarza się jej dosyć często. Dziwna z niej dziewczyna, ale uparła się, że musi to zrobić, i nie mogłem jej powstrzymać. Te potwory były w Geallii. Zabiły jej matkę. – Pociągnął kolejny długi łyk. – Pochowaliśmy ją dziś rano, jeśli tu obowiązuje ten sam czas. Rozszarpały ją na strzępy. Moira to widziała.

– Jakim cudem przeżyła, żeby o tym opowiedzieć?

– Nie wiem. W każdym razie... cóż, ona nie chce o tym mówić. Jeszcze nie.

Na górze Moira wzięła prysznic, tak jak pokazała jej Glenna. Już sama przyjemność, jaką jej to sprawiło, ukoiła nieco ból i rany, a ciepłą wodę lecącą z kranu uznała za cud.

Zmyła z siebie krew i pot, włożyła koszulę, którą zostawiła dla niej Glenna, i gdy wyszła, zastała swoją nową przyjaciółkę czekającą w sypialni.

– Nic dziwnego, że u nas opowiadają baśnie o Irlandii. Tu jest cudownie.

– Już lepiej wyglądasz, dostałaś nawet rumieńców. Obejrzyjmy tę ranę na twojej szyi.

– Strasznie piecze. – Moira dotknęła szyi palcami. – Ale to tylko zadrapanie.

– Jednak ugryzienie wampira. – Glenna przyjrzała się ranie z bliska i wydęła wargi. – Na szczęście prawie nie przebił skóry. Mam coś, co powinno pomóc.

– Skąd wiedzieliście, gdzie nas szukać?

– Zobaczyliśmy was w płomieniach. – Glenna szukała w kuferku odpowiedniego balsamu.

– Jesteś czarownicą.

- Mhm. Znalazłam.

- A ten, którego nazywasz Hoytem, to czarnoksiężnik?

- Tak. On też nie jest z tego świata ani czasu. Wygląda na to, że zbierają nas z całej drogi do piekła i z powrotem. Co czujesz?

- Chłód. - Moira westchnęła z ulgą, gdy balsam uśmierzył pieczenie. Podniosła wzrok na Glennę. - Cudownie, dziękuję. A Cian, jakim on jest człowiekiem?

Glenna zawahała się. Pełna jawność, zdecydowała. Uczciwość i zaufanie muszą być podstawą współpracy ich małego batalionu.

- On jest wampirem.

Moira znowu zbladła i zerwała się na równe nogi.

- Dlaczego tak mówisz? Walczył z nimi, ocalił mi życie. Nawet teraz jest na dole, w kuchni, w domu. Czemu nazywasz go potworem, demonem?

- Wcale go tak nie nazywam. Jest wampirem od prawie dziewięciuset lat. Ta, która go stworzyła, nosi imię Lilith i to jej powinniśmy się obawiać. On jest bratem Hoyta, Moiro, i zobowiązał się walczyć tak samo jak my.

- Jeśli to, co mówisz... On nie jest człowiekiem.

- Twój kuzyn zmienia się w konia. Powiedziałabym, że to także czyni z niego kogoś więcej niż człowieka.

- To co innego.

- Może i tak. Nie znam odpowiedzi. Wiem, że Cian nie prosił o to, co go spotkało wieki temu. Wiem, że pomógł nam dostać się tutaj i pierwszy wybiegł z domu, żeby wam pomóc, kiedy zauważyliśmy was w płomieniach. I rozumiem też, co czujesz.

Moira zobaczyła oczami duszy to, co spotkało jej matkę, usłyszała krzyki, poczuła zapach krwi.

- Nie możesz tego zrozumieć.

- Cóż, wiem, że też na początku mu nie ufałam. Ale teraz ufam. Bezgranicznie. I wiem, że on musi wygrać. Proszę, przyniosłam ci ubranie. Jestem trochę wyższa od ciebie, ale po prostu podwiniemy nogawki spodni, dopóki nie znajdziemy czegoś w twoim rozmiarze. Zejdziemy na dół, zjemy kolację i pomówimy o tym wszystkim. I zobaczymy, co dalej.

Wyglądało na to, że będą jedli w kuchni, jak rodzina albo służba. Moira nie była pewna, czy w ogóle da radę coś przełknąć, ale okazało się, że apetyt jej dopisywał. Kurczak był soczysty i chrupiący, podano do niego kartofle i zieloną fasolkę.

Wampir zjadł niewiele.

- My już się zebraliśmy - zaczął Hoyt - ale musi być nas więcej, żebyśmy mogli coś zwojować. Jednak wszystko miało się zacząć od nas i tak się stało. Jutro zaczniemy ćwiczyć i uczyć się. Cian, ty wiesz najlepiej, jak z nimi walczyć. Będziesz dowodził. Glenna i ja zajmiemy się magią.

- Ja też muszę ćwiczyć.

- W takim razie będziesz bardzo zajęta. Musimy dowiedzieć się wszystkiego o naszych silnych i słabych stronach. Musimy być gotowi, gdy przyjdzie czas ostatecznej bitwy.

– W Krainie Geall – dodała Moira. – W Dolinie Ciszy, w Górach Mgły. W święto Samhain. – Unikając wzroku Ciana, popatrzyła na Hoyta. – Morrigan mi powiedziała.

– A tak. – Skinął głową. – Widziałem cię tam.

– Gdy nadejdzie czas, znowu przejdziemy przez Taniec i pójdziemy na pole bitwy. Droga zajmie nam pięć dni, więc będziemy musieli wyruszyć odpowiednio wcześniej.

– Czy ludzie z Geallii będą walczyli razem z nami?

– Tak, wszyscy pójdą walczyć. I wszyscy będą gotowi umrzeć w obronie naszego domu i światów. – Poczuła na barkach ciężar stojącego przed nią zadania. – Muszę ich tylko poprosić.

– Masz ogromną wiarę w swoich krajanów – zauważył Cian.

Wreszcie na niego popatrzyła, zmusiła się, by spojrzeć mu w oczy. Takie błękitne, pomyślała, i piękne. Czy robią się czerwone jak u demona, gdy pije krew?

– Mam. Wierzę w mój naród i w ludzkość. Gdy powrócę do kraju, muszę pójść do Królewskiego Kamienia i jeśli okażę się warta, jeśli będę jedyna w swoim rodzaju, wyciągnę miecz z pochwy i zostanę królową Geallii. Nie będę bezradnie patrzyła, jak ci, którzy stworzyli ciebie, szlachtują mój lud jak owce. Jeśli moi poddani mają umrzeć, niech zginą w walce.

– Musisz wiedzieć, że ta mała potyczka, którą stoczyłaś dziś wieczór, była niczym. Absolutnie niczym. Ile ich tam było? Osiem, dziesięć? Będą tysiące. – Cian wstał. – Ona miała prawie dwa tysiące lat na zgromadzenie armii. Twoi wieśniacy będą musieli zrobić coś więcej, niż przekuć lemiesze na miecze, żeby przetrwać.

– W takim razie zrobią coś więcej.

Przekrzywił głowę.

– Bądźcie przygotowani na ciężki trening. I nie jutro. Zaczynamy dziś wieczór. Zapomniałeś, bracie, że w dzień śpię.

I z tymi słowami wyszedł.

9

*G*lenna dała znak Hoytowi, by wyszli z kuchni, i rozejrzała się po holu. Nie miała pojęcia, dokąd poszedł Cian.

– Musimy porozmawiać. Na osobności.

– Musimy wziąć się do pracy.

– Nie zaprzeczam, ale ty i ja musimy omówić parę spraw. Sami.

Zmarszczył brwi, ale skinął głową. Jeśli potrzebowali prywatności, to było tylko jedno miejsce, w którym mogli ją mieć. Poprowadził Glennę na górę, do swojej wieży.

Glenna obejrzała uważnie wszystko, przyjrzała się jego warsztatowi pracy, książkom i narzędziom. Podeszła do każdego z wąskich okien, otworzyła i zamknęła szyby, które wstawiono tu jeszcze za czasów Hoyta.

– Ładnie. Bardzo tu ładnie. Zamierzasz podzielić się tym dobrem?

– Co masz na myśli?

– Potrzebuję miejsca do pracy – a właściwie oboje potrzebujemy miejsca, żeby móc pracować razem. Nie patrz na mnie w ten sposób. – Machnęła ręką i poszła zamknąć drzwi.

– W jaki sposób?

– W ten „jestem samotnym czarnoksiężnikiem i nie lubię czarownic" sposób. Jesteśmy na siebie skazani, na siebie i na pozostałych. Jakimś cudem – Bóg wie jak – mamy stworzyć oddział. Cian ma rację.

Podeszła do okna i wyjrzała w rozświetloną księżycem ciemność.

– Ma rację. Ona zbierze tysiące. Nigdy nie patrzyłam tak daleko, nie spodziewałam się czegoś aż tak wielkiego – chociaż, Jezu, co może być większego od apokalipsy? Ale to oczywiste, że ona będzie miała tysiące, a nas jest garstka.

– Tak nam mówiono od początku – przypomniał jej. – My jesteśmy pierwszym kręgiem.

Glenna odwróciła się i Hoyt dostrzegł w jej oczach strach. I powątpiewanie.

– Jesteśmy sobie obcy, daleko nam do wzięcia się za ręce i odśpiewania pieśni pojednania, jesteśmy zdenerwowani i podejrzliwi, a ty i twój brat wręcz wściekacie się na siebie.

– Nie jestem zły na mojego brata.

– Oczywiście, że jesteś. – Odgarnęła włosy i w jej oczach też zobaczył irytację. – Parę godzin temu groziłeś mu mieczem.

- Myślałem, że on...
- Tak, tak i jeszcze raz dzięki za pośpieszenie mi na ratunek.

Lekceważący ton Glenny uraził jego poczucie rycerskości i Hoyt wyprostował dumnie plecy.

- Cholernie cię proszę.
- Obiecuję ci, że będę dozgonnie wdzięczna, jeśli naprawdę ocalisz mi życie. Ale obrona dziewicy była tylko częścią waszej gry i dlatego on omal nie stanął z tobą do walki. Ty o tym wiesz, ja wiem i on także.
- Nawet jeśli tak jest, nie ma potrzeby, żebyś bez przerwy o tym gadała.

Glenna postąpiła krok do przodu i Hoyt zauważył z satysfakcją, że nie tylko jego duma została urażona.

- Jesteś wściekły na niego, bo dał się zabić i, co gorsze, przemienić. On jest zły na ciebie za to, że go w to wciągnąłeś i zmusiłeś, by sobie przypomniał, kim był, zanim Lilith zanurzyła kły w jego gardle. A wszystko to jest stratą czasu i energii, zatem albo zapomnicie o tych emocjach, albo je wykorzystacie. Bo jeśli dalej będziecie tak postępować, jeśli wszyscy będziemy się tak zachowywać, ona wytnie nas wszystkich po kolei, Hoyt. A ja nie chcę umierać.
- Jeśli się boisz...
- Oczywiście, że się boję. Jesteś głupi? Musielibyśmy być skończonymi idiotami, żeby się nie bać, po tym co widzieliśmy dziś w nocy. - Zakryła twarz dłońmi i próbowała uspokoić oddech. - Wiem, co trzeba zrobić, ale nie mam pojęcia jak. I ty też nie. Nikt z nas nie wie. - Opuściła ręce i podeszła do niego. - Bądźmy ze sobą szczerzy. Musimy na sobie polegać, ufać sobie, więc bądźmy szczerzy. Jest nas garstka - mamy moc i umiejętności - ale jest nas tak niewielu, a musimy stawić czoło niezliczonym oddziałom wroga. Jak mamy to przetrwać, nie mówiąc już o wygranej?
- Zbierzemy więcej wojowników.
- W jaki sposób? - Uniosła dłonie. - Jak? W tych czasach i w tym świecie, Hoyt, ludzie nie wierzą w takie rzeczy. Ktokolwiek będzie rozpowiadał na prawo i lewo o wampirach, czarnoksiężnikach, apokaliptycznych bitwach i misji od bogów, zostanie uznany za dziwaka - w najlepszym wypadku - albo zamknięty w obitej materacami celi. - Musnęła go dłonią po ramieniu. - Musimy spojrzeć prawdzie w oczy. Żadna kawaleria nie przybędzie nam na odsiecz. To my jesteśmy kawalerią.
- Przedstawiasz mi problemy, ale nie proponujesz rozwiązań.
- Może. - Westchnęła. - Może. Tylko że nie znajdziesz rozwiązania, jeśli nie uściślisz problemu. Jest nas niedorzecznie mało, a mamy walczyć z monstrami - nie wiem, jak inaczej je nazwać - które można zabić wyłącznie na parę określonych sposobów. Te potwory są kontrolowane lub dowodzone przez wampira o ogromnej mocy i pragnieniu władzy. Nie znam się na sztuce wojennej, ale wiem, kiedy okoliczności nie działają na moją korzyść. Dlatego musimy wyrównać siły.

To, co mówiła, miało sens i logikę, którym Hoyt nie mógł zaprzeczyć, a fakt, że potrafiła tak jasno ocenić sytuację, był dla niego jeszcze jednym dowodem odwagi Glenny.

– W jaki sposób?

– Cóż, nie możemy wyjść na pole i obciąć tysięcy głów, to niepraktyczne. Dlatego musimy znaleźć sposób, żeby pozbawić głowy armię wroga. Obetniemy jej głowę.

– Gdyby to było takie proste, ktoś by już tego dokonał.

– Gdyby to było niemożliwe, nie byłoby nas tutaj. – Rozdrażniona Glenna uderzyła pięścią w jego ramię. – Współpracuj ze mną, dobrze?

– Nie mam wyboru.

Teraz w jej oczach pojawił się cień urazy.

– Naprawdę to dla ciebie aż takie przykre? Jestem aż taka okropna?

– Nie. – Zobaczyła więcej niż cień wstydu w jego oczach. – Przepraszam. Nie jesteś okropna. Trudna. Rozpraszasz mnie. To, jak wyglądasz, jak pachniesz, jaka jesteś, wszystkie te rzeczy nie pozwalają mi się skupić.

– Och. – Kąciki jej ust podsunęły się do góry. – To interesujące.

– Nie mam dla ciebie czasu, nie w tym sensie.

– W jakim sensie? Czy możesz być bardziej konkretny? – To nie fair, wiedziała, tak go drażnić i kusić, ale dobrze było znowu przez chwilę zachowywać się jak zwykła kobieta.

– Stawką jest życie ludzkie.

– A po co żyć bez uczuć? Ja czuję coś do ciebie, coś we mnie poruszasz. Tak, to trudne i rozprasza mnie, ale dzięki temu wiem, że jest we mnie jeszcze coś oprócz strachu. Potrzebuję tego, Hoyt. Chcę odczuwać coś więcej niż tylko lęk.

Pogłaskał ją palcami po policzku.

– Nie mogę obiecać, że cię ochronię, ale przysięgam, że zrobię wszystko, co w mojej mocy.

– Nie proszę, żebyś mnie chronił. Nie proszę cię o nic więcej – na razie – tylko o prawdę.

Wciąż dotykając palcami jej twarzy, objął Glennę drugim ramieniem i pochylił głowę. Wargi Glenny rozchyliły się w oczekiwaniu na pocałunek i Hoyt wziął to, co mu ofiarowała, pragnąc tak samo jak ona czuć i wiedzieć.

Znowu być człowiekiem.

Krew zaczęła wrzeć, mięśnie napięły się, puls przyśpieszył – i jemu, i jej.

Tak łatwo, pomyślał, tak łatwo byłoby zanurzyć się w jej ciepło i miękkość. Pozwolić, by otoczyła go w ciemności i zapomnieć, na chwilę, na godzinę, o tym, co ich czeka.

Objęła go w pasie i uniosła się na palce, by pocałować go jeszcze mocniej. Smakował jej usta, jej język, jej obietnicę. Mogłaby należeć do niego. Chciał w to wierzyć bardziej, niż wierzył w cokolwiek na świecie.

Jej usta poruszyły się, wymawiając jego imię – najpierw raz, potem drugi. Zabłysnął nagły płomień, a jego gorąco przeniknęło przez skórę i wypaliło mu ślad w sercu.

Za nimi ogień w kominku zapłonął jak tuzin pochodni.

Hoyt odsunął Glennę od siebie, ale wciąż gładził palcami jej policzki. Widział płomienie tańczące w jej źrenicach.

– W tym jest prawda – wyszeptał – ale nie wiem jaka.

– Ja też nie. Ale teraz czuję się lepiej. Jestem silniejsza. – Popatrzyła na ogień. – Razem jesteśmy silniejsi. To coś znaczy. – Odsunęła się od niego. – Przyniosę moje rzeczy, będziemy razem pracować i zobaczymy, co to przyniesie.

– Myślisz, że sypianie ze sobą jest odpowiedzią?

– Może jedną z nich. Ale jeszcze nie jestem na to gotowa. Moja ciało jest – przyznała – ale dusza jeszcze nie. Kiedy oddaję się komuś, czynię zobowiązanie. Poważne. Każde z nas wiele już obiecało, musimy być pewni, że jesteśmy gotowi dać więcej.

– W takim razie co to było?

– Kontakt – powiedziała cicho. – Pokrzepienie. – Wzięła go za rękę. – Połączenie. Mamy zamiar odprawiać razem magię, a dla mnie to równie intymne jak seks. Przyniosę tu wszystko, co będzie mi potrzebne.

Kobiety, pomyślał, były potężnymi i tajemniczymi istotami, nawet jeśli nie znały sztuki magicznej. Dodaj czary, a mężczyzna nie miał szans.

Czyż wciąż nie otaczał go jej zapach, nie czuł dotyku jej warg na ustach? Kobieca broń, tak samo jak wymykanie się w najmniej właściwym momencie.

Powinien dobrze się uzbroić przeciwko takim praktykom.

Zamierzała pracować tutaj, w jego wieży, u jego boku, co miało spory sens. Ale jak mężczyzna może skupić się na pracy, kiedy jego myśli błądzą wokół kobiecych ust, skóry, włosów, barwy głosu?

Może lepiej, żeby otoczył się barierą ochronną, przynajmniej na razie. Podszedł do stołu i zaczął przygotowywać składniki czaru.

– Twoje napary i zaklęcia będą musiały poczekać – powiedział Cian, stając w drzwiach. – Romanse też.

– Nie wiem, o czym mówisz. – Hoyt nie przerywał pracy.

– Minąłem Glennę na schodach. Potrafię rozpoznać kobietę, której dotykał mężczyzna. Czułem na niej twój zapach. Nie, żebym cię winił – dodał leniwie, obchodząc pokój dookoła. – Masz tu bardzo seksowną czarownicę. Godną pożądania. – Hoyt popatrzył na niego z kamienną twarzą. – Kuszącą. Prześpij się z nią, jeśli masz ochotę, ale później.

– To nie twoja sprawa, z kim i kiedy sypiam.

– Z kim – rzeczywiście nie, ale kiedy – to już inna rzecz. W wielkim holu urządzimy salę ćwiczeń. King i ja już ją przygotowaliśmy. Nie zamierzam skończyć z sercem przebitym drewnem, bo ty i rudzielec byliście zbyt zajęci, by ćwiczyć.

– Do niczego takiego nie dojdzie.

– Ja na to nie pozwolę. Nic nie wiemy o tych dwojgu. Facet dosyć dobrze radzi sobie z mieczem, ale chroni kuzynkę. Jeśli ona nie nadaje się do bitwy, to musimy znaleźć dla niej jakieś inne zajęcie.

– Twoja w tym głowa, żeby nauczyła się walczyć.

– Popracuję nad nią – obiecał Cian. – I nad całą resztą. Ale potrzeba nam czegoś więcej niż miecze i strzały, więcej niż mięśnie.

– Będziemy to mieli. Zostaw to mnie, Cian. – Zanim brat wyszedł z pokoju, Hoyt zapytał: – Widziałeś ich jeszcze kiedyś? Wiesz, jak im się wiodło, co się z nimi stało?

Nie musiał tłumaczyć, że pytał o rodzinę.

– Żyli i umarli jak wszyscy ludzie.

– Czy tylko tym są dla ciebie?

– Są jedynie cieniami.

– Kiedyś ich kochałeś.

– Kiedyś także biło moje serce.

– Czy bez bicia serca nie ma miłości?

– Nawet my potrafimy kochać. Ale kochać człowieka? – Cian potrząsnął głową. – To zawsze kończy się dramatem i nieszczęściem. Twoi rodzice spłodzili mnie, ale to Lilith stworzyła mnie tym, czym jestem.

– Kochasz ją?

– Lilith? – Uśmiechnął się niewesoło. – Na swój sposób. Ale nie martw się, to nie powstrzyma mnie przed zniszczeniem jej. Chodźmy na dół i zobaczmy, do czego się nadajesz.

– Dwie godziny walki wręcz dziennie – ogłosił Cian, gdy wszyscy zebrali się w sali ćwiczeń. – Dwie godziny walki z bronią. Dwie godziny treningu wytrzymałościowego i dwie sztuki wojennej. Ja będę pracował z wami w nocy, King w dzień, żebyście mogli ćwiczyć na zewnątrz.

– Potrzebujemy też czasu na naukę i planowanie strategii – zauważyła Moira.

– To go znajdźcie. One są silniejsze od was i bardziej niebezpieczne, niż możecie sobie wyobrazić.

– Wiem, czym są.

Cian popatrzył na nią.

– Tylko tak ci się wydaje.

– Zabiłeś wcześniej któregoś z nich? – zapytała.

– I to niejednego.

– W moim świecie tych, którzy zabijają swoich współbraci, nazywa się nikczemnikami i wyklina.

– Gdybym tego nie zrobił, już byś nie żyła.

Skoczył tak szybko, że nikt nie miał czasu zareagować. W sekundę znalazł się za plecami Moiry, otoczył ramieniem jej talię i przyłożył dziewczynie nóż do szyi.

– Oczywiście ten nóż nie byłby mi potrzebny.

– Nie waż się jej dotykać. – Larkin położył dłoń na rękojeści miecza. – Nigdy nie podnoś na nią ręki.

– Powstrzymaj mnie – zachęcił Cian i odrzucił nóż. – Właśnie skręciłem jej kark. – Położył obie dłonie na szyi Moiry i popchnął ją lekko w stronę Hoyta. – Pomścij ją. Zaatakuj mnie.

– Nie mogę atakować człowieka, który walczył u mego boku.

– Teraz już nie jestem po twojej stronie. Pokaż, że masz jaja, a może mężczyźni w Geallii wcale ich nie mają?

– Mamy, i to ze stali. – Larkin wyciągnął sztylet, pochylił się i zaczął krążyć wokół Ciana.

– Nie baw się – prowokował Cian. – Jestem nieuzbrojony. Masz przewagę. Wykorzystaj ją, szybko.

Larkin zrobił wypad, fintę, po czym pchnął sztyletem. I wylądował na plecach na ziemi, a jego broń upadła parę metrów dalej.

– Nigdy nie masz przewagi nad wampirem. Pierwsza lekcja.

Larkin odgarnął włosy i uśmiechnął się z uznaniem.

– Jesteś lepszy od nich.

– O wiele. – Rozbawiony Cian wyciągnął rękę i pomógł mu wstać. – Zaczniemy od podstawowych manewrów, zobaczymy, co umiecie. Wybierzcie przeciwnika. Macie minutę, żeby sprowadzić go do parteru gołymi rękami. Kiedy zawołam „zmiana", przechodzicie do następnego. Ruszajcie się szybko. Już.

Patrzył, jak jego brat zawahał się, a czarownica naparła na niego całym ciałem, po czym sprawnym kopnięciem przewróciła go na ziemię.

– Kurs samoobrony – wyjaśniła. – Mieszkam w Nowym Jorku.

Gdy ona szczerzyła zęby w uśmiechu, Hoyt podciął jej nogi. Glenna z całej siły walnęła pupą o ziemię.

– Auu! Pierwszy postulat, materace na podłogę!

– Zmiana!

Zmieniali się, skakali i mocowali, traktując to bardziej jak grę i współzawodnictwo niż trening. Ale i tak, pomyślała Glenna, każdy dostanie swoją porcję siniaków. Stanęła naprzeciw Larkina i poczuła, że będzie traktował ją ulgowo, więc uśmiechnęła się zalotnie, a gdy się roześmiał, przerzuciła go przez ramię.

– Przepraszam. Lubię wygrywać.

– Zmiana.

Całe pole widzenia wypełniła jej ogromna sylwetka Kinga i musiała dobrze zadrzeć głowę, żeby zajrzeć mu w oczy.

– Ja też – powiedział.

Poddała się pokusie, machnęła dłońmi i wyszeptała zaklęcie. Gdy uśmiechnął się błogo, dotknęła jego ramienia.

– A może byś usiadł?

– Pewnie.

Posłuchał jej, a Glenna spojrzała przez ramię, zobaczyła, że Cian jej się przygląda, i lekko się zarumieniła.

– To pewnie było wbrew zasadom i są raczej nikłe szanse, żebym miała czas na czary w ogniu walki, ale myślę, że powinno się liczyć.

– Nie ma żadnych zasad! Ona nie jest najsilniejsza – odparł. – Ani też najszybsza. Ale jest od was wszystkich sprytniejsza. Używa podstępu i rozumu tak samo jak siły i szybkości. Musicie stać się silniejsi – powiedział do Glenny. – I szybsi.

Uśmiechnął się po raz pierwszy.

– I musicie wziąć miecze. Zaczynamy ćwiczenia z bronią.

Pod koniec następnej godziny z Glenny pot płynął ciurkiem. Od machania mieczem ręka bolała ją od nadgarstka aż po ramię. Zadowolenie z tego, że wreszcie robi coś konkretnego, już dawno zamieniło się w wyczerpanie.

– Myślałam, że jestem w dobrej formie – powiedziała do Moiry. – Tyle godzin pilatesu, jogi i siłowni, a czuję się słaba jak niemowlę.

– Dobrze ci idzie. – Moira sama czuła się słaba i niezdarna.

– Ledwo stoję. Regularnie ćwiczę, wyciskam z siebie litry potu, ale teraz czuję się jak mięczak. A ty wyglądasz na zmordowaną.

– To był bardzo długi i ciężki dzień.

– Łagodnie powiedziane.

– Drogie panie, mogłybyście poświęcić nam chwilę? A może wolałybyście spocząć i podyskutować o modzie?

Glenna odstawiła butelkę z wodą.

– Dochodzi trzecia rano – ostrzegła Ciana. – Niebezpieczna pora na sarkazm.

– I najlepsza dla waszych wrogów.

– Być może, tylko że jeszcze nie wszyscy przyzwyczailiśmy się do nocnego trybu życia, a Moira i Larkin przebyli dzisiaj szmat drogi i nie mieli ciepłego powitania. Masz absolutną rację, musimy ćwiczyć, ale jeśli nie wypoczniemy i nie nabierzemy sił, na pewno nie staniemy się szybsi. Popatrz tylko na nią – zażądała Glenna. – Ledwo trzyma się na nogach.

– Nic mi nie jest – powiedziała Moira szybko.

Cian popatrzył chłodno na dziewczynę.

– W takim razie twoja niezdarność we władaniu mieczem i słaba kondycja są spowodowane zmęczeniem.

– Świetnie sobie radzę z mieczem. – Gdy sięgnęła po broń, miała żądzę mordu w oczach. Larkin położył jej dłoń na ramieniu i ścisnął.

– To prawda i dowiodła tego dziś wieczorem w lesie. Ale moja kuzynka z własnej woli nie wybrałaby broni ostrej.

– Och? – W tej krótkiej sylabie Cianowi udało się wyrazić śmiertelne znudzenie.

– Ma doskonałą dłoń do łuku.

– Jutro może nam urządzić pokaz, ale na razie...

– Mogę to zrobić teraz. Otwórz drzwi.

Słysząc rozkazujący ton jej głosu, Cian uniósł brew.

– Nie ty tu rządzisz, mała królewno.

– Ty też nie. – Podeszła szybko do stołu, na którym położyła łuk i kołczan. – Ty otworzysz drzwi czy ja mam to zrobić?

– Nie wolno ci wychodzić.

– On ma rację, Moira – poparła go Glenna.

– Nie muszę. Larkin, bądź tak dobry.

Gdy otworzył drzwi, za którymi ukazał się szeroki taras, Moira założyła strzałę i stanęła na progu.

– Chyba dąb.

Cian stanął obok niej, pozostali zebrali się za nimi.

– Niezbyt daleko.

– Ona nie mówi o tym najbliższym – wyjaśnił Larkin i wskazał palcem drzewo – tylko o tym na prawo od stajni.

– Najniższa gałąź.

– Ledwie go widzę – poskarżyła się Glenna.

– A ty widzisz? – zapytała Moira Ciana.

– Doskonale.

Uniosła łuk, wycelowała i wypuściła strzałę.

Glenna usłyszała świst i lekki trzask, gdy strzała trafiła do celu.

– Kurczę, mamy własnego Robin Hooda.

– Ładny strzał – skomentował Cian bez entuzjazmu i odwrócił się, żeby odejść. Wyczuł ruch za plecami, jeszcze zanim usłyszał ostry głos brata.

Odwrócił się i zobaczył, że Moira nałożyła na cięciwę kolejną strzałę, tym razem wymierzoną w niego.

Poczuł, że King szykuje się do skoku, i uniósł dłoń, by go powstrzymać.

– Upewnij się, że trafisz w serce – poradził. – Inaczej tylko mnie zirytujesz. Zostaw ją – warknął do Hoyta. – To jej wybór.

Łuk drżał przez chwilę, po czym opadł w bezwładnych dłoniach Moiry. Dziewczyna spuściła oczy.

– Potrzebuję snu, przepraszam, muszę odpocząć.

– Oczywiście, że musisz. – Glenna wyjęła z jej rąk łuk i odłożyła na bok. – Zabiorę cię na górę. – Posłała Cianowi spojrzenie nie mniej ostre niż strzały Moiry i wyprowadziła ją z pokoju.

– Przepraszam – powtórzyła dziewczyna. – Tak bardzo się wstydzę.

– Nie musisz. Jesteś przemęczona i przetrenowana, masz wszystkiego dosyć. Tak jak my wszyscy, a to dopiero początek. Kilka godzin snu i od razu poczujemy się lepiej.

– A one śpią?

Glenna od razu wiedziała, o kogo pyta. O wampiry. O Ciana.

– Tak, chyba tak.

– Chciałabym, żeby już nadszedł poranek i żebym mogła zobaczyć słońce. O świcie one wracają do swoich nor. Jestem zbyt zmęczona, żeby myśleć.

– Nie wracają. Chodź, rozbierzemy cię.

– Chyba zgubiłam moją torbę w lesie i nie mam koszuli nocnej.

– Pomyślimy o tym jutro, na razie możesz spać nago. Chcesz, żebym posiedziała z tobą przez chwilę?

– Nie, dziękuję. – Oczy Moiry napełniły się łzami, ale z całej siły próbowała je powstrzymać. – Zachowuję się jak dziecko.

– Nie, jak wyczerpana kobieta. Rano poczujesz się lepiej. Dobranoc.

Glenna zastanawiała się, czy wrócić na dół, ale w końcu poszła prosto do swojego pokoju. Nie obchodziło jej, czy mężczyźni uznają, że wymiękła, chciała spać.

W koszmarach zobaczyła tunele w jaskini wampirów, gdzie wrzaski torturowanych wbijały się w jej umysł i serce niczym noże. W którąkolwiek stronę się zwróciła, trafiała w ciemny tunel labiryntu jak w usta, które chciały ją pożreć, a krzyki biegły za nią.

A jeszcze gorszy niż wrzaski był śmiech.

Potem znalazła się na skalistym brzegu wrzącego morza, gdzie czerwone błyskawice siekły czarne niebo i czarną wodę. Lodowaty wiatr przenikał ją do szpiku kości, odłamki skał raniły jej dłonie i stopy aż do krwi.

Wbiegła w głęboki las, pachnący krwią i śmiercią, gdzie cienie były tak czarne, że czuła, jak dotykają jej skóry niczym lodowate palce.

Słyszała, jak nadchodzi to, co chciało ją pożreć, z papierowym szumem skrzydeł, śliskim szelestem węży, ostrym zgrzytem pazurów po skałach.

Usłyszała skowyt wilka, przepełniony niemożliwym do zaspokojenia głodem.

Bestie pojawiały się ze wszystkich stron, a ona pędziła na oślep, serce jej łomotało, a krzyk zamierał w rozognionej piersi.

Wybiegła spomiędzy drzew na klif nad szalejącym morzem. Poniżej fale biły w skały, wyrastające z toni, ostre jak brzytwa. Glenna była tak przerażona, że zrobiła koło i znowu znalazła się nad jaskinią, w której kryło się owo coś, czego obawiała się sama śmierć.

Poczuła uderzenie wiatru, a w nim była jego moc, gorąca i jasna siła czarnoksiężnika. Chciała po nią sięgnąć, ale moc wyśliznęła się z jej drżących palców i znowu została zdana tylko na siebie.

Odwróciła się, a za nią stała Lilith, jaśniejąca pięknością, w królewskiej czerwonej sukni i czarnej, aksamitnej kapuzie na złotych włosach. Po obu stronach miała wielkie wilki, przepełnione żądzą mordu. Lilith pogłaskała zwierzęta, na jej palcach lśniły pierścienie.

Uśmiechnęła się, a Glenna poczuła głęboką, przejmującą tęsknotę.

– Diabeł albo morska toń. – Lilith strzeliła ze śmiechem palcami, a wilki usiadły. – Bogowie nigdy nie dają swoim sługom przyzwoitego wyboru, prawda? Ja oferuję lepszy.

– Jesteś śmiercią.

– Nie, nie, nie. Jestem życiem. Oni kłamią. To oni są śmiercią, ciałem i kośćmi gnijącymi w ziemi. Ile oni wam teraz dają? Siedemdziesiąt pięć, osiemdziesiąt lat? Jak mało, jak ograniczony to czas.

– Wezmę to, co zostanie mi dane.

– W takim razie będziesz głupia. Myślałam, że jesteś mądrzejsza, bardziej praktyczna. Wiesz, że nie możecie wygrać. Już jesteście zmęczeni, wyczerpani, już wątpicie. Ja oferuję ci drogę wyjścia i jeszcze więcej. O wiele więcej.

– Żebym była taka jak ty? Mam ścigać i zabijać? Pić krew?

– Jak szampana. Och, smak tego pierwszego łyku. Zazdroszczę ci. Pierwszy, oszałamiający haust, ta chwila, gdy wszystko znika i zostaje tylko ciemność.

– Ja lubię słońce.

– Z taką cerą? – zapytała Lilith, śmiejąc się wesoło. – Po godzinie na plaży usmażyłabyś się jak plasterek bekonu. Pokażę ci chłód. Chłodną ciemność. Ona już jest w tobie i tylko czeka, żeby ją obudzić. Czujesz to?

Glenna czuła, więc potrząsnęła tylko przecząco głową.

– Kłamczucha. Jeśli przyjdziesz do mnie, Glenno i staniesz u mego boku, dam ci wieczne życie. Wieczną młodość i urodę. Moc niewyobrażalnie większą niż ta, którą dostałaś od bogów. Będziesz władała swoim własnym światem. Tak wiele ci dam, twój własny świat.

– Dlaczego miałabyś to zrobić?

– A dlaczego nie? Mam ich tak wiele. Towarzystwo takiej kobiety jak ty sprawiłoby mi przyjemność. Bo czym tak naprawdę są dla nas mężczyźni, jeśli nie narzędziami? Jeśli będziesz chciała, to sobie ich weźmiesz. Oferuję ci ogromny dar.

– Oferujesz mi potępienie.

Jej śmiech był melodyjny i uwodzicielski.

– Bogowie straszą dzieci opowieściami o piekle i potępieniu. Używają tych pojęć, żeby trzymać was w ryzach. Zapytaj Ciana, czy zamieniłby swoje życie, wieczność, urodę, młody wygląd i sprężyste ciało na okowy i pułapki śmiertelności. Zapewniam cię, że nigdy. Chodź. Chodź ze mną, a dam ci przyjemność nad wszelkie przyjemności.

Podeszła bliżej, a Glenna uniosła obie dłonie, wydobyła ze swej zmrożonej krwi resztki mocy i próbowała otoczyć się ochronnym kręgiem.

Lilith wyciągnęła dłoń, błękitne źrenice jej oczu zaczęły zachodzić czerwienią.

– Myślisz, że twoja śmieszna magia mnie powstrzyma? Piłam krew czarnoksiężników, karmiłam się wiedźmami. Ich moc jest we mnie, tak jak będzie twoja. Przyjdź z własnej woli i wybierz życie. Walcz, a otrzymasz śmierć.

Podeszła jeszcze bliżej, a wilki wstały gotowe do skoku.

Glenna poczuła przyciąganie, hipnotyzujące, fascynujące i ciemne, pierwotną tęsknotę rodzącą się w samych głębiach trzewi. Czuła, jak jej krew odpowiada na wezwanie Lilith. Wieczność i potęga, uroda, młodość. Wszystko w jedną sekundę.

Musiała tylko po nie sięgnąć.

Triumf rozświetlił oczy Lilith, rozpalając je do czerwoności. Kły zabłysły w uśmiechu.

Łzy płynęły po policzkach Glenny, gdy odwróciła się i skoczyła w najeżone skałami morze. Gdy wybrała śmierć.

Usiadła na łóżku, głowę rozrywał jej dziki wrzask. Wiedziała, że to nie był jej głos, lecz krzyk Lilith, wrzask wściekłości.

Szlochając spazmatycznie, Glenna wygrzebała się z pościeli. Zabrała koc i wybiegła, drżąc z przerażenia i zimna, szczękając zębami. Pognała przez hol, jakby wciąż ścigały ją demony, a instynkt zawiódł ją do jedynego miejsca, w którym czuła się bezpiecznie.

Hoyt obudził się z głębokiego snu i zobaczył, że trzyma w ramionach nagą, szlochającą kobietę. Ledwo ją widział w mdłym świetle budzącego się dnia, ale znał jej zapach i kształty.

– Co? Co się stało? – Chciał ją odsunąć i sięgnąć po leżący przy łóżku miecz, ale Glenna wczepiła się w niego niczym bluszcz w pień drzewa.

– Nie. Nie idź. Zostań. Proszę, błagam, zostań.

– Jesteś zimna jak lód. – Podciągnął koc, próbując ją ogrzać, i starał się pozbierać myśli. – Byłaś na zewnątrz? Wielkie nieba. Wypróbowywałaś jakiś czar?

– Nie, nie, nie. – Przytuliła się mocno do niego. – To ona przyszła. Wcisnęła się do mojej głowy, do mojego snu. Nie, to nie sen. To było prawdziwe. Musiało być prawdziwe.

– Przestań. Przestań natychmiast. – Hoyt schwycił ją mocno za ramiona.
– Glenna!

Głowa jej odskoczyła, z ust dobył się urywany oddech.

– Proszę. Tak mi zimno.

– Cicho już, cicho. – Jego głos i dotyk działały uspokajająco, gdy Hoyt ocierał łzy z jej policzków. Owinął ją ciaśniej kocem i przyciągnął do siebie.

– To był tylko sen, koszmar. Nic więcej.

– Nieprawda. Popatrz na mnie. – Glenna podniosła głowę, żeby mógł zajrzeć jej w oczy. – To nie był tylko sen.

Hoyt zdał sobie sprawę, że mówiła prawdę. Sam widział, że to coś więcej.

– Opowiedz mi wszystko.

– Ona była w moich myślach. Albo... wyciągnęła jakąś część mojej istoty poza mnie. Tak samo jak wtedy, gdy byłeś w lesie, ranny, a wilki atakowały twój krąg. Sam dobrze wiesz, że to działo się naprawdę.

– Tak, wiem.

– Biegłam... – zaczęła i opowiedziała mu wszystko ze szczegółami.

– Próbowała cię skusić. Pomyśl tylko, czemu miałaby to robić, gdyby nie uważała, że jesteś silna i możesz jej zagrozić?

– Umarłam.

– Nie, nie umarłaś. Jesteś tutaj. Przemarznięta. – Rozcierał jej ramiona i plecy. Czy kiedykolwiek będzie w stanie ją ogrzać? – Ale żywa. I bezpieczna.

– Ona była piękna. Uwodzicielska. Nie gustuję w kobietach, jeśli wiesz, co mam na myśli, ale w tym przyciąganiu było coś seksualnego. Pragnęłam jej mimo strachu. Myśl, że mogłaby mnie dotknąć, wziąć, wydawała się taka kusząca.

– To rodzaj transu, nic więcej. I nie pozwoliłaś jej na to. Nie posłuchałaś jej, nie uwierzyłaś.

– Ależ słuchałam, Hoyt. I część mnie jej uwierzyła. Część mnie pragnęła tego, co mi oferowała. Tak bardzo pragnęła. Żyć wiecznie, mieć taką władzę. Myślałam, gdzieś głęboko w duszy, myślałam: „Tak, och tak, dlaczego miałabym nie dostać tego wszystkiego?". I odwrócenie się od pokusy... Mało brakowało, a bym tego nie zrobiła, bo odwrócenie się od niej było najtrudniejszą rzeczą, jaką zrobiłam w życiu.

– Ale zrobiłaś to.

– Tym razem.

– Za każdym razem.

– To były twoje skały, czułam tam twoją obecność, ale nie mogłam do ciebie dotrzeć. Byłam sama, bardziej samotna niż kiedykolwiek w życiu. A potem spadałam i moja samotność stała się absolutna.

– Nie jesteś sama. – Przycisnął usta do jej czoła. – Nie jesteś sama, prawda?

– Nie jestem tchórzem, ale się boję. A ciemność... – Zadrżała i rozejrzała się po pokoju. – Boję się ciemności.

Skierował myśl ku stojącej przy łóżku świecy, ku polanom w kominku i rozpalił ogień.

– Zbliża się świt. Chodź, zobacz. – Wziął ją na ręce i niosąc w ramionach, podszedł do okna. – Popatrz na wschód. Słońce wstaje.

Zobaczyła blask pełgający u podnóża nieba i lodowata kula w jej sercu zaczęła się roztapiać.

– Ranek – wymruczała. – Już prawie rano.

– Wygrałaś tej nocy, a Lilith przegrała. Chodź, potrzebujesz snu.

– Nie chcę być sama.

– Nie będziesz.

Zaniósł ją z powrotem do łóżka i ułożył obok siebie. Wciąż drżała, więc przesunął dłoń nad głową Glenny i delikatnie ukołysał ją do snu.

10

Obudziła się, czując ciepłe promienie słońca na twarzy. Była sama.

Hoyt zgasił świece, ale zostawił mały ogień na kominku. Miło z jego strony, pomyślała, siadając i otulając się kocem. Był dla niej bardzo dobry, delikatny i dał jej poczucie bezpieczeństwa, którego tak bardzo potrzebowała.

Jednak i tak najpierw poczuła wstyd. Pobiegła do niego jak rozhisteryzowane dziecko uciekające przed potworem z szafy. Szlochając, drżąc, mówiąc coś bez sensu. Nie potrafiła sama sobie poradzić i szukała kogoś – jego – kto jej pomoże. Szczyciła się swoją odwagą i rozsądkiem, a już przy pierwszym spotkaniu z Lilith zabrakło jej i jednego, i drugiego.

Żadnego kręgosłupa, pomyślała z niesmakiem, żadnej prawdziwej magii. Strach i pokusa okazały się silniejsze, zdominowały wszystko. Teraz, w świetle dziennym, widziała, jaka była niemądra, jaka nieostrożna. Nie zrobiła nic, żeby się ochronić – przed, w trakcie i po. Biegła przez jaskinię, przez las, na klif, bo one tak chciały, i pozwoliła, żeby strach zabił w niej wszystkie odruchy poza desperacką chęcią ucieczki.

Drugi raz nie popełni tego błędu.

Nie zamierzała teraz siedzieć i rozpaczać, nie nad czymś, co już się stało.

Wstała, otuliła się kocem i wyjrzała na korytarz. Nikogo nie zobaczyła ani nie usłyszała, z czego była bardzo zadowolona. Nie chciała z nikim rozmawiać, dopóki się nie pozbiera.

Wzięła prysznic, ubrała się i wyjątkowo starannie zrobiła makijaż. Założyła kolczyki z bursztynu, żeby dodały jej siły, a ścieląc łóżko, wsunęła pod poduszkę ametyst i rozmaryn. Wybrała ze swoich zasobów świecę i postawiła ją przy łóżku. Gdy wieczorem będzie kładła się spać, poświęci ją olejem, żeby odstraszyć Lilith i jej sługi, odpędzić demony od swoich snów.

Przygotuje też kołek i weźmie miecz ze zbrojowni. Już nie będzie taka ufna i bezbronna.

Zanim wyszła z pokoju, przyjrzała się sobie uważnie w lustrze. Doszła do wniosku, że wygląda na zdecydowaną i kompetentną.

Będzie silna.

Uznała, że kuchnia jest sercem domu, i tam poszła najpierw. Ktoś zrobił kawę i w wyniku procesu eliminacji doszła do wniosku, że to musiał być King. Ślady wskazywały, że ktoś jadł śniadanie, czuła zapach bekonu, ale kuchnia była pusta, a w zlewie nie stały brudne naczynia.

Była zadowolona, że ten, kto jadł – albo przynajmniej gotował – posprzątał po sobie. Nie lubiła bałaganu, ale nie zamierzała po wszystkich zmywać.

Nalała sobie kubek kawy i zastanowiła się nad śniadaniem, ale niedawny sen jeszcze zbyt żywo stał jej w pamięci i czuła się nieswojo na myśl, że jest w domu sama.

Poszła do biblioteki, którą uważała za główną arterię domu, i z ulgą zobaczyła tam Moirę.

Dziewczyna siedziała na podłodze otoczona książkami i pochylała się nad jedną z nich niczym pilny student przed egzaminem. Miała na sobie tunikę w kolorze owsianki, brązowe spodnie i buty do konnej jazdy.

Podniosła wzrok na wchodzącą Glennę i uśmiechnęła się nieśmiało.

– Dzień dobry.

– Dzień dobry. Czytasz?

– Tak. – Jej szare oczy rozbłysły. – To wspaniały pokój, prawda? Na zamku też mamy wielką bibliotekę, ale z tą nie może się równać.

Glenna ukucnęła i popukała palcem w książkę grubości cegły. Na skórzanej okładce wytłoczono jedno słowo: WAMPIRY.

– Poznajesz wroga? – zapytała.

– Dobrze jest wiedzieć na dany temat tyle, ile tylko można. Nie wszystkie książki mówią to samo, ale w niektórych kwestiach się zgadzają.

– Mogłabyś zapytać Ciana, na pewno powiedziałby ci wszystko, co chcesz wiedzieć.

– Lubię czytać.

Glenna tylko skinęła głową.

– Skąd masz to ubranie?

– Och, wyszłam dziś rano i znalazłam swoją torbę.

– Sama?

– Wybierałam nasłonecznione ścieżki, więc byłam bezpieczna. One nie mogą wychodzić na słońce. – Popatrzyła w okno. – Nic nie zostało z tych, które nas wczoraj zaatakowały, nawet popiół zniknął.

– Gdzie są wszyscy?

– Hoyt poszedł pracować do wieży, a King powiedział, że skoro jest nas teraz więcej, to musi pojechać po zakupy. Nigdy nie widziałam tak olbrzymiego mężczyzny. Przygotował dla nas posiłek i podał sok z owoców. Z pomarańczy. Był przepyszny. Myślisz, że mogłabym zabrać nasiona pomarańczy do Geallii?

– A dlaczego nie. A reszta?

– Larkin pewnie jeszcze śpi, unika poranków jak zarazy. A wampir, jak sądzę, jest w swoim pokoju. – Moira przesunęła palcem po wyrytym w skórze napisie. – Dlaczego on nam pomaga? W żadnej książce nie znalazłam wyjaśnienia.

– Więc może nie wszystko da się znaleźć w książkach. Potrzebujesz czegoś?

– Nie, dziękuję.

– Idę coś przekąsić i zabieram się do pracy. Pewnie jak wróci King, rozpoczniemy kolejną serię tortur.

– Glenno... Chciałabym ci podziękować za wczoraj. Byłam taka zmęczona i nieszczęśliwa. Czuję się tu bardzo obco.

– Wiem. – Glenna położyła dłoń na dłoni Moiry. – Myślę, że wszyscy tak się czujemy. Może to część planu, umieszczenie nas w zupełnie obcym środowisku, żebyśmy zobaczyli, co w nas tak naprawdę tkwi i do czego jesteśmy zdolni – wszyscy razem i każdy z osobna. – Wstała. – Na razie będziemy musieli się tu zadomowić.

Zostawiła Moirę zatopioną w lekturze i wróciła do kuchni, gdzie znalazła razowy chleb. Ukroiła kromkę i posmarowała obficie masłem. Niech ją gęś kopnie, jeśli w takiej sytuacji będzie przejmowała się kaloriami. Ugryzła kawałek i ruszyła schodami na wieżę.

Drzwi były zamknięte. Już miała zapukać, ale przypomniała sobie, że to także jej miejsce pracy, więc położyła kanapkę na kubku i nacisnęła klamkę.

Hoyt miał na sobie bladoniebieską koszulę, czarne dżinsy i zniszczone buty, a mimo to wciąż wyglądał na czarnoksiężnika. I to nie tylko dzięki gęstym, czarnym, rozwianym włosom, pomyślała, i intensywnie błękitnym oczom. Sprawiała to moc, której nie przysłoniło nawet pożyczone ubranie.

Spojrzał na nią, po jego twarzy przemknął grymas irytacji, ale po chwili rozchmurzył się i przyjrzał jej uważnie.

– A zatem wstałaś.

– Jak widzisz.

Wrócił do pracy i przelał jakiś brązowy płyn z pucharu do fiolki.

– King pojechał po zakupy.

– Wiem. Spotkałam w bibliotece Moirę, chyba postanowiła przeczytać wszystkie książki, które tam są.

A więc jednak będą czuli się nieswojo, pomyślała, gdy Hoyt nadal pracował w milczeniu. Lepiej uporać się z tym od razu.

– Miałam zamiar przeprosić cię za to, że cię wczoraj obudziłam, ale to by było samolubne z mojej strony. – Odczekała chwilę, aż na nią spojrzał. – Przeprosiłabym tylko po to, byś mógł mi powiedzieć, żebym się tym nie przejmowała i że oczywiście wszystko jest w porządku. Że byłam przerażona i zdenerwowana.

– Bo to prawda.

– Tak, ale i tak zachowałabym się samolubnie. Dlatego nie przeproszę. Natomiast chcę ci podziękować.

– Nie ma za co.

– Dla mnie jest. Byłeś przy mnie, gdy cię potrzebowałam, i uspokoiłeś mnie. Dałeś poczucie bezpieczeństwa. Pokazałeś mi słońce. – Odstawiła kubek, by mieć wolne obie ręce, i podeszła do Hoyta. – Wskoczyłam ci do łóżka w środku nocy. Naga. Rozhisteryzowana. Bezbronna.

– To ostatnie to chyba nieprawda.

– Wtedy tak było, ale już nigdy więcej. Mogłeś mnie mieć. Oboje o tym wiemy.

Zapadła cisza, która mówiła więcej niż słowa.

– Jakim musiałbym być mężczyzną, żeby cię wziąć w takiej chwili? Wykorzystać twój lęk dla własnej przyjemności?

– Innym, niż jesteś. Jestem ci wdzięczna. – Obeszła stół, wspięła się na palce i ucałowała Hoyta w oba policzki. – Bardzo. Pocieszyłeś mnie, pomogłeś mi zasnąć. I zostawiłeś płonący ogień. Nigdy tego nie zapomnę.

– Teraz czujesz się lepiej?

– Tak, dużo lepiej. Złapała mnie znienacka, to już się nie powtórzy. Nie byłam przygotowana na atak, ale następnym razem już będę. Nie przedsięwzięłam nawet najprostszych środków ostrożności, bo byłam zmęczona. – Podeszła do płonącego w kominku ognia. – Nierozsądnie z mojej strony.

– Tak, to prawda.

Glenna przechyliła głowę i uśmiechnęła się do niego.

– Pragnąłeś mnie?

Znowu wrócił do pracy.

– To nie ma nic do rzeczy.

– Uznam to za odpowiedź twierdzącą i obiecuję, że następnym razem, jak wskoczę ci do łóżka, nie będę rozhisteryzowana.

– Następnym razem, jak wskoczysz do mojego łóżka, nie pozwolę ci zasnąć.

Stłumiła śmiech.

– Cóż, chodzi tylko o to, żebyśmy się dobrze zrozumieli.

– Nie wiem czy w ogóle cię rozumiem, ale to mi nie przeszkadza cię pragnąć.

– I nawzajem, tyle że ja już chyba zaczynam ciebie rozumieć.

– Przyszłaś tutaj, żeby pracować czy żeby mnie rozpraszać?

– I to, i to. Skoro jeden cel już osiągnęłam, powiedz, nad czym pracujesz.

– Nad osłoną.

Zaintrygowana podeszła bliżej.

– Do tego trzeba więcej nauki niż magii.

– Te sfery nie wykluczają się nawzajem.

– Prawda. – Powąchała puchar. – Szałwia – powiedziała – i goździki. Czego użyłeś jako łącznika?

– Pyłu z agatu.

– Dobry wybór. Co to ma być za osłona?

– Przeciwko słońcu. Dla Ciana.

Zerknęła na niego, ale Hoyt nie podniósł wzroku.

– Rozumiem.

– W nocy my jesteśmy narażeni na atak, za to on umrze, jeśli wyjdzie na słońce. Gdyby miał osłonę, moglibyśmy pracować i ćwiczyć bardziej wydajnie, moglibyśmy ścigać je także w dzień.

Glenna milczała przez chwilę. Tak, zaczynała go rozumieć. Był bardzo dobrym człowiekiem, który miał swoje zasady. I potrafił być niecierpliwy, drażliwy, a nawet autokratyczny.

I bardzo kochał swojego brata.

– Myślisz, że on tęskni za słońcem?

Hoyt westchnął.

– A ty byś nie tęskniła?

Dotknęła jego ramienia. Jest taki dobry, pomyślała znowu.

– Jak mogę ci pomóc?

– Może ja też zaczynam cię rozumieć?

– Doprawdy?

– Masz dobre serce. – Teraz na nią popatrzył. – I otwarty umysł. Takim cechom trudno się oprzeć.

Wyjęła mu z ręki fiolkę i odstawiła ją na stół.

– Pocałuj mnie, dobrze? Oboje tego chcemy i nie możemy skupić się na pracy. Pocałuj mnie, Hoyt, żebyśmy się uspokoili.

– Całowanie nas uspokoi? – zapytał z nutką rozbawienia w głosie.

– Nie dowiemy się, jeśli nie spróbujemy. – Położyła mu ręce na ramionach i musnęła palcami jego włosy. – Ale wiem, że w tej chwili nie potrafię myśleć o niczym innym. Więc zrób mi tę przysługę, pocałuj mnie.

– Ewentualnie mogę to dla ciebie zrobić.

Jej usta były miękkie i ciepłe, gdy bez oporu poddały się nakazowi jego warg. Całował ją delikatnie, smakował powoli, tak jak tego pragnął zeszłej nocy. Pogładził jej włosy, przesunął dłonią w dół pleców, aż ciepło jej ciała zmieszało się w jego zmysłach z jej zapachem i smakiem.

Przesunęła palcami po policzku Hoyta i pozwoliła porwać się chwili, zatraciła się w przyjemności i ogniu, który ich połączył.

Gdy ich wargi się rozłączyły, przytuliła na chwilę swój policzek do jego.

– Czuję się lepiej – powiedziała. – A ty?

– Ja też. – Odsunął się o krok i podniósł dłoń do ust. – I obawiam się, że jeszcze nie raz trzeba będzie mnie uspokajać. Żebym lepiej pracował.

Roześmiała się uszczęśliwiona.

– Dla dobra sprawy zrobię wszystko.

Pracowali razem przez ponad godzinę, ale za każdym razem, gdy wystawiali płyn na słońce, gotował się.

– Inne zaklęcie – zasugerowała Glenna.

– Nie. Potrzebujemy jego krwi. – Popatrzył na nią znad pucharu. – Do płynu i żeby ją przetestować.

Glenna pomyślała nad tym chwilę.

– Ty go poproś.

Usłyszeli łomotanie w drzwi i wszedł King. Miał na sobie spodnie w panterkę i oliwkową koszulkę, dredy związał w grubą kitę i Glenna uznała, że gdyby nie te włosy, to wyglądałby jak zawodowy żołnierz.

– Koniec lekcji magii. Zbiórka na zewnątrz. Pora na wychowanie fizyczne.

Jeśli King nie był w poprzednim życiu sierżantem od musztry, to rozminął się ze swoją karmą. Pot zalewał Glennie oczy, gdy atakowała kukłę, którą Larkin zrobił ze szmat i słomy. Założyła blokadę przedramieniem, tak jak ją uczono, i wbiła kołek w słomianego wroga.

Ale kukła, zawieszona na systemie linek, cofnęła się z impetem i przewróciła Glennę na plecy.

– Nie żyjesz – ogłosił King.

– Och, w mordę, przecież ją przebiłam.

– Nie trafiłaś w serce, Ruda. – Stanął nad nią ogromny, bezlitosny. – Jak myślisz, ile będziesz miała szans? Jeśli nie możesz zabić przeciwnika, którego masz przed sobą, to jak zamierzasz załatwić tych trzech, którzy zajdą cię od tyłu?

- No dobrze. – Wstała i otrzepała ubranie. – Spróbujmy jeszcze raz.
- Dzielna dziewczyna.

Spróbowała jeszcze raz i jeszcze, aż zaczęła nienawidzić słomianego przeciwnika tak gorąco, jak nienawidziła nauczyciela historii w dziesiątej klasie. Rozeźlona odwróciła się, złapała miecz dwiema rękami i poszatkowała kukłę na kawałki.

Gdy skończyła, słyszała tylko własny przerywany oddech i stłumiony śmiech Larkina.

- No dobrze. – King potarł podbródek. – Chyba jest martwy na amen. Larkin, zrobisz jeszcze jedną? Mogę cię o coś spytać, Ruda?
- Pytaj.
- Dlaczego nie zaatakowałaś kukły magią?
- Magia wymaga skupienia i koncentracji. Myślę, że z czasem będę umiała jej użyć w walce, ale na razie muszę się skupić na trzymaniu kołka czy miecza, bo nie jestem w tym jeszcze zbyt dobra. Gdybym nie skoncentrowała się odpowiednio, mogłabym sama sobie wytrącić broń z ręki. Pracuję nad tym. – Odwróciła głowę, chcąc się upewnić, że Hoyt nie może jej słyszeć. – Zazwyczaj potrzebuję narzędzi, zaklęć i rytuałów. Ale potrafię zrobić to.
- Otworzyła dłoń, skupiła się i przywołała kulę ognia.

King, zaciekawiony, dotknął płomienia palcem, ale natychmiast go cofnął i zaczął ssać.

- Niezła sztuczka.
- Ogień jest podstawą, jak powietrze, ziemia i woda, ale gdybym zrobiła to w walce i rzuciła we wroga, mogłabym równie dobrze trafić kogoś z nas.

Przyglądał się uważnie płonącej kuli.

- To jak mierzenie z pistoletu, kiedy nie umiesz strzelać. Nie możesz być pewien, kto dostanie kulkę. Albo kończy się tak, że sam sobie strzelasz w stopę.
- Coś w tym stylu. – Kula zniknęła. – Ale dobrze mieć coś takiego w rezerwie.
- Dobra, Ruda, zrób sobie przerwę, zanim kogoś skrzywdzisz.
- Z wielką chęcią. – Powlokła się do domu z zamiarem wypicia litra wody i wrzucenia czegoś na ząb i niemal wpadła na Ciana.
- Nie wiedziałam, że już wstałeś.

Stał jak najdalej od promieni słonecznych, które wpadały przez okno, ale tak, żeby mieć pełny widok na ćwiczenia na zewnątrz.

- I co myślisz? – zapytała go. – Jak sobie radzimy?
- Gdyby przyszły po was teraz, schrupałyby was jak kurczaka na pikniku.
- Wiem. Jesteśmy niezdarni i brakuje nam poczucia jedności. Ale będziemy lepsi.
- Będziecie musieli.
- Widzę, że wstałeś dziś pełen energii i dobrej woli. Ćwiczymy od ponad dwóch godzin, a żadne z nas nie jest do tego przyzwyczajone. Larkinowi najbliżej do wojownika, a on też jest zielony.

Cian tylko na nią popatrzył.

- Stańcie się doskonali albo zginiecie.

Zmęczenie to jedna sprawa, pomyślała, poradzi sobie z wysiłkiem i potem, ale w tej chwili on ją po prostu obrażał.

– Jest nam ciężko i bez tego, że jeden z nas jest kompletnym dupkiem.

– Tak nazywasz realistów?

– Do diabła z tym i z tobą też. – Pomaszerowała do kuchni, wrzuciła do kosza owoce, chleb i wodę w butelkach i wróciła do pozostałych, ignorując Ciana. Postawiła kosz na stole, który King przygotował na broń.

– Jedzenie! – Larkin rzucił się do kosza, jakby nie jadł od tygodnia.

– Bądź błogosławiona aż do podeszew stóp, Glenna. Umieram z głodu.

– No tak, minęły już dwie godziny, odkąd ostatnio jadłeś – wtrąciła kpiąco Moira.

– Władca Ciemności uważa, że za mało się staramy, i porównuje nas do kurcząt na pikniku dla wampirów. – Glenna ugryzła jabłko. – Musimy mu pokazać, że jest inaczej.

Ugryzła jeszcze raz i odwróciła się szybko do nowej kukły. Skupiła się, wywołała odpowiedni obraz przed oczami i rzuciła jabłkiem. Owoc poleciał w stronę kukły, a po drodze zamienił się w kołek, który przebił szmaty i słomę.

– Och, to było świetne – westchnęła Moira. – Fantastyczne.

– Czasami złość pomaga magii.

Kołek wysunął się z kukły i jako jabłko upadł na ziemię.

– Nad tym muszę jeszcze popracować.

– Potrzebujemy czegoś, co nas zjednoczy – powiedziała później Hoytowi. Siedziała w wieży i wcierała balsam w siniaki, podczas gdy on przeglądał księgę z czarami. – Drużyny mają mundury, śpiewają bojowe piosenki.

– Piosenki? Teraz mamy uczyć się śpiewać? Może jeszcze znajdziemy jakąś harfistkę?

Glenna doszła do wniosku, że sarkazm musi być u braci rodzinny.

– Potrzebujemy czegoś takiego. Popatrz na nas, nawet teraz. Moira i Larkin są razem, King i Cian w sali ćwiczeń planują dla nas nowe tortury. To dobrze, że drużyna dzieli się na mniejsze zespoły, pracujące nad własnymi projektami, ale my jeszcze nie staliśmy się drużyną.

– Dlatego mamy wyciągnąć harfę i śpiewać?

– Nie rozumiesz mnie. – Cierpliwości, upomniała samą siebie, Hoyt pracował dzisiaj tak samo ciężko jak ty i jest równie zmęczony. – Chodzi o symbol. Mamy tego samego wroga, ale różne cele. – Podeszła do okna i zauważyła, jak bardzo wydłużyły się cienie i jak nisko słońce wisi na niebie. – Wkrótce będzie ciemno. – Palcami poszukała amuletu na szyi i wtedy to do niej dotarło, takie proste, tak oczywiste.

– Szukałeś osłony dla Ciana, bo nie może wychodzić w dzień, ale co z nami? Nie możemy ryzykować wychodzenia po zmierzchu. A wiemy, że ona może nas dopaść nawet w tym domu, wejść w nasze myśli. Co z osłoną dla nas, Hoyt? Co nas ochroni przed wampirami?

– Światło.

– Tak, tak, ale jaki symbol? Krzyż. Musimy zrobić krzyże i naładować je magią. To nie tylko tarcza, ale i broń, Hoyt.

Pomyślał o krzyżach, które zrobiła Morrigan dla jego rodziny. Ale jego siła, nawet połączona z czarami Glenny, nie mogła równać się mocy bogini.

Jednak...

– Srebro – wymamrotał. – Srebro będzie najlepsze.

– Z czerwonym jaspisem, dla ochrony w nocy. Będziemy potrzebowali czosnku i szałwii. – Zaczęła przeglądać pudełko pełne suszonych ziół i korzeni. – Najpierw wywar. – Wzięła do ręki jedną ze swoich książek. – Masz pomysł, skąd możemy wziąć srebro?

– Tak.

Zostawił ją i poszedł na pierwsze piętro do pomieszczenia, które teraz służyło jako jadalnia. Meble były nowe – przynajmniej dla niego: stoły z grubego, ciemnego drewna, wysokie, rzeźbione krzesła, zasłony z ciężkiego jedwabiu w głębokiej barwie zieleni, jak cienie w lesie.

Na ścianach wisiały obrazy, same nocne widoki lasów, łąk i skał. Nawet w tej dziedzinie jego brat unikał światła.

W wysokich serwantkach o drzwiczkach z rżniętego szkła stały kryształy i porcelana. Przedmioty, pomyślał, należące do mężczyzny o wielkim majątku i wysokiej pozycji, który miał wieczność na ich kolekcjonowanie.

Czy którekolwiek z tych rzeczy w ogóle znaczyły coś dla Ciana? Czy kiedy zgromadzi się tak wiele, pojedyncze przedmioty mają znaczenie?

Na szerokiej komodzie stały dwa srebrne świeczniki i Hoyt zastanowił się, czy kiedykolwiek znaczyły coś dla Ciana.

Należały do ich matki.

Wziął do ręki jeden i matka stanęła mu przed oczami jak żywa: siedziała przy kołowrotku, przędła i śpiewała jedną ze swoich ulubionych, starych pieśni, wybijając stopą rytm.

Miała na sobie błękitną suknię i welon, a na jej młodej twarzy malował się słodki spokój, który otaczał całą jej postać niczym miękki jedwab. Teraz dostrzegł, że była brzemienna, spodziewała się dziecka. Dzieci, poprawił się, Ciana i jego.

A na komodzie pod oknem stały oba świeczniki.

„Dostałam je od ojca w dniu mego ślubu i cenię najbardziej ze wszystkich podarków. Pewnego dnia ty otrzymasz jeden, a Cian drugi. I tak będą przekazywane z pokolenia na pokolenie, a ofiarodawczyni zostanie wspomniana za każdym zapaleniem świecy".

Hoyt nie potrzebował świecy, by wspominać matkę. Z ciężkim sercem zaniósł świeczniki na górę do wieży.

Glenna podniosła wzrok znad kotła, w którym mieszała zioła.

– Och, są doskonałe. I piękne. Szkoda je przetapiać. – Podeszła, aby obejrzeć świeczniki z bliska. – Są ciężkie. I chyba stare.

– Tak, bardzo stare.

Wtedy zrozumiała i poczuła lekkie ukłucie w sercu.

– Pamiątka rodzinna?

Jego twarz i głos były pozbawione wyrazu.

– Miałem je odziedziczyć i tak się stało.

Już chciała mu powiedzieć, żeby znalazł coś innego, coś co nie znaczy dla niego tak wiele, ale zrezygnowała. Wydawało jej się, że rozumie, dlaczego dokonał takiego wyboru. To musiało kosztować. Magia wymagała ofiary.

– Twoje poświęcenie wzmocni działanie czaru. Poczekaj. – Zdjęła pierścionek z serdecznego palca prawej ręki. – Należał do mojej babki.

– Nie trzeba.

– Osobiste poświęcenie, twoje i moje. Prosimy o wiele. Potrzebuję trochę czasu, żeby stworzyć zaklęcie. Nie znalazłam w książkach niczego odpowiedniego, więc będziemy musieli wnieść kilka poprawek.

Gdy Larkin stanął w drzwiach, oboje byli zatopieni w lekturze. Obrzucił wzrokiem pokój i postanowił nie przekraczać progu.

– Przysłano mnie, żebym was zawołał. Zaszło słońce i idziemy na wieczorny trening.

– Powiedz mu, że przyjdziemy, jak skończymy – poleciła Glenna. – Nie możemy przerwać pracy.

– Powiem, ale jestem pewien, że to mu się nie spodoba. – Zamknął za sobą drzwi.

– Już prawie mam. Narysuję, jak według mnie powinien wyglądać, i oboje go zwizualizujemy. Hoyt?

– Musi być czysty – powiedział do siebie. – Stworzony nie tylko dzięki magii, ale i wierze.

Postanowiła mu nie przeszkadzać i zaczęła szkicować. Prosty, pomyślała, tradycyjny. Zerknęła na Hoyta, który siedział z zamkniętymi oczami. Domyśliła się, że gromadzi moc.

Taka poważna twarz, pomyślała, twarz mężczyzny, któremu bezgranicznie ufała. Czuła się, jakby znała tę twarz od zawsze, tak jak tembr jego głosu.

Jednak czas, który im dano, był tak krótki, nie więcej niż kilka ziarenek piasku w klepsydrze.

Jeśli wygrają – nie, kiedy wygrają – on wróci do dawnego życia w swoim świecie. A ona do swojego. Ale już nic nigdy nie będzie takie samo. I nic tak naprawdę nie zapełni pustki, którą on po sobie zostawi.

– Hoyt.

Otworzył oczy, teraz jakby ciemniejsze i głębsze. Przesunęła szkic w jego stronę.

– To wystarczy?

Wziął kartkę do ręki i przyjrzał się uważnie rysunkowi.

– Tak, ale z tym.

Wyjął jej ołówek z ręki i dorysował jakieś znaki na długiej podstawie celtyckiego krzyża.

– Co to jest?

– To napis po staroirlandzku.

– Widzę, ale co to znaczy?

– „Światło".

Uśmiechnęła się i skinęła głową.

– W takim razie idealnie pasuje. Napisałam zaklęcie.

Wziął od niej drugą kartkę, przeczytał i popatrzył na nią.

– Rymy?

– Tak pracuję. Musisz się przyzwyczaić. I chcę mieć krąg, lepiej się w nim czuję.

Hoyt zgodził się na wszystko, wstał i zakreślili razem krąg. Glenna naznaczyła świece swoim *bolline** i patrzyła, jak Hoyt je rozpala.

– Razem rozniecimy ogień. – Wyciągnął dłoń w jej stronę.

Poczuła, jak moc przenika przez jej ramię aż do serca. Nad podłogą zapłonął ogień, biały i czysty. Hoyt uniósł myślą kociołek i postawił go nad płomieniem.

– Jasne srebro, srebro stare. – Włożył świeczniki do kotła. – Stańcie się w ogniu wywarem.

– Rozkazujemy ci, biały płomieniu – ciągnęła Glenna, dodając jaspis i zioła – byś dał im moc przeciw potępieniu. – Wrzuciła do kotła pierścionek babki. – Magio nieba i wody, powietrza i ziemi, spraw, byśmy zostali ocaleni. Uchroń nas od wiecznej zguby, ochroń tarczą w czasie próby. Jesteśmy gotowi na twoje wezwanie, aż ciemność na ziemi już nie nastanie. Dlatego wzywamy cię trzykroć trzydzielnie, ochraniaj tych, którzy służą ci wiernie. Niech ten krzyż, symbol mocy, wniesie światło w ciemność nocy.

Gdy powtarzali trzy razy ostatnią linijkę, z kotła uniósł się srebrny dym, a białe płomienie zapłonęły jeszcze żywiej.

Glenna poczuła, jak przenika ją światło i ciepło, gdy śpiewała razem z Hoytem coraz głośniej. Przez dym widziała tylko wpatrzone w nią oczy.

W sercu i całym ciele czuła coraz większe ciepło, moc silniejszą niż cokolwiek, czego doświadczyła. Wszystko w niej zawirowało, gdy Hoyt dorzucił do kotła resztę jaspisu.

– A każdy krzyż srebrny na me zawołanie tarczą i osłoną teraz się stanie.

Światło zalało pokój, ściany i podłoga zadrżały. Kocioł przewrócił się i srebrny płyn spłynął do ognia.

Siła wybuchu niemal przewróciła Glennę na ziemię, ale Hoyt przytrzymał ją ramieniem, osłonił własnym ciałem przed nagłym podmuchem płomieni i wiatru.

Zobaczył, jak otwierają się drzwi. Przez ułamek sekundy stał w nich Cian, skąpany w tym nieprawdopodobnym świetle, po czym zniknął.

– Nie! Nie! – Ciągnąc za sobą Glennę, Hoyt przerwał krąg. Płomień zmalał, a po chwili sam zgasł z głośnym hukiem. Hoytowi wydawało się, że przez dzwonienie w uszach słyszy krzyki.

Cian leżał zakrwawiony na podłodze, z na wpół spalonej koszuli wciąż unosił się dym.

Hoyt opadł na kolana i już chciał zmierzyć bratu puls, kiedy sobie przypomniał, że i tak go nie wyczuje.

– Mój Boże, mój Boże, co ja zrobiłem?

– Jest bardzo poparzony. Zdejmij mu koszulę. – Głos Glenny był chłodny i spokojny. – Delikatnie.

---

* *Bolline* – nóż o białej rękojeści służący do ścinania ziół, wycinania symboli np. na świecach, rzeźbienia przedmiotów magicznych.

– Co się stało? Co wy, do diabła, wyprawiacie? – King odepchnął Hoyta na bok. – Sukinsynu! Cian, Jezu Chryste!

– Kończyliśmy zaklęcie. On otworzył drzwi i zalało go światło. To nie była niczyja wina. Larkin – poprosiła Glenna – pomóż Kingowi zanieść Ciana do jego sypialni. Zaraz tam przyjdę. Mam coś, co może mu pomóc.

– On żyje – powiedział cicho Hoyt, wpatrując się w brata. – Nie umarł.

– Nie, nie umarł – uspokajała go Glenna. – Potrafię mu pomóc. Znam dobrze sztukę leczniczą, to jedna z moich mocnych stron.

– Pomogę ci. – Moira przycisnęła się do ściany, żeby przepuścić Kinga i Larkina niosących ciało Ciana. – Też trochę się na tym znam.

– Dobrze. Idź z nimi, a ja wezmę leki. Hoyt, naprawdę potrafię mu pomóc.

– Co to było? – Hoyt wbił wzrok w swoje dłonie. Pomimo że wciąż wibrowały od mocy zaklęcia, wydały mu się puste i bezużyteczne. – Nigdy czegoś takiego nie doświadczyłem.

– Pomówimy o tym później. – Złapała go za rękę i pociągnęła do wieży.

Na podłodze widniał wypalony, biały krąg, a w nim leżało dziewięć srebrnych krzyży z czerwonym jaspisem na środku.

– Dziewięć. Trzy razy trzy. Później pomyślimy o tym wszystkim. Myślę, że na razie powinniśmy je tam zostawić. Nie wiem, niech okrzepną.

Hoyt nie posłuchał jej i wziął jeden z krzyży do ręki.

– Jest chłodny.

– Świetnie. Dobrze. – Myślała tylko o Cianie i o tym, jak mu pomóc. Schwyciła kuferek. – Muszę iść na dół, zobaczyć, co da się zrobić. To nie była niczyja wina, Hoyt.

– Dwa razy. Już dwa razy niemal go zabiłem.

– To moja wina tak samo jak twoja. Idziesz ze mną?

– Nie.

Chciała coś powiedzieć, ale tylko potrząsnęła głową i wybiegła z pokoju.

Wampir leżał nieruchomo na szerokim łóżku w swojej pięknej sypialni. Twarz miał podobną do anioła. Upadłego, pomyślała Moira. Posłała mężczyzn po ciepłą wodę i bandaże, ale głównie po to, żeby nie kręcili się pod nogami.

Teraz została sama z wampirem, który leżał na posłaniu nieruchomy jak śmierć.

Gdyby położyła mu dłoń na piersi, nie wyczułaby bicia serca, nie dostrzegłaby obłoczka pary, jeśli przyłożyłaby mu lusterko do ust. Nie zobaczyłaby też odbicia.

Wyczytała to wszystko w książkach.

Jednak on ocalił jej życie i była mu za to coś winna.

Podeszła do łóżka i skoncentrowała swą niewielką moc, by ochłodzić spaloną skórę. Poczuła mdłości, nigdy nie widziała tak spalonego ciała. Jak ktokolwiek – cokolwiek – mógł wylizać się z takich ran?

Nagle otworzył oczy i schwycił ją za nadgarstek.

– Co robisz?

– Jesteś ranny. – Była na siebie wściekła za to, że głos jej drżał, ale naprawdę bała się zostać sama z Cianem. – Wypadek. Czekam na Glennę, pomożemy ci. Nie ruszaj się. – Dostrzegła w jego oczach ból i jej strach trochę zmalał. – Leż spokojnie. Mogę cię trochę ochłodzić.

– Nie wolałabyś, żebym spłonął w piekle?

– Nie wiem. Ale wiem, że ja nie chcę cię tam posyłać. Nie zastrzeliłabym cię wczoraj wieczorem. Przykro mi, że mogłeś pomyśleć inaczej. Zawdzięczam ci życie.

– Odejdź i będziemy kwita.

– Glenna już idzie. Trochę lepiej?

Zamknął oczy i zadrżał.

– Potrzebuję krwi.

– Mojej na pewno nie dostaniesz. Nie jestem ci aż tak wdzięczna.

Wydawało jej się, że usta mu drgnęły, jakby miał się uśmiechnąć.

– Nie twojej, chociaż nie wątpię, że jest przepyszna. – Zamilkł na chwilę, żeby złapać oddech. – W walizce na drugim końcu pokoju. Czarna walizka ze srebrną rączką. Potrzebuję krwi, żeby... Po prostu jej potrzebuję.

Moira otworzyła walizkę i z trudem opanowała jęk obrzydzenia, gdy zobaczyła przezroczyste paczki pełne ciemnego płynu.

– Przynieś ją tutaj albo rzuć i uciekaj, wszystko mi jedno, ale potrzebuję jej natychmiast.

Szybko podała mu jedną porcję i patrzyła, jak Cian siada z trudem i usiłuje rozerwać plastik spalonymi dłońmi. Bez słowa odebrała mu torebkę i sama ją otworzyła, rozlewając trochę.

– Przepraszam. – Podtrzymała go ramieniem, a drugą ręką przysunęła mu torebkę do ust.

Patrzył na Moirę, gdy pił, a ona odwzajemniała jego spojrzenie, starając się nawet nie mrugnąć.

Kiedy skończył, pomogła mu się położyć i poszła do łazienki po ręcznik, którym wytarła mu usta i podbródek.

– Jesteś mała, ale dzielna, co?

Usłyszała kpinę w jego głosie i zobaczyła, że powoli wracają mu siły.

– Ty nie masz wyboru, bo jesteś, czym jesteś, a ja nie mam, bo jestem, kim jestem. – Odstąpiła od łóżka, gdy do pokoju wbiegła Glenna.

11

Chcesz coś przeciwbólowego? – Glenna wylała trochę balsamu na cienki ręcznik.

– A co masz?

– To i owo. – Delikatnie położyła ręcznik na jego piersi. – Przepraszam, Cian. Powinniśmy byli zamknąć drzwi.

– Zamknięte drzwi nie powstrzymałyby mnie przed wejściem, nie w moim własnym domu. Następnym razem może wywieście jakąś tabliczkę, coś w rodzaju... Cholera!

– Wiem, przepraszam, wiem. Zaraz poczujesz się lepiej. Tabliczkę? – zapytała cicho i łagodnie. – Coś w stylu „Łatwo palna magia. Nie podchodzić".

– Nie zaszkodziłoby. – Poczuł, że pali go nie tylko skóra, ale same kości, jak gdyby ogień dotarł aż do samego wnętrza. – Co wy tam, do diabła, zrobiliście?

– Więcej, niż którekolwiek z nas oczekiwało. Moira, przygotuj następny ręcznik, dobrze? Cian?

– Co?

Popatrzyła na niego intensywnie, przesuwając dłońmi nad najgorszymi oparzeniami. Poczuła ciepło, ale nie ulgę.

– To nie zacznie działać, jeśli ty sam nie pozwolisz – powiedziała. – Musisz mi zaufać i przestać się bronić.

– Wysoka cena za odrobinę ulgi, zważywszy, że to między innymi przez ciebie jestem w takim stanie.

– Dlaczego miałaby celowo cię skrzywdzić? – Moira rozsmarowywała balsam na ręczniku. – Ona cię potrzebuje. Tak jak my wszyscy, czy nam się to podoba czy nie.

– Daj mi tylko minutę – poprosiła Glenna. – Chcę ci pomóc, musisz w to uwierzyć. Popatrz mi w oczy. O, właśnie tak.

Teraz to poczuła, ciepło i ulgę.

– O, tak dobrze. Trochę lepiej, prawda?

Nagle zdał sobie sprawę, że ona to zabrała. Na ułamek sekundy wzięła ból na siebie. Nigdy jej tego nie zapomni.

– Tak, trochę. Dzięki.

Położyła mu na oparzone miejsca kolejny ręcznik i odwróciła się do kuferka.

– Wyczyszczę i opatrzę rany, a potem dam ci coś, co pomoże ci odpocząć.

– Nie chcę odpoczywać.

Usiadła z powrotem na łóżku, żeby opatrzyć mu rany na twarzy, i zdumiona dotknęła palcami policzka Ciana.

– Myślałam, że jest gorzej.
– Bo było. Większość moich ran szybko się goi.
– Masz szczęście. Jak twój wzrok?
Popatrzył na nią gorejącymi, niebieskimi oczami.
– Widzę cię wystarczająco dobrze, Ruda.
– Mogłeś doznać wstrząsu mózgu. Czy wy możecie doznać wstrząsu? Pewnie tak – uznała, zanim zdążył odpowiedzieć. – Jesteś poparzony jeszcze gdzieś? – Zaczęła unosić kołdrę i posłała mu łobuzerski uśmiech. – Czy to prawda, co mówią o wampirach?
Cian roześmiał się i syknął z bólu.
– To plotka. Jesteśmy wyposażeni tak samo jak przed przemianą. Oczywiście możesz sama sprawdzić, ale tam nie zostałem ranny. Cały impet przyjąłem na klatkę.
– No dobrze, uszanujemy twoją skromność i zachowamy moje złudzenia. – Ujęła jego dłoń, a rozbawienie zniknęło z jej oczu. – Myślałam, że cię zabiliśmy. On też. Teraz cierpi.
– Och, on cierpi? Może chciałby się ze mną zamienić.
– Wiesz, że zrobiłby to. Cokolwiek do niego czujesz lub czego nie czujesz, on cię kocha. Nie potrafi tego zmienić, nie miał tyle czasu co ty na pozbycie się braterskich uczuć.
– Przestaliśmy być braćmi tej nocy, kiedy umarłem.
– Nie, nie przestaliście. I sam siebie okłamujesz, jeśli w to wierzysz. – Wstała z łóżka. – Na razie nic więcej nie mogę dla ciebie zrobić. Przyjdę za godzinę i sprawdzę, jak się czujesz.
Pozbierała swoje rzeczy. Moira pierwsza wymknęła się z pokoju i czekała na Glennę w korytarzu.
– Co tak na niego podziałało?
– Nie jestem do końca pewna.
– Musisz się zastanowić. To potężna broń przeciwko takim jak on, moglibyśmy jej użyć.
– Nie kontrolowaliśmy tego i nie jestem pewna, czy potrafilibyśmy nad tym zapanować.
– Ale gdybyście mogli – nalegała Moira.
Glenna otworzyła drzwi do swojego pokoju. Nie była jeszcze gotowa, by wrócić do wieży.
– Mam wrażenie, że to coś zyskało kontrolę nad nami. Było wielkie i potężne, miało zbyt wielką moc, żeby któreś z nas mogło nad tym zapanować. Nawet razem – a byliśmy złączeni ze sobą bardziej, niż kiedykolwiek byłam z kimkolwiek. Czułam się, jakbym stała wewnątrz słońca.
– Słońce jest bronią.
– Jeśli nie umiesz władać mieczem, równie dobrze możesz odciąć własną dłoń zamiast cudzej.
– Dlatego się uczysz.
Glenna usiadła na łóżku i wyciągnęła przed siebie dłoń.

– Jestem roztrzęsiona – powiedziała, widząc, jak palce jej drżą. – Nie wiedziałam, że wewnątrz można aż tak się trząść.

– A ja cię dręczę. Przepraszam. Wydawałaś się taka spokojna, gdy opatrywałaś wampira.

– On ma imię. Cian. Zacznij go tak nazywać. – Słysząc ostry ton Glenny, Moira cofnęła głowę, jakby dostała policzek, a oczy jej się rozszerzyły. – Przykro mi z powodu twojej matki, nawet nie wiesz, jak bardzo, ale on jej nie zabił. Gdyby zamordował ją blondyn o niebieskich oczach, znienawidziłabyś wszystkich mężczyzn o jasnych włosach i błękitnych tęczówkach?

– To nie to samo.

– Podobny przypadek, zwłaszcza w naszej sytuacji.

Rysy Moiry stwardniały.

– Napoiłam go krwią i użyłam całej swej mocy, żeby przynieść mu ulgę. Pomogłam ci opatrywać jego oparzenia. To chyba wystarczy.

– Nie wystarczy. Poczekaj – rozkazała, gdy Moira odwróciła się, chcąc wyjść. – Poczekaj chwilę, ja naprawdę jestem roztrzęsiona i zdenerwowana. Jeśli wcześniej wydawałam się spokojna, to dlatego, że tak działam, najpierw staram się opanować kryzysową sytuację, a potem się rozsypuję. Teraz przyszła pora na drugą część programu. Ale mam rację, Moiro, tak jak ty miałaś rację, mówiąc, że go potrzebujemy. Będziesz musiała zacząć myśleć o nim i traktować go jak osobę, nie rzecz.

– Rozszarpały ją na strzępy. – Oczy dziewczyny wypełniły się łzami, choć starała się zrobić hardą minę. – Nie, nie było go tam, nie brał w tym udziału. Walczył w mojej obronie. Wiem to, ale nie mogę tego poczuć. – Położyła rękę na sercu. – Nie mogę. Nie pozwolono mi donosić żałoby po własnej matce, a teraz otaczają mnie jedynie smutek i gniew, krew i śmierć. Nie chcę tego ciężaru. Z dala od moich ludzi, z dala od wszystkiego, co znam. Dlaczego tu jesteśmy? Dlaczego akurat nam wyznaczono takie zadanie? Czemu nie znamy żadnych odpowiedzi?

– Nie wiem i to kolejny brak odpowiedzi. Naprawdę ogromnie mi przykro z powodu twojej matki, Moiro, ale nie tylko ty czujesz smutek i gniew. Nie tylko ty zadajesz pytania i chciałabyś wrócić do życia, które znasz.

– Wy pewnego dnia wrócicie. Ja już nigdy. – Otworzyła drzwi i uciekła.

– Świetnie. Po prostu doskonale. – Glenna ukryła twarz w dłoniach.

W wieży Hoyt położył każdy krzyż na kawałku białego płótna. Były chłodne w dotyku i pomimo że metal ściemniał, wciąż pozostał wystarczająco jasny, by błyszczeć.

Podniósł kociołek Glenny, spalony na węgiel. Nie sądził, żeby to naczynie nadawało się jeszcze do użytku – żeby w ogóle należało go jeszcze używać. Ze świec zostały jedynie małe kałuże wosku na podłodze. Cały pokój musi zostać sprzątnięty i oczyszczony, zanim znowu zaczną uprawiać magię.

Na podłodze wciąż widniał biały, cienki krąg, a próg i ściany plamiła krew jego brata.

Poświęcenie, pomyślał. Za moc zawsze trzeba zapłacić. Świeczniki matki i pierścionek Glenny – to za mało.

Tamto światło płonęło tak gwałtownie i jasno, roztaczając niewyobrażalne gorąco, ale jego nie oparzyło. Podniósł ręce i obejrzał je uważnie. Nic. Drżały jeszcze trochę, a nie było na nich jednak żadnych śladów.

Światło wypełniło go bez reszty, połączyło z Glenną tak absolutnie, jakby byli jedną osobą, jedną mocą, oszałamiającą i fantastyczną.

Mimo to obróciła się niczym gniew bogów przeciwko jego bratu. Uderzyła w jego drugą połowę, chociaż on, czarnoksiężnik, władał błyskawicą.

Teraz czuł się pusty, wypalony. Moc, która w nim została, ciążyła jak zimny ołów, pokryty grubo poczuciem winy.

Nic nie mógł już zrobić poza przywróceniem porządku w pokoju. Szukając ukojenia, zabrał się do sprzątania. Gdy King wbiegł do pokoju, Hoyt stanął nieruchomo, z ramionami opuszczonymi wzdłuż ciała i przyjął cios w twarz, nie mrugnąwszy nawet okiem.

Gdy padał na ścianę, błysnęła mu myśl, że z równym impetem mógłby go zaatakować rozjuszony byk, po czym osunął się bezwładnie na podłogę.

– Wstań. Wstań, sukinsynu.

Hoyt splunął krwią. Kręciło mu się w głowie i wydawało mu się, że widzi kilku czarnych gigantów, stojących nad nim z zaciśniętymi pięściami. Oparł się dłonią o ścianę i podniósł z trudem.

Szarżujący buhaj uderzył znowu. Tym razem przed oczami Hoyta zatańczyły czerwone i czarne plamy, które przeszły w szarość. Głos Kinga dudnił mu w uszach, gdy próbował wypełnić jego polecenie i jeszcze raz wstać.

Przez szarość przebił się błysk koloru, fala ciepła przeszyła lodowaty ból.

Glenna wpadła do pokoju. Nie próbowała odepchnąć Kinga, tylko z całej siły wbiła mu łokieć w żołądek i zasłoniła Hoyta własnym ciałem.

– Przestań! Zostaw go! Pieprzony sukinsyn. Och, Hoyt, twoja twarz.

– Odejdź. – Ledwo mówił, a ból rozrywał mu brzuch, gdy próbował ją odepchnąć i znowu wstać.

– No dawaj, przyłóż mi. Dalej. – King rozłożył ręce i uniósł podbródek. – Daję ci wolny strzał. Do diabła, dam ci ich kilka, ty żałosny skurwysynu. To więcej, niż ty dałeś Cianowi.

– On umarł. Zostaw mnie. – Hoyt odepchnął Glennę. – Dalej – powiedział do Kinga. – Dokończ, co zacząłeś.

King opuścił zaciśnięte pięści. Hoyt ledwo stał, z nosa i ust kapała mu krew, jedno oko już spuchło tak, że nie mógł go otworzyć. Chwiał się, czekając na następny cios.

– On jest taki głupi czy zwariował?

– Ani jedno, ani drugie – warknęła Glenna. – Myśli, że zabił swojego brata, więc będzie tak stał i pozwoli, żebyś zatłukł go na śmierć, bo wini siebie tak samo jak ty jego. I obaj się mylicie. Cian żyje i nic mu nie będzie. Odpoczywa.

– Nie umarł?

– Tym razem ci się nie udało, ale następnej szansy już nie dostaniesz.

– Och na litość boską! – Glenna odwróciła się do Kinga. – Nikt nie próbował nikogo zabić!

– Odejdź, Ruda. – King machnął kciukiem. – Nie chcę cię skrzywdzić.

– Dlaczego nie? Skoro on jest winny, to ja też. Pracowaliśmy razem. Do cholery, robiliśmy to, po co tu przyjechaliśmy. Cian wszedł w tragicznie niewłaściwym momencie, to wszystko. Gdyby Hoyt celowo chciał go skrzywdzić, myślisz, że stałbyś tu jeszcze? Jedną myślą posiekałby cię na plasterki. A ja bym mu pomogła.

Oczy Kinga zwęziły się, usta wygięły, ale pięści nadal miał zaciśnięte.

– Więc dlaczego nic nie robicie?

– Bo to wbrew naszej naturze. Nie potrafisz tego zrozumieć, ale jeśli nie jesteś głupi jak but, to powinieneś wiedzieć, że Hoyt kocha Ciana, tak samo jak ty i to od dnia narodzin. A teraz wynoś się stąd. Po prostu wyjdź.

King rozprostował palce i potarł nimi o spodnie.

– Może nie miałem racji.

– Dużo to teraz pomoże.

– Idę zobaczyć, jak się czuje Cian. Jeśli będę niezadowolony, wrócę tu i dokończę robotę.

Wyszedł szybkim krokiem, a Glenna spróbowała podtrzymać Hoyta.

– Musisz usiąść.

– Czy możesz zostawić mnie w spokoju?

– Nie, nie mogę.

W odpowiedzi Hoyt opadł na podłogę.

Zrezygnowana Glenna poszła po następne ręczniki i nalała wody z dzbanka do miski.

– Wygląda na to, że spędzę cały wieczór na usuwaniu krwi.

Uklękła obok Hoyta, zmoczyła ręczniki i delikatnie wytarła mu twarz.

– Kłamałam. Jesteś głupi, głupi, że tylko stałeś i pozwoliłeś, żeby cię bił. Głupi, że czułeś się winny. Postąpiłeś jak tchórz.

Podniósł na nią przekrwione i napuchnięte oczy.

– Uważaj.

– Jak tchórz – powtórzyła ostrym głosem, bo czuła, że zaraz się rozpłacze. – Siedziałeś tutaj, użalając się nad sobą, zamiast przyjść na dół i nam pomóc, zobaczyć, jak się czuje twój brat. A nie jest z nim dużo gorzej niż z tobą w tej chwili.

– Nie jestem w nastroju, żeby wysłuchiwać kazania. I przestań się kręcić wokół mnie. – Machnął ręką, chcąc odsunąć jej dłonie.

– Dobrze. Po prostu świetnie. – Rzuciła ręcznik do miski, rozchlapując wodę. – W takim razie sam się sobą, zajmuj. Jestem już zmęczona wami wszystkimi. Jęczycie, użalacie się nad sobą, jesteście do niczego. Jeśli chcesz znać moje zdanie, Morrigan popełniła ogromny błąd, tworząc tę grupę.

– Jęczymy, użalamy się, jesteśmy do niczego. Zapomniałaś o swoim udziale, jędzo.

Przechyliła głowę.

– To słabe i starodawne określenie. Dzisiaj mówimy „suko".

– Twój świat, twoje słowo.

– No właśnie. Jak będziesz tak siedział i użalał się nad sobą, to może chwilę o czymś pomyślisz. Dokonaliśmy tu dziś wieczorem czegoś niewiarygodnego. – Wskazała na srebrne krzyże. – To, że udało się nam coś takiego osiągnąć, powinno zbliżyć tę śmiechu wartą drużynę do siebie, ale zamiast tego wszyscy jęczymy w osobnych kątach. Więc chyba cała nasza magia poszła na marne.

Wypadła z pokoju prosto na Larkina, który wbiegał po schodach.

– Cian wstał i powiedział, że straciliśmy już dosyć czasu, dlatego dziś wieczór będziemy ćwiczyć godzinę dłużej.

– Możesz mu powiedzieć, żeby pocałował mnie w dupę.

Larkin zamrugał, po czym wysunął głowę za poręcz schodów i przyjrzał się zbiegającej Glennie.

– A bez wątpienia jest tego warta – mruknął, ale bardzo cicho.

Zajrzał do pokoju w wieży i zobaczył zakrwawionego Hoyta na podłodze.

– Matko Boska, to ona tak cię urządziła?

Hoyt popatrzył na niego spode łba i doszedł do wniosku, że dosyć już wycierpiał tego wieczoru.

– Nie. Na litość boską, czy wyglądam, jakby pobiła mnie kobieta?

– Według mnie ona jest wspaniała. – Larkin wolałby trzymać się z dala od strefy magii, ale nie mógł zostawić Hoyta w takim stanie, więc podszedł i kucnął obok niego. – Hm, niezły bałagan, co? Będziesz wyglądał jak panda.

– Cholera. Podaj mi rękę, dobra?

Larkin pomógł mu wstać i podtrzymał go ramieniem.

– Nie wiem, co tu się, do cholery, dzieje, ale Glenna jest wściekła jak osa, a Moira zamknęła się w swoim pokoju. Cian wygląda jak ofiara gniewu wszystkich bogów, jednak wstał z łóżka i każe nam ćwiczyć. King otworzył butelkę whisky i chyba się do niego przyłączę.

Hoyt delikatnie dotknął palcami policzków i syknął, gdy ból przeszył całą twarz.

– Na szczęście kości nie są złamane. Mogła zrobić coś więcej, żeby mi pomóc, niż tylko wygłosić kazanie.

– Słowa są najgroźniejszą bronią kobiety. Patrząc na ciebie, dochodzę do wniosku, że tobie też przydałaby się whisky.

– Oj tak. – Hoyt chwycił za brzeg stołu, próbując odzyskać równowagę. – Postaraj się zebrać ich wszystkich w sali ćwiczeń, dobrze, Larkin? Zaraz przyjdę.

– To może kosztować mnie życie, ale dobrze. Spróbuję oczarować damy mym wrodzonym wdziękiem. Albo na to pójdą, albo skopią mi jaja.

Nie skopały go, chociaż przyszły niechętnie. Moira usiadła po turecku na ławie, opuchnięte od płaczu oczy wbiła w blat. Glenna stanęła w kącie i wpatrywała się posępnie w kieliszek z winem, King w przeciwległym rogu pobrzękiwał lodem w szklance whisky.

Cian siedział, bębniąc palcami o oparcie krzesła. Twarz miał białą jak płótno, a oparzenia, widoczne spod luźnej białej koszuli, nabrały sinej barwy.

– Przydałaby się muzyka – zauważył Larkin. – Taka jak na pogrzebach czy coś w tym stylu.

– Pracujemy nad formą i zręcznością. – Cian potoczył wzrokiem po zebranych. – A jak na razie u żadnego z was nie widziałem ani jednego, ani drugiego.

– Musisz nas obrażać? – zapytała Moira zmęczonym głosem. – Po co to wszystko? Pchnięcia mieczem i wymiana ciosów? Byłeś poparzony bardziej niż ktokolwiek, kogo widziałam w życiu, a oto siedzisz, godzinę później, cały i zdrowy. Jeśli nawet magia nie może was pokonać, to co może?

– Rozumiem, że byłabyś szczęśliwsza, gdybym zamienił się w popiół. Cieszę się, że cię rozczarowałem.

– Nie to miała na myśli. – Zirytowana Glenna odgarnęła włosy.

– Jesteś jej adwokatem?

– Nie potrzebuję, żeby ktoś przemawiał w mojej obronie – warknęła Moira. – I nie trzeba mi mówić, co mam robić w każdej cholernej godzinie cholernego dnia. Wiem, od czego giną, przeczytałam te książki.

– Och, rozumiem, czytałaś książki. – Cian wskazał na drzwi. – W takim razie nie krępuj się, wyjdź i zabij parę wampirków.

– To byłoby lepsze niż przewalanie się tutaj po podłodze jak w cyrku – odcięła się.

– W tym wypadku zgadzam się z Moirą. – Larkin oparł dłoń na rękojeści miecza. – Powinniśmy na nie zapolować. Na razie nawet nie wystawiliśmy straży ani nie posłaliśmy zwiadowcy.

– To nie jest taka wojna, chłopcze.

Oczy Larkina rozbłysły.

– Nie jestem chłopcem i z tego, co widzę, to w ogóle nie jest wojna.

– Nie wiesz, na co chcesz się porwać – wtrąciła Glenna.

– Nie wiem? Walczyłem z nimi i zabiłem trzy własnymi rękami.

– Słabe i młode. Nie marnowała na was najlepszych sług. – Cian wstał. Poruszał się sztywno i z widocznym wysiłkiem. – Poza tym mieliście pomoc i szczęście, ale gdybyście spotkali starsze, bardziej doświadczone, nic by z was nie zostało.

– Sam potrafię walczyć o swoje.

– Spróbuj ze mną. Zaatakuj mnie.

– Jesteś ranny. To nie byłoby fair.

– Fair to trzeba postępować z kobietami. Jeśli mnie pokonasz, wyjdę z tobą. – Cian wskazał ręką na drzwi. – Pójdziemy polować dziś wieczorem.

Larkinowi zabłysły oczy.

– Dajesz słowo?

– Daję słowo. Pokonaj mnie.

– No dobrze.

Larkin podskoczył szybko do Ciana i natychmiast odskoczył. Pchnął mieczem, zrobił fintę i znowu odskoczył. Cian wyciągnął rękę, chwycił chłopaka za gardło i uniósł go nad podłogę.

– Nie chcesz zatańczyć z wampirem – powiedział i rzucił go przez pokój.

– Sukinsyn. – Moira podbiegła do kuzyna. – Prawie go udusiłeś.

– Z naciskiem na „prawie".

– Czy to naprawdę było potrzebne? – Glenna podeszła do Larkina i położyła mu dłonie na szyi.

– Dzieciak sam się o to prosił – powiedział King, na co przeszyła go lodowatym wzrokiem.

– Jesteście zwykłymi zbirami. Obaj.

– Nic mi nie jest, wszystko w porządku. – Larkin zakaszlał i odchrząknął.

– To był dobry ruch – pochwalił Ciana. – Nawet nie widziałem twojej ręki.

– I dopóki jej nie zobaczysz, nie wyjdziesz na polowanie. – Cian ostrożnie usiadł na krześle. – Pora wziąć się do pracy.

– Chciałbym cię poprosić, żebyś chwilę zaczekał – powiedział Hoyt, wchodząc do pokoju.

Cian nawet na niego nie spojrzał.

– Czekaliśmy już wystarczająco długo.

– Jeszcze chwila. Mam coś do powiedzenia. Najpierw tobie. Byłem nieostrożny, ale ty też. Powinienem był zaryglować drzwi, lecz ty nie powinieneś był ich otwierać.

– Teraz to mój dom. Nie należy do ciebie od wieków.

– Być może, jednak przy zamkniętych drzwiach powinieneś był zachować się ostrożnie i rozsądnie, zwłaszcza jeśli za nimi uprawialiśmy magię. Cian – poczekał, aż brat na niego spojrzy – nigdy bym cię nie skrzywdził. Możesz w to wierzyć lub nie, ale ja nigdy nie mógłbym zrobić ci krzywdy.

– Nie jestem pewien, czy mogę powiedzieć to samo. – Cian wskazał podbródkiem na twarz Hoyta. – To skutek twojej magii?

– To jeden z jej efektów.

– Wygląda boleśnie.

– I jest.

– Cóż, w takim razie rachunki wyrównane.

– I o to właśnie chodzi, porachunki i odpłata. – Hoyt zwrócił się twarzą do pokoju. – Kłótnie i nienawiść. Miałaś rację – powiedział do Glenny. – Dużo z tego, co mówiłaś, jest prawdą, chociaż i tak twierdzę, że za dużo gadasz.

– Och, doprawdy?

– Nie jesteśmy zjednoczeni i jeśli to się nie zmieni, nie ma dla nas nadziei. Możemy ćwiczyć i przygotowywać się dwadzieścia cztery godziny na dobę, a i tak nie wygramy. Ponieważ – i to właśnie dostrzegłaś – mamy wspólnego wroga, ale różne cele.

– Nasz cel to walka z demonami – przerwał mu Larkin. – Mamy z nimi walczyć i wszystkie zabić.

– Dlaczego?

– Bo są wampirami.

– On też. – Hoyt położył dłoń na oparciu krzesła Ciana.

– Ale on jest po naszej stronie. Nie zagraża Geallii.

– Geallia. Ty myślisz o Geallii, a ty – zwrócił się do Moiry – o swojej matce. King jest z nami, bo idzie za Cianem, ja w pewien sposób też. Cian, dlaczego ty jesteś tutaj?

– Bo nie idę za nikim, ani za nią, ani za tobą.

– A ty, Glenno?

– Jestem tutaj, bo gdybym nie stanęła do walki, gdybym nie próbowała czegoś zrobić, wszystko, co mamy, czym jesteśmy i co znamy, mogłoby zginąć.

Bo coś we mnie każe mi tu być. A przede wszystkim dlatego, że dobro potrzebuje żołnierzy do walki ze złem.

Och, tak, pomyślał, to dopiero kobieta. Zawstydziła ich wszystkich.

– Oto odpowiedź. Jedyna, jaka istnieje, i tylko Glenna ją znała. Jesteśmy potrzebni. To ważniejsze niż odwaga czy zemsta, lojalność i duma. Jesteśmy potrzebni. Czy występując przeciwko sobie mamy szansę na zwycięstwo? Nie, nawet za tysiąc lat ani z tysiącem innych wojowników. Jesteśmy sześcioma, od których wszystko się zacznie. Już dłużej nie możemy być sobie obcy. – Sięgnął do kieszeni.

– Glenna powiedziała, że powinniśmy mieć symbol i tarczę, znak wspólnego celu. Ta jedność wytworzyła najsilniejszą magię, jakiej doświadczyłem w życiu. Zbyt silną, bym mógł utrzymać ją w ryzach. – Zerknął na Ciana. – Wierzę, że będą nas chronić, jeśli będziemy pamiętali, że tarcza potrzebuje miecza, i użyjemy obu w jednym celu.

Podniósł krzyże, a srebro zalśniło. Podszedł do Kinga i podał mu jeden.

– Będziesz go nosił?

King odstawił szklankę, wziął zawieszony na łańcuszku krzyż i patrząc Hoytowi w oczy, włożył go na szyję.

– Przydałoby ci się trochę lodu na to oko.

– Nawet więcej niż trochę. A ty? – Wyciągnął krzyż w stronę Moiry.

– Postaram się być go warta. – Posłała Glennie przepraszające spojrzenie. – Kiepsko mi dzisiaj poszło.

– Jak nam wszystkim – zauważył Hoyt. – Larkin?

– Nie tylko dla Geallii – powiedział Larkin, biorąc krzyż. – Już nie.

– A ty? – Hoyt wyciągnął dłoń z krzyżem do Glenny, po czym podszedł i patrząc jej w oczy, sam zapiął łańcuszek na jej szyi. – Myślę, że dziś wieczór zawstydziłaś nas wszystkich.

– Postaram się nie robić tego zbyt często. – Wzięła ostatni krzyż i przełożyła Hoytowi łańcuszek przez głowę. Potem bardzo delikatnie dotknęła ustami jego pokiereszowanego policzka.

W końcu Hoyt odwrócił się i podszedł do Ciana.

– Jeśli masz zamiar zapytać, czy będę to nosił, to szkoda twoich słów.

– Wiem, że nie możesz. Wiem, że jesteś inny niż my, ale i tak proszę cię, żebyś stanął wraz z nami do walki. – Wyjął naszyjnik w kształcie pentagramu, bardzo podobny do tego, który nosiła Glenna. – Ten kamień w środku to jaspis, taki sam jak w naszych krzyżach. Jeszcze nie potrafię dać ci tarczy, dlatego oferuję ci ten symbol. Przyjmiesz go?

Cian bez słowa wyciągnął rękę. Gdy Hoyt położył wisiorek i łańcuszek na jego otwartej dłoni, potrząsnął nią lekko, jakby sprawdzając ciężar amuletu.

– Metal i kamień nie stworzą armii.

– Z nich robi się broń.

– Prawda. – Cian zapiął łańcuszek na szyi. – A teraz, jeśli ceremonia dobiegła końca, czy możemy wreszcie wziąć się do cholernej roboty?

12

Szukając samotności i zajęcia, Glenna nalała sobie kieliszek wina, wzięła notes i ołówek i usiadła przy kuchennym stole.

Potrzebowała godziny ciszy i spokoju, żeby móc pomyśleć, zrobić listę. Potem może pójdzie spać.

Wyprostowała się, gdy usłyszała, że ktoś nadchodzi. Czy w tak wielkim domu każdy nie mógł sobie znaleźć własnego kąta?

King wszedł do kuchni i stanął, przestępując z nogi na nogę, z rękami wbitymi w kieszenie.

– Tak? – zapytała.

– Przepraszam za tę aferę z twarzą Hoyta.

– To jego twarz, jego powinieneś przepraszać.

– Już sobie wszystko wyjaśniliśmy. Chciałem obgadać to z tobą. – Gdy Glenna milczała, podrapał się w czubek głowy i jeśli mężczyzna wzrostu dwóch metrów i wagi stu trzydziestu kilogramów może się skurczyć, to King zmalał.

– Słuchaj, pobiegłem na górę, a tam błyskało światło, a on leżał poparzony i cały we krwi. Hoyt to mój pierwszy czarnoksiężnik – ciągnął po małej przerwie. – Znam go dopiero od tygodnia, a Ciana od... naprawdę długo i zawdzięczam mu właściwie wszystko.

– Dlatego kiedy znalazłeś go rannego, uznałeś, naturalnie, że to brat go załatwił.

– Tak. Doszedłem do wniosku, że ty też maczałaś w tym palce, ale ciebie nie mogłem pobić.

– Doceniam twoją rycerskość.

Zamrugał, słysząc kpinę w jej głosie.

– Naprawdę potrafisz utrzeć nosa mężczyźnie.

– Potrzebowałabym piły łańcuchowej, żeby tobie utrzeć nosa. Och, przestań robić taką żałosną minę. – Z westchnieniem odgarnęła włosy. – My spieprzyliśmy, ty spieprzyłeś i jest nam wszystkim cholernie przykro. Pewnie teraz chcesz trochę wina. I ciasteczko.

Musiał się uśmiechnąć.

– Napiję się piwa. – Otworzył lodówkę i wyjął butelkę. – Ciasteczko sobie daruję. Potrafisz skopać tyłek, Ruda. Uwielbiam tę cechę u kobiet, nawet jeśli to mój tyłek został skopany.

– Wydaje mi się, że nigdy taka nie byłam.

Była za to ładna i blada i musiała być zmęczona jak pies. King przećwiczył ich wszystkich diabelnie ciężko tego popołudnia, a Cian przepuścił ich przez wyżymaczkę.

Rzeczywiście trochę zrzędziła, pomyślał King, ale nawet w połowie nie tak, jak się spodziewał. I w sumie Hoyt miał rację, tylko ona wiedziała, co oni tu, do cholery, robią.

– To, o czym mówił Hoyt, co ty powiedziałaś, ma dużo sensu. Jeśli się nie pogodzimy, to nie mamy szans. – Otworzył piwo i wypił pół butelki jednym haustem. – Wyciągnę rękę do zgody, jeśli ty też to zrobisz.

Popatrzyła na wyciągniętą w swoją stronę ogromną dłoń i uścisnęła ją.

– Cian ma dużo szczęścia, że ktoś jest gotów tak za niego walczyć, komu na nim zależy.

– On zrobiłby dla mnie to samo. Znamy się od wieków.

– Taka przyjaźń potrzebuje czasu, żeby się uformować, dojrzeć. My nie mamy aż tyle czasu.

– No to chyba będziemy musieli pójść na skróty. Między nami już spoko?

– Powiedziałabym, że spoko.

Dokończył piwo i wrzucił pustą butelkę do kosza pod zlewem.

– Idę na górę. Powinnaś zrobić to samo. Potrzebujesz odpoczynku.

– Zaraz idę.

Ale gdy wyszedł, Glenna poczuła się obolała, zmęczona i niespokojna, więc zapaliła wszystkie światła, by odegnać ciemność, i z kieliszkiem wina usiadła przy stole. Nie wiedziała, która godzina, i zastanawiała się, czy to w ogóle miało jeszcze jakieś znaczenie.

Oni wszyscy stawali się teraz wampirami – przesypiali większość dnia, pracowali w nocy.

Przesunęła palcami po krzyżu na szyi i wróciła do swojej listy. Na ramionach czuła nacisk nocy niczym dotyk zimnych dłoni.

Tęskniła za miastem, nie wstydziła się otwarcie do tego przyznać. Brakowało jej miejskich odgłosów, kolorów, nieprzerwanego szumu aut, przypominającego bicie serca. Tęskniła za prostotą i złożonością Nowego Jorku. Życie było tam po prostu życiem, a śmierć, przemoc i okrucieństwo pochodziły od ludzi.

Przed oczami stanął jej obraz wampira w metrze.

W każdym razie kiedyś uważała, że pochodziły od ludzi.

Jednak i tak chciałaby wstać rano i przespacerować się do delikatesów po świeże bajgle. Chciałaby rozstawić sztalugi w promieniach porannego słońca i malować, a jej największym zmartwieniem byłby niezapłacony rachunek za kartę kredytową.

Czuła w sobie magię przez całe życie i zawsze jej się wydawało, że ceni i szanuje tę moc, ale nigdy aż tak, jak teraz, gdy wiedziała, że otrzymała swój dar z konkretnego powodu i w konkretnym celu.

I że równie dobrze magia może sprowadzić na nią śmierć.

Podniosła kieliszek i podskoczyła, gdy dostrzegła stojącego w drzwiach Hoyta.

– To niezbyt dobry pomysł tak się skradać po nocy w obecnej sytuacji.

– Nie byłem pewien, czy powinienem ci przeszkadzać.

– Proszę bardzo. Właśnie mam prywatną sesję użalania się nad sobą. Przejdzie mi. – Wzruszyła ramionami. – Trochę tęsknię za domem. Małe piwo w porównaniu z tym, co ty musisz czuć.

– Stałem w pokoju, który ongiś dzieliłem z Cianem, i czułem tak wiele i niewystarczająco dużo.

Glenna wstała, wzięła drugi kieliszek i nalała wina.

– Usiądź. – Sama też usiadła, postawiwszy wino na stole. – Ja też mam brata. Jest lekarzem, dopiero zaczyna praktykę. Otrzymał odrobinę magii i używa jej do leczenia. Jest dobrym lekarzem i dobrym człowiekiem. Wiem, że mnie kocha, ale nie rozumie mnie zbyt dobrze. Ciężko być nierozumianym.

Jak to jest, zastanawiał się, że nigdy w jego życiu nie było kobiety spoza rodziny; kobiety, z którą mógłby rozmawiać o naprawdę ważnych sprawach, a teraz z Glenną mógł mówić o wszystkim.

– Bardzo mnie smuci to, że go straciłem, że nie jesteśmy już sobie tak bliscy jak kiedyś.

– To naturalne.

– Wspomnienia Ciana o mnie są wyblakłe i stare, a ja pamiętam go tak dokładnie. – Hoyt uniósł kieliszek. – Tak, ciężko być nierozumianym.

– Kiedyś czułam się trochę lepsza od innych z powodu swojego daru, jakbym trzymała w dłoniach cenną nagrodę, przeznaczoną tylko dla mnie. Och, obchodziłam się z nią ostrożnie, byłam za nią wdzięczna, ale i tak zadzierałam nosa. Nie sądzę, żebym jeszcze kiedyś tak uważała.

– Chyba żadne z nas już tak nie pomyśli po tym, czego doświadczyliśmy dziś wieczorem.

– Jednak moja rodzina, a szczególnie mój brat, nigdy do końca nie zrozumie ani tej dumy, ani tego daru. I nigdy nie zrozumie, jak wielką cenę teraz płacę. Nie jest w stanie tego pojąć. – Położyła dłoń na dłoni Hoyta. – On też nie może pojąć. Dlatego, choć nasze sytuacje są różne, rozumiem poczucie straty, o którym mówisz. Wyglądasz okropnie – dodała lżejszym tonem. – Mogę zmniejszyć te siniaki.

– Jesteś zmęczona. To może poczekać.

– Nie zasłużyłeś na to.

– Pozwoliłem, by moc przejęła nade mną kontrolę. Wypuściłem ją.

– Nie, razem ją wypuściliśmy. Któż może wiedzieć, czy nie tak właśnie miało być. – Wyjęła spinki z upiętych włosów, które opadły w nieładzie na ramiona.

– Popatrz, wyciągnęliśmy z tego nauczkę, prawda? Razem jesteśmy silniejsi, niż którekolwiek z nas mogło przypuszczać. Teraz musimy się nauczyć, jak to kontrolować, ukierunkować. I uwierz mi, od dziś reszta też będzie miała dla nas więcej szacunku.

Uśmiechnął się lekko.

– Czyżbym widział jakiś zadarty nos?

– Tak, chyba tak.

Napił się wina i zdał sobie sprawę, że po raz pierwszy od wielu godzin czuje się dobrze, rozmawiając z Glenną w jasnej kuchni, z nocą uwięzioną za szybami.

Koniuszkami zmysłów wyczuwał jej kobiecy zapach. Oczy, tak przejrzyste i zielone, miała podbite ze zmęczenia.

Skinął głową w stronę kartki.

– Kolejne zaklęcie?

– Nie, coś bardziej przyziemnego. Lista. Potrzebuję więcej składników, ziół i tym podobnych. A Moira i Larkin potrzebują ubrań. Poza tym musimy opracować jakieś podstawowe zasady prowadzenia domu. Jak na razie gotowanie należało głównie do Kinga i do mnie, ale gospodarstwo nie prowadzi się samo i nawet gdy przygotowujemy się do bitwy, potrzebujemy jedzenia i czystych ręczników.

– Tu jest tyle maszyn – rozejrzał się po kuchni – że praca nie powinna być ciężka.

– Tak się tylko wydaje.

– Kiedyś mieliśmy ogród z ziołami. Jeszcze nie obszedłem posiadłości. – Musiał przyznać, że celowo odkładał ten spacer, nie chciał patrzeć na zmiany ani na to, co pozostało nietknięte. – Może Cian założył herbarium. Jeśli nie, mogę je przywołać, ziemia pamięta.

– Zajmiemy się tym jutro. Znasz okoliczne lasy, będziesz mógł mi powiedzieć, gdzie mogę znaleźć pozostałe zioła. Jutro rano wyjdę na poszukiwania.

– Tak, znam je – powiedział na pół do siebie.

– Potrzebujemy więcej broni, Hoyt. I więcej rąk, które będą nią władać.

– W Geallii czeka na nas armia.

– Mam nadzieję. Znam kilku takich, jak my, a Cian... on na pewno zna podobnych do siebie. Może zaczniemy ich gromadzić.

– Więcej wampirów? Zaufanie Cianowi było wystarczająco trudne. Co do innych czarodziejek, to my sami wciąż się uczymy własnej mocy, tak jak dziś wieczór. Musimy zacząć z ludźmi, których mamy. Ale broń możemy zrobić tak samo, jak zrobiliśmy krzyże.

Glenna podniosła kieliszek, wypiła trochę wina i westchnęła ciężko.

– No dobrze, masz rację.

– Zabierzemy ją ze sobą, gdy będziemy ruszać do Geallii.

– À propos. Kiedy i jak?

– Jak? Przez Taniec. Kiedy? Nie wiem. Wierzę, że gdy nadejdzie czas, otrzymamy znak.

– Myślisz, że będziemy mogli wrócić? Jeśli przeżyjemy? Że jeszcze kiedyś zobaczymy swoje domy?

Popatrzył na nią. Szkicowała coś, nie odrywając wzroku od kartki. Policzki miała blade ze zmęczenia i napięcia, na jasnym tle włosy wydawały się jeszcze bardziej ogniste.

– Co bardziej cię niepokoi? – zapytał. – Śmierć czy to, że możesz już nigdy nie powrócić do domu?

– Nie jestem pewna. Śmierć jest nieunikniona, czeka nas wszystkich. I mamy nadzieję – przynajmniej ja miałam – że kiedy przyjdzie, wystarczy nam odwagi, żeby znieść ją godnie. – Lewą ręką odgarnęła włosy za ucho, prawą nadal rysując. – Ale to zawsze była abstrakcja. Aż do teraz. Ciężko jest myśleć o śmierci, jeszcze ciężej, gdy nie wiesz, czy zobaczysz kiedykolwiek swój dom, rodzinę. Oni nigdy nie zrozumieją, co się ze mną stało. – Podniosła wzrok. – Ale komu ja to mówię.

– Nie wiem, jak długo żyli. W jaki sposób umarli. Jak długo mnie szukali.

– Poczułbyś się lepiej, gdybyś wiedział.

– Tak. – Potrząsnął głową. – Co tam rysujesz?

Wydęła usta.

– Chyba ciebie. – Odwróciła kartkę i popchnęła w jego stronę.

– Tak mnie widzisz? – Chyba nie był do końca zadowolony. – Wydaję się taki srogi.

– Nie srogi. Poważny. Jesteś poważnym człowiekiem, Hoycie McKenna. – Napisała pod rysunkiem jego imię i nazwisko. – Tak byśmy to dzisiaj pisali. Sprawdziłam. – Podpisała rysunek małym zawijasem. – A poważne usposobienie jest bardzo pociągające.

– Poważne usposobienie jest dobre dla starców i polityków.

– I dla wojowników, mężczyzn władających mocą. Odkąd cię znam, odkąd mnie pociągasz, widzę, że dotychczas spotykałam się z chłopcami. Najwidoczniej zaczynam lubić starszych mężczyzn.

Siedział tak i patrzył na nią, wino i kartka były między nimi. Światy między nimi, pomyślał. A mimo to nigdy nikt nie był mu bliższy.

– Gdy tak siedzę tu z tobą, w domu, który jest mój, choć do mnie nie należy, w moim świecie, który nie jest mój, jesteś jedyną osobą, której pragnę.

Glenna wstała, podeszła do niego i go objęła. Oparł głowę na jej piersi i wsłuchał się w bicie serca.

– Czy to przynosi ci ulgę? – zapytała.

– Tak. Ale nie tylko to. Tak bardzo cię potrzebuję. Nie wiem, jak mam nad tym zapanować.

Opuściła głowę, zamknęła oczy i przytuliła policzek do jego włosów.

– Stańmy się znowu ludźmi. Przez pozostałą część nocy bądźmy zwykłymi ludźmi, bo nie chcę zostać sama w ciemności. – Ujęła w dłonie jego twarz, uniosła ku swojej. – Zabierz mnie na górę.

Wstał i wziął ją za ręce.

– Pewne rzeczy nie zmieniły się przez wieki, prawda?

Roześmiała się.

– Pewne rzeczy nigdy się nie zmieniają.

Trzymając się za ręce, wyszli z kuchni.

– Nie spałem z wieloma kobietami – w końcu jestem poważnym mężczyzną.

– Nie spałam z wieloma mężczyznami – w końcu jestem rozsądną kobietą. – Pod drzwiami swojego pokoju odwróciła się z łobuzerskim uśmiechem. – Ale myślę, że sobie poradzimy.

– Poczekaj. – Przyciągnął ją do siebie i pocałował w usta. Poczuła podniecenie i przepływ mocy.

Dopiero wtedy otworzył drzwi.

Zobaczyła, że zapalił wszystkie świece, pokój pełen był migocącego światła i słodkiego zapachu. W kominku płonął ogień.

Glennie zrobiło się ciepło na sercu.

– To bardzo ładne. Dziękuję. – Usłyszała zgrzyt klucza w zamku i przycisnęła rękę do serca. – Denerwuję się, a nigdy nie czułam się zdenerwowana na myśl o byciu z kimś, nawet za pierwszym razem.

Nie miał nic przeciwko jej emocjom, tak naprawdę to wyznanie pogłębiło jeszcze jego pożądanie.

– Twoje usta. Ta pełnia tutaj. – Przesunął czubkiem palca po jej dolnej wardze. – Czuję jej smak we śnie. Rozpraszasz mnie, nawet gdy jesteś daleko.

– I to cię irytuje. – Objęła go ramionami za szyję. – Cieszę się.

Przysunęła się do niego, a on opuścił wzrok na jej usta, a potem znowu popatrzył jej w oczy. Poczuła, jak łączą się ich oddechy, jego serce biło tuż obok jej serca. Stali tak nieskończenie długą chwilę, zanim ich usta się spotkały. A wtedy zatopili się w sobie.

Znowu poczuła motyle w brzuchu, tuziny aksamitnych skrzydełek.

Hoyt zanurzył dłonie w jej włosach, odgarnął je z twarzy tak niecierpliwym gestem, że Glenna zadrżała w oczekiwaniu na to, co miało za chwilę nastąpić. Błądził ustami po jej twarzy, aż znalazł pulsujące miejsce na szyi.

Mogła go zatopić, wiedział o tym, a mimo wszystko posuwał się dalej. To przemożne pożądanie mogło wciągnąć go pod powierzchnię, zaprowadzić w rejony, w których nigdy nie był.

Poznawał dłońmi kształt jej ciała, zanurzając się coraz głębiej w zapomnienie. Znowu, łakomie, sięgnęła do jego ust. Odstąpił krok do tyłu i usłyszał jej drżący oddech. Skąpana w blasku świec uniosła dłonie i zaczęła rozpinać koszulę.

Pod spodem miała coś białego, z koronki, co unosiło jej biust tak, że wyglądał jak zaproszenie. Zdjęła spodnie i zobaczył więcej białej koronki, kuszący trójkąt tuż pod brzuchem.

– Kobiety to najsprytniejsze stworzenia na ziemi – pomyślał na głos i przesunął palcem po koronce. Uśmiechnął się, gdy Glenna zadrżała. – Podoba mi się to ubranie. Zawsze nosisz je pod spodem?

– Nie. To zależy od mojego nastroju.

– W takim razie bardzo lubię twój dzisiejszy nastrój. – Musnął kciukami koronkę na jej piersiach.

Glenna odchyliła głowę.

– O Boże.

– To sprawia ci przyjemność. A to? – Zrobił to samo z koronką, którą nosiła pod brzuchem, i patrzył, jak w oczach Glenny błyska pożądanie.

Miękka skóra, delikatna i gładka, a pod nią twarde mięśnie. Fascynujące.

– Tylko pozwól mi się dotykać. Masz takie piękne ciało. Pozwól mi.

Sięgnęła do tyłu i oparła się o słupek od łóżka.

– Proszę bardzo.

Jego dłonie przesuwały się po jej ciele, aż zadrżała. Dotknął jej mocniej i jęknęła. Czuła, jak słabną jej kości i mięśnie, gdy poznawał palcami jej ciało. Poddała się powolnej, obezwładniającej rozkoszy, która była jednocześnie zwycięstwem i kapitulacją.

– To jest zapięcie?

Uniosła ciężkie powieki, gdy zaczął mocować się z haftkami z przodu stanika, ale gdy próbowała mu pomóc, odsunął jej dłoń na bok.

– Zaraz sam do tego dojdę. Ach, tak to działa. – Odpiął klamerkę, a jej piersi spoczęły miękko w jego dłoniach. – Sprytne. Piękne. – Pochylił głowę i dotknął wargami miękkiej, ciepłej skóry.

Chciał rozkoszować się tą chwilą, chciał mieć wszystko od razu.

– A ta druga część? Gdzie ma zapięcie? – Przesunął dłońmi w dół. I w górę.

– One nie... – Westchnęła i jęknęła, wbijając mu palce w ramiona.

– O, tak, popatrz na mnie. Właśnie tak. – Wsunął palce pod koronkę.

– Glenno Ward, która jesteś dziś w nocy moja.

Doszła tam, gdzie stała, jej ciało napięło się i rozluźniło, a ona ani na chwilę nie oderwała wzroku od oczu Hoyta.

Oparła mu głowę na ramieniu, nie przestając drżeć.

– Chcę poczuć cię na sobie. W sobie. – Ściągnęła z niego koszulę, przesunęła dłońmi po torsie i ramionach, potem wodziła po nich ustami. Pociągnęła go na łóżko, czując, jak moc przepływa między nimi.

– We mnie. We mnie.

Łakomie sięgnęła ustami do jego warg, wyginając zachęcająco biodra. Hoyt walczył z resztą ubrania, próbował posmakować jej jak najpełniej, czuł bijące od obojga gorąco.

Gdy wszedł w nią, ogień na kominku buchnął gwałtownym płomieniem, a płomienie świec śmignęły w górę jak strzały.

Przeniknęła ich rozkosz i moc, doprowadzając oboje niemal do obłędu. Glenna objęła go ciasno i patrzyła mu prosto w oczy, nawet gdy w jej własnych ukazały się łzy.

Wiatr potargał jej włosy, gorejące jak ogień na tle jasnej pościeli. Poczuł, jak spina się pod nim, wygina się w łuk. Przeszyło go światło i mógł już tylko wyszeptać jej imię.

Czuła się rozpalona, jakby to, co zapłonęło między nimi, wciąż trwało. Niemal się spodziewała, że zobaczy płomienie strzelające z czubków jej palców.

Ogień w kominku przygasł i płonął teraz z cichym trzaskiem, ale ciepło, które buchało od ich ciał, wciąż ogrzewało jej skórę, a serce waliło jak oszalałe.

Hoyt opierał głowę na jej piersi, a Glenna głaskała go ręką po włosach.

– Czy ty kiedykolwiek...

Lekko musnął ustami jej skórę.

– Nie.

Przeczesała mu palcami włosy.

– Ja też nie. Może dlatego, że to nasz pierwszy raz, a może zostało w nas coś z tego, czego dotknęliśmy wcześniej.

„Razem jesteśmy silniejsi". Własne słowa odbiły się echem w jej głowie.

– Co z tym dalej zrobimy?

Uśmiechnęła się, gdy uniósł głowę.

– Takie wyrażenie – wyjaśniła. – Na razie to nie ma znaczenia. Twoje siniaki zniknęły.

– Wiem. Dziękuję.

– Nie wiedziałam, że to zrobiłam.

– Dotknęłaś mojej twarzy, gdy się połączyliśmy. – Hoyt ucałował jej palce.

– Masz magię w dłoniach i w sercu. A mimo to widzę smutek w twoich oczach.

– Jestem po prostu zmęczona.

– Chcesz zostać sama?

– Nie, nie chcę. – Czy właśnie nie w tym tkwił problem? – Chcę, żebyś został.

– No to chodź. – Uniósł ją lekko i odsunął kołdrę. – Mam pytanie.

– Mmm.

– Ten znak. – Przesunął palcami u dołu jej pleców. – Pentagram. Czy w obecnych czasach wszystkie czarodziejki mają takie znaki?

– Nie, to tatutaż. Sama go wybrałam. Chciałam nosić symbol tego, kim jestem, nawet gdy nie mam naszyjnika.

– Ach. To szczytny powód, ale wybacz, że tak powiem, wydaje mi się... ponętny.

Uśmiechnęła się do siebie.

– To dobrze. W takim razie drugi cel został osiągnięty.

– Znowu czuję się pełny. Znów czuję się sobą.

– Ja też.

I jest zmęczona, pomyślał. Słyszał to w jej głosie.

– Pośpijmy trochę.

Przechyliła głowę, żeby móc spojrzeć mu w oczy.

– Powiedziałeś, że kiedy następnym razem weźmiesz mnie do łóżka, nie pozwolisz mi spać.

– Ten jeden raz.

Położyła mu głowę na ramieniu, ale nie zamknęła oczu, nawet gdy przygasił świece.

– Hoyt, cokolwiek się wydarzy, to było bardzo ważne.

– Dla mnie też. I po raz pierwszy, Glenno, wierzę nie tylko w to, że musimy wygrać, ale też że możemy. Wierzę, bo ty jesteś ze mną.

Zamknęła na chwilę oczy, czując bolesne ukłucie w sercu. On mówił o wojnie, pomyślała, a ona o miłości.

Padało, gdy się obudziła. Leżała wsłuchana w szum deszczu i rozkoszowała się ciepłą, naturalną bliskością męskiego ciała.

W nocy musiała sama siebie przywołać do porządku. To, co wydarzyło się między nią i Hoytem, było darem, który powinna docenić i pielęgnować. Po co analizować to, co się stało? Zastanawiać się, czy ta sama siła, która przywiodła ich na pole bitwy, teraz połączyła ich ze sobą, rozpaliła namiętność, pożądanie i, tak, miłość, bo dzięki temu będą silniejsi?

Pora stać się znowu praktyczną, cieszyć się tym, co ma, póki to ma. I zabrać się do pracy.

Odsunęła się od Hoyta i chciała wstać, ale złapał ją za nadgarstek.

– Jest wcześnie i pada. Zostań w łóżku.

Spojrzała przez ramię.

– Skąd wiesz, że jest wcześnie? Nie ma tu zegara. Masz w głowie zegar słoneczny?

– Na niewiele by mi się przydał przy tej pogodzie. Twoje włosy są jak słońce. Wracaj do łóżka.

Już nie wyglądał tak poważnie, z zaspanymi oczami i cieniem zarostu na policzkach. Wyglądał apetycznie, pomyślała.

– Musisz się ogolić.

Przesunął dłonią po twarzy i zarost zniknął.

– Tak lepiej, *a stór*?

Wyciągnęła palec i dotknęła jego brody.

– Bardzo gładko. Powinieneś jeszcze przyciąć włosy.

Zmarszczył brwi i przeczesał czuprynę palcami.

– A co jest nie tak z moimi włosami?

– Są cudowne, ale trzeba im nadać trochę kształtu. Mogę to zrobić.

– Wolałbym nie.

– Och, nie ufasz mi?

– Nie w kwestii swoich włosów.

Glenna ze śmiechem przeturlała się i usiadła na nim okrakiem.

– Zaufałeś mi w kwestii innych i bardziej wrażliwych części swego ciała.

– To zupełnie inna sprawa. – Podniósł ręce i ujął jej piersi w obie dłonie. – Jak się nazywa ta część garderoby, którą miałaś wczoraj na swym pięknym biuście?

– Nazywa się stanik i nie zmieniaj tematu.

– Chyba się nie dziwisz, że wolę rozmawiać o twoich piersiach niż o moich włosach.

– Ależ jesteś dowcipny dziś rano.

– To dzięki tobie.

– Czaruś. – Podniosła pukiel jego włosów. – Skrócimy je. Będziesz nowym człowiekiem.

– Wydawało mi się, że ten stary wystarczająco ci się spodobał.

Uśmiechnęła się, podniosła biodra i opuściła, przyjmując go w siebie. Świece, które już przygasały, strzeliły płomieniem.

– Tylko przytnę – wyszeptała, muskając wargami jego usta. – Za chwilę.

Hoyt odkrył wielką przyjemność wspólnego prysznica z kobietą i fascynujące doświadczenie obserwowania, jak się ubierała.

Wcierała jedne kremy w ciało, a inne w twarz.

Stanik i coś, co nazywała majtkami, były dziś niebieskie jak jajo drozda. Na nie włożyła grube spodnie i krótką, luźną tunikę, którą nazwała koszulą.

Pomyślał, że wierzchnie odzienie czyniło z tego, co miała pod spodem, słodką tajemnicę.

Czuł się zrelaksowany i bardzo z siebie zadowolony, ale zawahał się, gdy Glenna kazała mu usiąść na klapie od sedesu. Wzięła do ręki nożyczki i ciachnęła nimi powietrze parę razy.

– Dlaczego mężczyzna przy zdrowych zmysłach miałby dopuścić do siebie kobietę z takim narzędziem?

– Taki wielki, twardy czarnoksiężnik jak ty nie powinien się bać małego strzyżenia. Poza tym jeśli nie spodoba ci się moje dzieło, zawsze możesz wrócić do poprzedniej długości.

– Dlaczego kobiety zawsze chcą rządzić mężczyznami?

– Taką już mamy naturę. Zrób mi tę przyjemność.

Westchnął i usiadł z cierpiętniczą miną.

– Siedź spokojnie, a skończę, zanim się obejrzysz. Jak myślisz, w jaki sposób Cian radzi sobie z włosami i zarostem?

Podniósł wzrok, próbując zobaczyć, co robi Glenna.

– Nie mam pojęcia.

– Brak odbicia w lustrze nie ułatwia mu zadania, a on zawsze wygląda nienagannie.

Hoyt popatrzył na nią spode łba.

– On ci się podoba, prawda?

– Jesteście podobni jak dwie krople wody, więc to chyba oczywiste. Chociaż on ma mały dołek w brodzie, a ty nie.

– Tam, gdzie uszczypnęły go elfy, jak mówiła moja matka.

– Ty masz trochę szczuplejszą twarz i bardziej wygięte brwi. Ale oczy, usta i kości policzkowe macie takie same.

Patrzył, jak jego włosy opadają na podłogę, i w głębi duszy on, wielki czarnoksiężnik, drżał ze strachu.

– Rety, kobieto, chcesz mnie ogolić na łyso?

– Masz szczęście, bo lubię dłuższe włosy u mężczyzn. W każdym razie podobają mi się u ciebie. – Pocałowała go w czubek głowy. – Twoje włosy przypominają czarny jedwab. Wiesz, że w niektórych kulturach kobieta, obcinając włosy mężczyźnie, zostaje jego żoną?

Głowa mu podskoczyła, ale Glenna przewidziała tę reakcję i odsunęła nożyczki. Jej pełen radości śmiech odbił się od ścian łazienki.

– Żartowałam. Kurczę, ale łatwo cię nabrać. Prawie skończyłam.

Stała przed nim na rozstawionych nogach, jej piersi były tuż przy jego twarzy i Hoyt zaczynał myśleć, że strzyżenie nie jest jednak aż taką torturą.

– Lubię kobiecy dotyk.

– Tak, odniosłam takie wrażenie.

– Nie, chciałem powiedzieć, że sprawia mi przyjemność dotknięcie kobiety, z którą się kochałem. Jestem mężczyzną, mam takie same potrzeby jak wszyscy, ale to nigdy nie zajmowało aż tak moich myśli jak teraz, gdy siedzę tu z tobą.

Odłożyła nożyczki i przeczesała palcami jego wilgotne włosy.

– No popatrz.

Wstał i obejrzał się w lustrze. Włosy były tylko trochę krótsze i chyba lepiej się układały, ale według niego wcześniej też nic im nie brakowało. Przynajmniej nie ogoliła go jak owcę.

– Może być, dziękuję.

– Bardzo proszę.

Ubrał się do końca i gdy zeszli na dół, zastali w kuchni wszystkich oprócz Ciana.

Larkin wcinał sadzone jajka.

– Dzień dobry. Ten człowiek potrafi wyczarować cuda z jajek.

– Ale mój dyżur przy kuchni dobiegł końca – ogłosił King – więc jeśli chcecie zjeść śniadanie, to musicie obsłużyć się sami.

– Chciałam z wami o tym pomówić. – Glenna otworzyła lodówkę. – O dyżurach. Gotowanie, pranie, podstawowe prace domowe. Musimy podzielić się tym wszystkim.

– Ja z chęcią pomogę – zgłosiła się Moira. – Jeśli pokażesz mi, co i jak mam robić.

– No dobrze, patrz i ucz się. Dziś rano zrobimy jajka na bekonie. – Zabrała się do tego, a Moira śledziła każdy jej ruch.

– Jak już jesteście przy kuchni, to nie miałbym nic przeciwko dokładce.

Moira spojrzała na Larkina.

– On ma koński apetyt.

– Hm. Będą nam potrzebne regularne zakupy. – Zwróciła się do Kinga. – Obawiam się, że to będzie należało do nas, skoro tylko my mamy prawa jazdy. Larkin i Moira potrzebują ubrań. Jeśli narysujesz mi mapę, mogę pojechać pierwsza po zakupy.

– Dzisiaj nie ma słońca.

Glenna skinęła głową w stronę Hoyta.

– Mam ochronę, poza tym może się przejaśni.

– Masz rację, musimy prowadzić gospodarstwo, więc możesz wydawać nam polecenia, a my będziemy ich słuchać. Ale co do innych spraw, to ty musisz słuchać nas. Nikt nie wychodzi stąd sam ani na podwórze, ani do wioski. Nikt nie wychodzi bez broni.

– Mamy siedzieć jak aresztanci uwięzieni przez mżawkę? – Larkin dźgnął widelcem powietrze. – Czy nie pora, abyśmy im pokazali, że to my ustalamy zasady?

– On ma rację – zgodziła się Glenna. – Ostrożni, ale nie zastraszeni.

– Poza tym w stajni jest koń – dodała Moira. – Trzeba się nim zająć.

Hoyt sam zamierzał to zrobić, gdy inni zajmą się swoimi pracami. Teraz zastanawiał się, czy to, co uznał za odpowiedzialność i przywództwo, nie jest w rzeczywistości brakiem zaufania.

– Larkin i ja zajmiemy się koniem. – Usiadł, gdy Glenna postawiła talerze na stole. – Glenna potrzebuje ziół, ja zresztą też, więc tym także się zajmiemy. Będziemy ostrożni – powtórzył. I jedząc, zaczął planować, jak to zrobić.

Hoyt przypiął miecz do pasa. Deszcz przemienił się w słabą mżawkę, która, jak wiedział, mogła padać całymi dniami. Potrafił to zmienić, on i Glenna mogli przywołać słońce, ale ziemia potrzebowała wilgoci.

Skinął głową Larkinowi i otworzył drzwi.

Wyszli razem, zwróceni plecami do siebie, i zlustrowali wzrokiem podwórze.

– Nic nie zobaczymy przy tej pogodzie, jeśli będziemy tylko stać i patrzeć – zauważył Larkin.

– Na wszelki wypadek trzymajmy się blisko siebie.

Przecięli podwórze, wypatrując ruchu i cieni, ale widzieli tylko deszcz i czuli jedynie zapach mokrych kwiatów i trawy.

Gdy dotarli do stajni, obaj wiedzieli dokładnie, co robić. Wyrzucili nawóz, położyli świeżą słomę, dosypali do żłobu owsa, wyszczotkowali konia. Te proste czynności przyniosły Hoytowi ukojenie.

Larkin podśpiewywał przy pracy wesołą piosenkę.

– W domu mam kasztankę – powiedział. – Jest piękna. Okazało się, że nie możemy przeprowadzić koni przez Taniec.

– Ja też musiałem zostawić swojego wierzchowca. Czy to prawda, co mówi legenda? Ta o mieczu na kamieniu i władcy Geallii? Jak w legendzie o Arturze?*

– Prawda, a niektórzy mówią, że jedna opowieść powstała z drugiej.

– Larkin nalał świeżej wody do koryta. – Po śmierci króla lub królowej czarodziej zatapia miecz w kamieniu. Dzień po pogrzebie przybywają spadkobiercy, jeden po drugim, i próbują wydobyć miecz. Tylko jednemu to się uda i on będzie władał całą Geallią. Za życia panującego miecz wisi w wielkiej sali, żeby wszyscy mogli go oglądać. Rytuał ten powtarza się od samego początku, pokolenie za pokoleniem. – Otarł czoło. – Moira nie ma braci ani sióstr. Musi zostać królową.

Zaintrygowany Hoyt przerwał pracę i popatrzył na chłopaka.

– Czy jeśli jej się nie uda, korona przejdzie w twoje ręce?

– Oby bogowie mi tego oszczędzili! – odparł Larkin gwałtownie. – Nie chcę rządzić. Piekielnie trudna robota. No, chyba skończyliśmy, co? – Poklepał konia po grzbiecie. – Przystojny z ciebie diabeł, bez dwóch zdań. On potrzebuje ruchu. Któryś z nas powinien się na nim przejechać.

– Raczej nie dzisiaj. Ale masz rację, musi pobiegać, jednak należy do Ciana i musimy jego spytać o zdanie.

Podeszli do drzwi i, tak jak wcześniej, razem wyszli na zewnątrz.

– Tam – Hoyt wskazał ręką – znajdował się ogród ziołowy. Jeszcze tam nie byłem.

– Moira i ja byliśmy. Nie widzieliśmy żadnego ogrodu.

– Sprawdzimy.

Monstrum skoczyło z dachu stajni tak szybko, że Hoyt nie zdążył dobyć miecza, ale strzała przebiła serce napastnika, gdy ten był jeszcze w powietrzu. Drugi wampir skoczył wprost w chmurę popiołu. Śmignęła druga strzała.

– Zostawiłabyś nam chociaż jednego! – zawołał Larkin do Moiry, która stała w drzwiach kuchennych z trzecią strzałą na cięciwie.

– To weźcie tego z twojej lewej.

– Mój! – zawołał Larkin do Hoyta.

Napastnik był dwa razy większy od chłopaka i Hoyt zaczął protestować, ale Larkin już atakował. Szczęknęła stal o stal, zadzwonił metal o metal. Dwa

*Artur został królem po wyjęciu miecza wbitego w kamień i kowadło.

razy Hoyt widział, jak monstrum cofa się na widok krzyża błyszczącego na szyi Larkina, ale chłopak miał doskonałą technikę i bardzo długi miecz.

Hoyt zobaczył, jak Larkin osuwa się na mokrą trawę, skoczył do przodu, wycelował mieczem w szyję potwora – i przeciął powietrze.

Larkin podrzucił drewniany kołek i złapał go bez trudu.

– Chciałem go tylko zmylić.

– Niezła robota.

– Może być ich więcej.

– Może być – zgodził się Hoyt – jednak zrobimy to, po co wyszliśmy.

– W takim razie kryję twoje tyły, a ty moje. Bóg wie, że Moira pilnuje nas obu. – To go zabolało – dodał, dotykając krzyża. – A w każdym razie odstraszyło.

– Będą mogły nas zabić, ale nie przemienić.

– W takim razie odwaliliście dobrą robotę.

13

Nie było już ogrodu ziołowego pełnego tymianku i pachnącego rozmarynu. W miejscu pięknego herbarium matki rozciągał się zielony trawnik. Hoyt wiedział, że gdy wyjdzie słońce, trawa będzie skąpana w jego promieniach. Matka sama wybrała to miejsce, bo chociaż nie było blisko kuchni, jej zioła mogły dojrzewać w słońcu.

Jako dziecko uczył się od niej ich zastosowania i piękna, siedział u jej boku, gdy wyrywała chwasty, przycinała i zbierała. Opowiadała mu o wymaganiach i nazwach swoich roślin. Nauczył się rozpoznawać je po zapachu i kształcie liści, po wyglądzie kwiatów, jeśli pozwalała im zakwitnąć.

Ile godzin spędzili tu razem, pracując, rozmawiając albo tylko siedząc w ciszy i rozkoszując się widokiem motyli i brzęczeniem pszczół?

To było ich miejsce, pomyślał, bardziej niż jakiekolwiek inne.

Stał się dorosłym mężczyzną i wybrał sobie inne miejsce, teraz nazywało się Kerry. Wybudował kamienną chatę i znalazł tam samotność, której potrzebował do własnego dzieła, do swojej magii.

Ale zawsze wracał do domu i zawsze odnajdywał tu radość i pocieszenie, u matki, w jej herbarium.

Teraz stał w miejscu, w którym powinien być ogród, niczym nad grobem, pogrążony w żałobie i wspomnieniach. Poczuł złość na myśl, że brat pozwolił, by zioła zniknęły.

– To tego szukałeś? – Larkin popatrzył na trawnik i otaczające go drzewa. – Wygląda na to, że nic nie zostało.

Hoyt usłyszał jakiś szmer i obaj z Larkinem odwrócili się jak na komendę. Glenna szła w ich stronę z pałką w jednej i nożem w drugiej ręce. Krople deszczu błyskały na jej włosach jak drobne klejnoty.

– Powinnaś zostać w domu. Może być ich więcej.

– Jeśli nawet, to jest nas teraz troje. – Skinęła głową w stronę domu. – Pięcioro, bo Moira i King ubezpieczają tyły.

Hoyt popatrzył na dom i zobaczył w oknie Moirę z łukiem gotowym do strzału. W drzwiach na lewo stał King uzbrojony w pałasz.

– To powinno wystarczyć. – Larkin posłał kuzynce szelmowski uśmiech. – Uważaj, żebyś nie postrzeliła któregoś z nas w tyłek.

– Do takiego celu nie można spudłować! – zawołała.

Glenna stanęła obok Hoyta, wpatrując się w ziemię.

– Ogród był tutaj?

– Tak. I znowu będzie.

Coś musiało się wydarzyć, pomyślała, że miał taką zaciętą minę.

– Znam zaklęcie odradzające. Dobrze mi wychodziło, uzdrowiłam kilka roślin.

– To nie będzie nam potrzebne. – Wbił miecz w ziemię, żeby mieć wolne ręce.

Oczami duszy widział herbarium jak żywe i skupił się na tym obrazie, rozkładając szeroko ręce. Wiedział, że to będzie dzieło zarówno jego serca, jak i sztuki, hołd dla tej, która dała mu życie.

I dlatego będzie bolesne.

– Ziarno w liść, liść w kwiat. Ziemio i słońce, i deszczu, przypomnijcie sobie.

Oczy mu się zmieniły, a twarz wyglądała jak wyryta w kamieniu. Larkin zaczął coś mówić, ale Glenna położyła palec na ustach. Wiedziała, że teraz powinny rozbrzmiewać jedynie słowa Hoyta. Powietrze zgęstniało od mocy.

Nie mogła pomóc mu w wizualizacji, bo Hoyt nie opisał jej herbarium, ale mogła skupić się na zapachach. Rozmaryn, lawenda, szałwia.

Powtórzył zaklęcie trzykrotnie, za każdym razem głośniej, a oczy ciemniały mu coraz bardziej. Ziemia pod ich stopami zaczęła lekko drżeć.

Zerwał się wiatr, najpierw delikatny, z każdą chwilą coraz silniejszy.

– Powstańcie! Powróćcie! Rośnijcie i zacznijcie kwitnąć. Dar od ziemi, od bogów. Dla ziemi, dla bogów. Airmed*, o starożytna bogini, obdarz ją hojnie. Airmed i Tuatha de Kanaan, nakarmcie tę ziemię. Niech powróci taka, jaką kiedyś była.

Twarz miał bladą jak marmur, oczy ciemne niczym onyks, a moc płynęła z niego wprost w drżącą ziemię.

Która stanęła otworem.

Glenna słyszała, jak Larkin wciąga powietrze, i poczuła w uszach ogłuszające bicie własnego serca. Z ziemi wystrzeliły rośliny, z rozwijającymi się liśćmi, rozkwitającymi kwiatami. Glenna, podekscytowana, roześmiała się z czystej, niezmąconej radości.

Srebrzysta szałwia, błyszczące igiełki rozmarynu, rozległe dywany tymianku, rumianek, laur i ruta, a także delikatne włócznie lawendy wystrzeliły z ziemi prosto w letni deszcz.

Ogród nabrał kształtu celtyckiego węzła o wąskich pętlach i ścieżkach mających ułatwić zbieranie ziół.

Wiatr zamarł, a ziemia przestała drżeć. Larkin wypuścił ze świstem powietrze.

– Kurczę, to się dopiero nazywa ogrodnictwo!

Glenna położyła mu dłoń na ramieniu.

– Jest prześliczny, Hoyt. Chyba najpiękniejsza magia, jaką widziałam. Niech będzie błogosławiona.

Hoyt wyciągnął miecz z ziemi. Serce, które dało początek tej magii, było posiniaczone i obolałe.

---

* Airmed – w mitologii goidelskiej bogini wiedźm i sztuki leczenia.

- Weź, co potrzebujesz, byle szybko. Już za długo jesteśmy na dworze.

Glenna wydobyła *bolline* i dziarsko zabrała się do pracy, chociaż wolałaby mieć więcej czasu, żeby móc rozkoszować się zbiorami.

Otoczyły ją odurzające zapachy i wiedziała, że zioła, które ścina, będą miały jeszcze większą skuteczność dzięki temu, w jaki sposób powstały.

Mężczyzna, który dotykał jej w nocy, który trzymał ją rano w objęciach, był obdarzony większą mocą, niż kiedykolwiek w życiu widziała. I potrafiła ją sobie wyobrazić.

- Tego właśnie brakuje mi w mieście - powiedziała. - Mam doniczki na oknach, ale to nie to samo co prawdziwy ogród.

Hoyt nic nie odrzekł, tylko patrzył na nią - na jej rude włosy błyszczące od deszczu, smukłe białe dłonie przeczesujące zieleń - i poczuł, jak na ułamek sekundy coś zaciska się wokół jego serca niczym pięść.

Gdy wstała z roześmianymi oczyma, unosząc naręcze ziół, serce załomotało mu w piersi i opadło jak trafione strzałą.

Zaczarowała go, pomyślał. Magia kobiet zawsze godziła prosto w serce.

- Z tym, co tu mam, mogę sporo zrobić. - Potrząsnęła głową, żeby odrzucić z twarzy wilgotne włosy. - I wystarczy ich jeszcze, żeby przyprawić zupę na obiad.

- Więc najlepiej zabierz je do domu. Na zachodzie widzę ruch. - Larkin wskazał głową na skraj lasu. - Na razie tylko patrzą.

Zaczarowała go, pomyślał znowu Hoyt, odwracając się. Omotany czarem, zapomniał o ostrożności.

- Naliczyłem pół tuzina - ciągnął Larkin spokojnym głosem - ale z tyłu może kryć się więcej. Pewnie mają nadzieję, że nas zwabią i ruszymy za nimi w pościg. Tak, w lesie na pewno jest ich więcej, mają nadzieję, że tam nas dopadną.

- Zrobiliśmy już wszystko, co chcieliśmy... - zaczął Hoyt, po chwili jednak zmienił zdanie. - Chyba nie chcemy, żeby myślały, że zagoniły nas z powrotem do domu. Moira - podniósł głos na tyle, by go usłyszała - możesz trafić któregoś z takiej odległości?

- A którego sobie życzysz?

Hoyt, ubawiony, podniósł rękę.

- Twój wybór. Daj im małe ostrzeżenie.

Nie skończył jeszcze mówić, a już śmignęła strzała, a za nią druga tak szybko, że myślał, iż ją sobie wyobraził. Usłyszał dwa wrzaski, jeden zlewający się z drugim, a tam, gdzie przed chwilą było ich sześć, stały cztery potwory - i te cztery popędziły z powrotem pod osłonę drzew.

- Dwa dadzą im dwa ostrzeżenia. - Moira z ponurym uśmiechem przygotowała następną strzałę. - Mogę wpędzić je głębiej do lasu, jeśli chcecie.

- Oszczędzaj drewno.

Cian stanął za jej plecami. Wyglądał na zaspanego i lekko poirytowanego. Moira automatycznie odsunęła się na bok.

- Nie byłoby zmarnowane, gdybym trafiła do celu.

- Na razie odejdą. Jeśliby przyszły po coś więcej, niż tylko uprzykrzyć nam życie, zaatakowałyby, gdy miały przewagę liczebną.

Minął ją i wyszedł z domu bocznymi drzwiami.

– Czy to nie pora spać? – zapytała Glenna.

– Ciekaw jestem, kto mógłby spać w takim hałasie. To było jak pieprzone trzęsienie ziemi. – Popatrzył na ogród. – Domyślam się, że to twoje dzieło – powiedział do brata.

– Nie. – Głos Hoyta był pełen nieskrywanej goryczy. – Naszej matki.

– Cóż, następnym razem, jak będziesz miał ochotę na ogrodnictwo krajobrazowe, daj mi znać, żebym nie musiał się zastanawiać, czy dom nie wali mi się na głowę. Ile upolowaliście?

– Pięć, z czego Moira cztery – Larkin schował miecz do pochwy – a jednego ja.

Cian zerknął w stronę okna.

– Mała królewna ma niezłe oko.

– Wyszliśmy na próbę – dodał Larkin – i zajęliśmy się twoim koniem.

– Dziękuję.

– Myślę, że od czasu do czasu mógłbym zabrać go na przejażdżkę, jeśli nie miałbyś nic przeciwko temu.

– Nie miałbym, a Vladowi się przyda.

– Vlad? – powtórzyła Glenna.

– Taki niewinny żarcik. Jeśli zabawa już skończona, to wracam do łóżka.

– Chciałbym z tobą pomówić. – Hoyt odczekał, aż Cian spojrzy mu w oczy. – Na osobności.

– Czy ta osobność wymaga stania na deszczu?

– Przejdziemy się.

– Jak chcesz. – Cian uśmiechnął się do Glenny. – Wyglądasz dziś kwitnąco.

– I jestem przemoknięta. W domu znajdziecie mnóstwo suchych, spokojnych miejsc, Hoyt.

– Potrzebuję powietrza.

Zapadła niezręczna cisza.

– On jest trochę powolny. Ona czeka, żebyś ją pocałował, wtedy nie będzie się tak martwiła, że umrzesz z rozprutym gardłem, bo masz ochotę na spacer w deszczu – odezwał się Cian.

– Wejdź do środka. – Pomimo że nie czuł się swobodnie przy takiej publiczności, Hoyt ujął Glennę pod brodę i delikatnie pocałował w usta. – Nic mi nie będzie.

Larkin znowu wyciągnął miecz i podał go Cianowi.

– Lepiej być uzbrojonym niż nie.

– Złota myśl. – Cian pochylił się i również złożył na ustach Glenny krótki, prowokacyjny pocałunek. – Ja też wrócę cały i zdrowy.

Szli w milczeniu, nie czując tego, co, jak Hoyt dobrze pamiętał, kiedyś ich łączyło. Były czasy, rozmyślał, gdy bez słów znali swoje myśli, ale teraz nie miał dostępu do tego, co działo się w głowie Ciana i, zapewne, vice versa.

– Zostawiłeś róże, ale pozwoliłeś, żeby herbarium umarło. To było jedno z jej ukochanych miejsc.

– Nie potrafię zliczyć, ile razy sadzono róże, odkąd mam tę ziemię. Zioła? Zniknęły, zanim kupiłem tę nieruchomość.

– To nie jest nieruchomość jak twoje mieszkanie w Nowym Jorku. To dom rodzinny.

– Dla ciebie. – Złość Hoyta spływała po Cianie jak woda po kaczce. – Jeśli oczekujesz więcej, niż mogę lub chcę ci dać, narażasz się na bezustanne rozczarowania. Ziemię i dom, który na niej stoi, kupiłem za własne pieniądze i za swoje pieniądze je utrzymuję. Myślałem, że będziesz dziś rano w lepszym humorze, po tym jak przeleciałeś tę ładniutką wiedźmę wczoraj w nocy.

– Stąpasz po cienkim lodzie – ostrzegł go miękko Hoyt.

– Mam bardzo lekki krok. – I nie mógł się oprzeć, żeby nie wejść na grząski grunt. – To niezła sztuka, nie ma wątpliwości. Ale miałem kilka wieków więcej na doświadczenia z kobietami niż ty i mówię ci, że w tych jej zielonych oczach jest coś więcej niż tylko filuterny błysk. Ona widzi przyszłość. I bardzo jestem ciekaw, co zamierzasz z tym zrobić.

– To nie twoja sprawa.

– Masz absolutną rację, ale spekulacje dostarczają mi pewnej rozrywki, zwłaszcza że w obecnej chwili nie mam kobiety, która mogłaby mnie zabawić. Ona nie jest wiejską dziewką, nie uszczęśliwisz jej uściskami na sianie i świecidełkiem. Będzie chciała i oczekiwała od ciebie więcej, jak wszystkie, zwłaszcza sprytne kobiety.

Instynktownie podniósł wzrok, sprawdzając pokrywę chmur. Wiedział, że irlandzka pogoda bywała zdradliwa i nawet przez deszcz mógł przebić się promień słońca.

– A jakie to ma dla ciebie znaczenie?

– Nie wszyscy zadają pytania dlatego, że odpowiedź ma dla nich znaczenie. Możesz ją sobie wyobrazić w tej swojej chatce na skałach w Kerry? Bez elektryczności, bez bieżącej wody, bez Saksa za rogiem? Gotującą dla ciebie obiad w kociołku nad ogniem? Wziąwszy pod uwagę brak opieki medycznej i niedożywienie, zapewne skróciłbyś szacowaną długość jej życia o połowę, ale cóż, wszystko dla miłości.

– A co ty wiesz o miłości? – warknął Hoyt. – Ty nie jesteś do niej zdolny.

– Och, i tu się mylisz. My też potrafimy kochać, głęboko, nawet bez pamięci. I na pewno niemądrze, co, jak widać, nas łączy. Zatem nie zabierzesz jej ze sobą, bo to byłoby samolubne. Na to jesteś zbyt święty, zbyt czysty. I za bardzo lubisz rolę cierpiętnika. Więc zostawisz ją tutaj, żeby usychała za tobą. Może zabawię się trochę, oferując jej pocieszenie i biorąc pod uwagę, jak bardzo jesteśmy podobni, założę się, że je przyjmie.

Cios odrzucił go do tyłu, ale nie powalił na ziemię. Poczuł cudowny smak krwi i wytarł dłonią usta. Sprowokowanie brata zajęło mu więcej czasu, niż przypuszczał.

– Cóż, to nam się zbierało od dawna. – Idąc w ślady Hoyta, odrzucił miecz.

– W takim razie spróbujmy bez broni.

Jego pięść śmignęła tak szybko, że była tylko zamazaną plamą – plamą, od której Hoytowi gwiazdy eksplodowały przed oczami, a z nosa trysnęła fontanna krwi. Natarli na siebie jak rozszalałe byki.

Cian przyjął pierwszy cios w brzuch, od drugiego zadzwoniło mu w uszach. Zapomniał, że sprowokowany Hoyt potrafił walczyć jak szatan.

Sfingował uderzenie, posłał go na ziemię kopnięciem w żołądek i sam runął na plecy, gdy brat wierzgnął nogami, usuwając mu ziemię spod stóp.

Mógł wstać w ułamku sekundy i zakończyć tę walkę, ale czuł, jak krew w nim wrze, i chciał bić się dalej.

Przemoknięci do suchej nitki turlali się po ziemi, zadając ciosy i klnąc, łokcie i pięści wbijały się w ciało, waliły o kości.

Nagle Cian odskoczył, sycząc i błyskając kłami. Hoyt dostrzegł na dłoni brata wypalony znak w kształcie krzyża.

– Kurwa – wymamrotał Cian, ssąc spaloną skórę. – Chyba bez broni nie dasz mi rady.

– Ach, odwal się. Nie potrzebuję niczego poza własnymi pięściami. – Hoyt uniósł dłoń i już miał zerwać łańcuszek, gdy nagle opuścił rękę. Zdał sobie sprawę, jak głupie było to, co zamierzał zrobić.

– Świetnie nam idzie, prawda? – Wypluł te słowa razem z krwią. – Po prostu wspaniale. Awanturujemy się jak uliczne szczury, wystawieni na atak każdego, kto by się tu zjawił. Gdyby coś było w pobliżu, już byśmy nie żyli.

– Ja już nie żyję. I mów za siebie.

– Nie chcę się z tobą bić. – Jednak gdy ocierał usta z krwi, wciąż czuł, jak płonie w nim gniew. – To do niczego nie prowadzi.

– Ale było nieźle.

Spuchnięte usta Hoyta drgnęły i jego złość nieco zelżała.

– To prawda, było. Święty męczennik, dupa blada!

– Wiedziałem, że tym ci zajdę za skórę.

– Zawsze wiedziałeś, jak to zrobić. Jeśli nie możemy być braćmi, Cian, to kim jesteśmy?

Cian usiadł i bezmyślnie potarł plamy z krwi i trawy na koszuli.

– Jeśli wygrasz, za parę miesięcy znikniesz. Albo będę patrzył, jak umierasz. Czy ty wiesz, ilu już widziałem umierających?

– Skoro mamy tak mało czasu, to powinniśmy bardziej go cenić.

– Nic nie wiesz o czasie. – Wstał. – Chcesz się przejść? No to chodź, dowiesz się czegoś o czasie.

Ruszył przed siebie i Hoyt był zmuszony pójść za nim.

– Czy cała nasza ziemia jest w twoich rękach?

– Większość. Część sprzedano wieki temu, a część zagarnęli Anglicy podczas jednej z wojen i dali jakiemuś kumplowi Cromwella.

– Kim jest Cromwell?

– Był. Skończonym sukinsynem, który poświęcił sporo czasu i wysiłku na palenie i podbijanie Irlandii dla brytyjskich królów. Politycy i wojny – bogowie, ludzie i demony nie mogą się bez nich obejść. Przekonałem jednego z jego synów, żeby po śmierci ojca sprzedał mi tę ziemię. Po całkiem niezłej cenie.

– Przekonałeś? Zabiłeś go.

– A jeżeli nawet? – zapytał Cian zmęczonym głosem. – To było dawno temu.

– Czy tak doszedłeś do swego bogactwa? Mordując?

– Miałem ponad dziewięćset lat na napełnienie skarbca i robiłem to różnymi metodami. Lubię pieniądze i zawsze miałem dryg do interesów.

- O tak, miałeś.
- Na początku były chude lata. Całe dekady, ale dałem sobie radę. Podróżowałem. To wielki i fascynujący świat i lubię brać z niego to, co najlepsze. Dlatego nie wzrusza mnie myśl, że Lilith uczyniła Cromwella jednym z nas.
- Chronisz swoje inwestycje.
- Tak. Zawsze. Zapracowałem na to, co mam. Władam biegle piętnastoma językami, to przydatny atut w biznesie.
- Piętnastoma? - Hoyt czuł się swobodniej. - Nie radziłeś sobie nawet z łaciną.
- Miałem mnóstwo czasu na naukę i jeszcze więcej, by cieszyć się owocami swojej pracy. A muszę przyznać, że bardzo mnie radują.
- Nie rozumiem cię. Ona odebrała ci życie, człowieczeństwo.
- I dała wieczność. Nie jestem jej specjalnie wdzięczny, bo nie zrobiła tego dla mojego dobra, ale nie widzę sensu w użalaniu się nad sobą przez całą wieczność. Moja egzystencja jest długa, a oto, co macie ty i twój gatunek.
- Wskazał ręką na cmentarz. - Garstkę lat, a potem tylko ziemia i proch.

Z boku stała kamienna ruina pokryta dzikim winem o ostrych kolcach i czarnych jagodach. Przetrwała tylna ściana, w której wyrzeźbiono, niczym w ramie, figury, wypolerowane teraz przez czas i naturę.

Kwiaty, a nawet małe krzewy, przecisnęły się przez szczeliny i opuszczały fioletowe główki ciężkie teraz od deszczu.

- Kaplica? Matka mówiła, że chce ją zbudować.
- I zbudowała - potwierdził Cian. - Tyle z niej zostało. I z tamtych, którzy przyszli później. Kamienie, mech i chwasty.

Hoyt tylko potrząsnął głową. W ziemi tkwiły lub leżały kamienie mające upamiętnić zmarłych. Przeszedł między nimi po nierównej ziemi, przez śliską od deszczu trawę.

Pewne słowa na kamieniach niemal się zatarły lub porosły mchem, inne mógł z trudem odczytać. Imiona, których nie znał. Michael Thomas McKenna, ukochany mąż Alice. Opuścił tę ziemię szóstego maja tysiąc osiemset dwudziestego piątego roku. I Alice - dołączyła do niego jakieś sześć lat później. Ich dzieci, z których jedno odeszło zaledwie kilka dni po przyjściu na ten świat, oraz trójka pozostałych.

Żyli i umarli, ten Thomas, ta Alice, wieki po jego narodzinach i niemal dwa wieki przed tym, kiedy stał tutaj, czytając ich imiona.

Czas jest płynny, pomyślał, a człowiek, który w nim żyje, tak kruchy.

Tu i ówdzie wznosiły się krzyże, pochylały okrągłe kamienie. Na wielu grobach powstały ogrody z chwastów, jakby doglądane przez niedbałe duchy. Hoyt czuł ich obecność na każdym kroku.

Za sięgającym mu do kolan kamieniem rósł dorodny krzak róży, ciężki od czerwonych kwiatów, których płatki jaśniały niczym aksamit. Poczuł nagły cios w serce i tępy ból rozszedł się po całym jego ciele.

Wiedział, że stoi nad grobem matki.

- Jak umarła?
- Jej serce stanęło. Tak to się zwykle odbywa.

Hoyt zacisnął pięści.

– Jak możesz być tak zimny, nawet tu, nawet teraz?

– Niektórzy mówili, że przestało bić z żalu. Może tak było. On odszedł pierwszy. – Cian wskazał na drugi kamień. – Gorączka zabrała go około równonocy, jesienią tego roku, gdy ja... odszedłem. Ona poszła w jego ślady trzy lata później.

– Nasze siostry?

– Tam, wszystkie są tam. – Cian pokazał grupę kamieni. – I pokolenia, które przyszły po nich, w każdym razie ci, co zostali w Clare. Nadszedł głód i zdziesiątkował kraj. Ludzie umierali jak muchy lub uciekali do Ameryki, Australii, Anglii, dokądkolwiek, byle dalej stąd. Irlandię opanowały cierpienie, ból, plagi, grabieże. Śmierć.

– Nola?

Cian milczał przez chwilę, po czym mówił dalej przesadnie beztroskim tonem:

– Dożyła sześćdziesiątki, miała dobre, długie życie jak na tamte czasy. Urodziła piątkę dzieci. A może szóstkę.

– Czy była szczęśliwa?

– A skąd mogę wiedzieć? – odparł zniecierpliwiony. – Nigdy więcej z nią nie rozmawiałem. Nie byłem mile widziany w domu, który teraz należy do mnie. Bo i dlaczego miałbym być?

– Powiedziała, że wrócę.

– Cóż, wróciłeś, prawda?

Teraz krew Hoyta była chłodna, niemal lodowata.

– Nie ma tu grobu dla mnie. Czy jeśli wrócę, to będzie? Czy to, co tu jest, ulegnie zmianie?

– Paradoks. Kto to wie? W każdym razie mówiło się, że zniknąłeś. Zależy od wersji. W tych stronach stałeś się czymś w rodzaju legendy. Hoyt z Clare – chociaż Kerry też chętnie sobie ciebie przywłaszcza. Pieśń i legenda o tobie nie dorównują tym o bogach czy nawet tej o Merlinie, ale wspominają cię niektóre przewodniki. Pamiętasz kamienny krąg na północy, ten, przez który przeszedłeś? Teraz to miejsce nazywa się Taniec Hoyta.

Hoyt nie wiedział, czy powinno mu to pochlebiać, czy wprawiać w zakłopotanie.

– To Taniec Bogów i był tam na długo przede mną.

– Tyle, jeśli chodzi o prawdę, zwłaszcza gdy fantazja ma więcej uroku. Ten klif, z którego zepchnąłeś mnie do morza? Mówi się, że leżysz tam, głęboko pod skałami, strzeżony przez elfy, pod ziemią, na której stałeś, wzywając błyskawice i wiatr.

– Głupoty.

– I zabawny powód do sławy.

Przez chwilę trwali w milczeniu, dwaj mężczyźni podobni do siebie jak dwie krople wody, w mokrym od deszczu świecie umarłych.

– Gdybym pojechał z tobą tamtej nocy, jak mnie prosiłeś, wstąpił z tobą do karczmy w wiosce na piwo i dziewczyny... – Hoytowi zaschło w gardle od tego wspomnienia. – Ale myślałem tylko o pracy i nie chciałem żadnego towarzystwa. Nawet twojego. Wystarczyłoby, żebym pojechał, a to wszystko by się nie wydarzyło.

Cian przygładził mokre włosy.

– Wiele na siebie bierzesz, prawda? Zresztą zawsze tak robiłeś. Gdybyś poszedł, zapewne dopadłaby nas obydwu – i wtedy, masz rację, to wszystko by się nie wydarzyło. – Wyraz twarzy brata sprawił, że Ciana na nowo ogarnęła złość. – Czy ja cię proszę, żebyś miał poczucie winy? Nie byłeś moim opiekunem, ani wtedy, ani teraz. Stoję tu tak samo, jak stałem wieki temu i – o ile nie będę miał pecha i dając ci się wciągnąć w tę aferę jak skończony idiota, nie zarobię kołka w serce – będę stał przez następne setki lat. A ty, Hoyt, będziesz pożywieniem dla robaków. Więc do którego z nas uśmiechnęło się przeznaczenie?

– Na co mi moja moc, skoro nie potrafię zmienić tej jednej nocy, tej jednej chwili? Pojechałbym z tobą. Umarłbym dla ciebie.

Cian szarpnął głową, w oczach miał tę samą wściekłość, która błyszczała w nich podczas bijatyki.

– Nie obciążaj mnie ani swoją śmiercią, ani swoim żalem.

Ale w głosie Hoyta nie było złości.

– A ty umarłbyś dla mnie. Dla każdego z nich. – Rozpostarł ramiona nad grobami.

– Kiedyś.

– Jesteś połową mnie i nic ani nikt tego nie zmieni. Wiesz to tak samo dobrze jak ja.

– Nie mogę egzystować w tym świecie z takimi uczuciami. – Głos i twarz Ciana były pełne emocji. – Nie mogę użalać się nad tym, czym jestem, ani nad tobą. Ani nad nimi. I niech cię szlag trafi, że mi o nich przypominasz.

– Kocham cię. To się nigdy nie zmieni.

– To, co kochasz, odeszło.

Nie, pomyślał Hoyt, właśnie patrzą na to, co kochał. Widział róże, które jego brat posadził na grobie matki.

– Stoisz tu ze mną pośród duchów naszych przodków. Wcale tak bardzo się nie zmieniłeś, inaczej nie byłoby cię tutaj. – Dotknął płatków róż. – Nie zrobiłbyś tego.

Oczy Ciana wypełniło cierpienie.

– Patrzyłem na śmierć niezliczonych tysięcy. Z powodu wieku i chorób, morderstw i wojen. Ale nie widziałem, jak oni umierali, i tylko tyle mogłem dla nich zrobić.

Hoyt odsunął rękę, a płatki róży rozsypały się po grobie matki.

– To wystarczy.

Cian popatrzył na dłoń, którą wyciągnął do niego Hoyt, i ciężko, głęboko westchnął.

– No dobra, w takim razie niech nas obu trafi szlag – powiedział i uścisnął rękę brata. – Jesteśmy poza domem już wystarczająco długo, nie ma sensu kusić losu. I muszę się położyć.

Ruszyli w powrotną drogę.

– Brakuje ci słońca? – zapytał Hoyt. – Spacerów w jego promieniach, ciepła na twarzy.

– Lekarze odkryli, że powoduje raka skóry.

– Hm. – Hoyt myślał przez chwilę. – Mimo wszystko ciepło słońca w letni poranek...

– Nie zastanawiam się nad tym. Lubię noc.

Może to nie jest najlepsza chwila, żeby poprosić Ciana o krew, zdecydował Hoyt.

– Na czym polegają te twoje interesy? I co robisz w wolnym czasie? Czy ty...

– Robię, na co mam ochotę. Lubię pracować, to przynosi mi satysfakcję. I dodaje uroku grze. Nie da się nadgonić kilku wieków podczas jednego spaceru w deszczowy poranek, nawet gdybym miał ochotę cokolwiek ci tłumaczyć. – Cian oparł miecz na ramieniu. – I tak najprawdopodobniej właśnie w tym wieku spotka cię śmierć, więc oszczędź mi pytań.

– Jestem zrobiony z twardszej gliny, niż myślisz – powiedział Hoyt wesoło – co już udowodniłem, tłukąc cię na kwaśne jabłko. Masz uroczego siniaka na szczęce.

– Zniknie szybciej niż twój, chyba że wiedźma znowu zainterweniuje. I tak starałem się być ostrożny.

– Gadanie.

Cienie, które zawsze go opadały, gdy odwiedzał cmentarz, zaczęły znikać.

– Gdybym cię nie oszczędzał, kopalibyśmy tam teraz dla ciebie grób.

– No to spróbujmy jeszcze raz.

Cian spojrzał na Hoyta z ukosa. Powoli zaczynały wracać miłe wspomnienia, które tak długo od siebie odpychał.

– Innym razem. A kiedy już z tobą skończę, nie dasz rady bzykać rudzielca.

Hoyt wyszczerzył zęby w uśmiechu.

– Tęskniłem za tobą.

Cian patrzył wprost przed siebie na wyłaniający się spomiędzy drzew dom.

– Pieprzony problem w tym, że ja też za tobą tęskniłem.

14

Glenna trzymała straż w oknie wieży z kuszą gotową do strzału. Zdawała sobie sprawę, że miała bardzo małe doświadczenie z tego rodzaju bronią, i nie była wcale pewna, czy da radę trafić do celu.

Jednak nie mogła siedzieć z założonymi rękami jak bezbronna dziewica. Nie musiałaby się martwić, gdyby wyszło to cholerne słońce. A gdyby, pomyślała ze złością, chłopcy McKenna nie poszli sobie na spacer – najwidoczniej, żeby powarczeć na siebie na osobności – nie widziałaby oczyma duszy, jak paczka wampirów rozrywa ich na strzępy.

Paczka? Stado? Gang?

A cóż to za różnica? Miały kły i były bezczelne.

Dokąd oni poszli? I dlaczego byli na zewnątrz tak długo, odsłonięci i bezbronni?

Może paczka/gang/stado już rozerwało ich na strzępy i zaciągnęło zmasakrowane ciała do... Och, Boże, tak bardzo chciałaby wyłączyć to cholerne wideo w głowie choć na pięć minut.

Większość kobiet martwiła się, że ich facet padnie ofiarą napadu lub przejedzie go autobus, ale nie, ona musiała związać się z mężczyzną, któremu zagrażały demony-krwiopijcy.

Dlaczego nie zakochała się w miłym księgowym albo maklerze?

Zastanawiała się, czy nie poszukać ich w kryształowej kuli, ale doszła do wniosku, że to byłoby niegrzeczne z jej strony.

Jednak jeśli nie wrócą za dziesięć minut, zamierzała chrzanić maniery i ich odnaleźć.

Nie zdawała sobie do końca sprawy, jaka burza uczuć musiała szaleć w myślach Hoyta, za czym tęsknił i co ryzykował. Więcej niż oni wszyscy. Ona była tysiące mil od swojej rodziny, ale nie setki lat. On zaś mieszkał w domu, w którym dorastał, tylko że teraz nie było tu już dla niego miejsca i każdy dzień, każda godzina, boleśnie mu o tym przypominały.

Odtworzenie herbarium matki sprawiło mu ból. O tym także powinna była pomyśleć, powinna trzymać buzię na kłódkę, zrobić listę i sama znaleźć potrzebne jej rośliny.

Spojrzała przez ramię na zioła, które powiązała już w pęczki i powiesiła, by wyschły. Drobiazgi, zwykłe przedmioty zawsze sprawiają największy ból.

Teraz był gdzieś tam, na deszczu, ze swoim bratem wampirem. Nie sądziła, żeby Cian mógł zaatakować Hoyta – albo nie chciała w to wierzyć – ale jeśli Cian będzie wystarczająco wściekły, jeśli dojdzie do granic wytrzymałości, to czy zdoła poskromić naturalny instynkt?

Glenna nie znała odpowiedzi.

Na dokładkę nikt nie mógł być pewien, ilu wysłanników Lilith czaiło się wokół domu w oczekiwaniu na następną szansę.

Pewnie jest głupia, że tak się martwi. Obaj władali potężną mocą i znali okolicę. Żaden z nich nie polegał tylko na mieczu i szpadzie. Hoyt wziął broń i miał na szyi krzyż, więc na pewno nie był bezbronny.

A spacerując swobodnie po ogrodzie, udowadniali, że nie są więźniami w tym domu.

Nikt inny specjalnie się nie przejmował. Moira wróciła do biblioteki, żeby czytać, a Larkin z Kingiem robili spis broni. Tylko Glenna denerwowała się bez powodu.

Gdzie oni, do diabła, są?

Przeczesała wzrokiem okolicę i zauważyła jakiś ruch, niewyraźny cień w półmroku. Podniosła kuszę i rozkazując palcom, by przestały drżeć, złożyła się do strzału.

– Oddychaj – powiedziała do siebie. – Oddychaj powoli. Wdech, wydech, wdech, wydech.

Wydech zamienił się w westchnienie ulgi, gdy zobaczyła Ciana i Hoyta. Szli powoli, przemoczeni do suchej nitki, jakby mieli cały czas pod słońcem i żadnych zmartwień.

Gdy podeszli bliżej, Glenna zmarszczyła brwi. Czy na koszuli Hoyta widzi krew i nowy siniak pod prawym okiem?

Wychyliła się i uderzyła w kamienny parapet, a strzała wyskoczyła z kuszy ze śmiertelnym świstem. Glenna pisnęła. Później nie mogła sobie tego wybaczyć, ale ten czysto kobiecy dźwięk przerażenia wyrwał się z jej ust, gdy strzała przecięła wilgotne powietrze.

I wylądowała zaledwie parę centymetrów od czubka buta Hoyta.

Bracia błyskawicznie wyciągnęli miecze i stanęli do siebie plecami. W innych okolicznościach podziwiałaby ich grację i synchronizację jak w tańcu, ale w tej chwili była śmiertelnie przerażona.

– Przepraszam! Przepraszam! – Wychyliła się jeszcze bardziej, machając ręką jak szalona. – To ja! To ja strzeliłam. Ja tylko... – Och, do diabła z tym. – Już schodzę.

Rzuciła kuszę, przysięgając sobie, że poćwiczy pełną godzinę, zanim ponownie wymierzy do czegoś poza tarczą. Zanim popędziła na dół, usłyszała męski śmiech i zobaczyła przez okno, że to rechotał zgięty wpół Cian. Hoyt stał bez ruchu i wpatrywał się w okno.

Przeskoczyła barierkę schodów i zobaczyła Larkina w drzwiach sali ćwiczeń.

– Kłopoty?

– Nie, nie, wszystko w porządku. Nic się nie stało. – Poczuła, że zalewa się rumieńcem, i pobiegła na parter.

Bracia stali już w drzwiach, otrząsając się jak mokre psiaki.

– Przepraszam. Tak bardzo przepraszam.

– Przypomnij mi, żebym nigdy cię nie wkurzał, Ruda – powiedział Cian wesoło. – Wycelujesz w serce, a trafisz w jaja.

– Pilnowałam, żeby nic wam się nie stało, i musiałam niechcący zwolnić cięciwę. Nie doszłoby do tego, gdybyście nie zniknęli na tak długo. Okropnie się martwiłam.

– To właśnie kocham w kobietach. – Cian klepnął brata w ramię. – Niemal cię zabiją, ale koniec końców to i tak twoja wina. Powodzenia. Ja idę spać.

– Muszę obejrzeć twoje oparzenia.

– Zrzędu, zrzędu.

– Co się stało? Ktoś was napadł? Masz krew na ustach... i ty też. – Zwróciła się do Hoyta. – A ty znowu masz podbite oko.

– Nie, nie zostaliśmy zaatakowani – odparł poirytowany. – W każdym razie dopóki niemal nie przestrzeliłaś mi stopy.

– Macie poharatane twarze, brudne i podarte ubrania. Jeśli nie zostaliście... – Zobaczyła ich miny i wreszcie to do niej dotarło. W końcu sama miała brata. – Pobiliście się? Jeden urządził tak drugiego?

– On uderzył mnie pierwszy.

Posłała Cianowi spojrzenie, które zmiażdżyłoby kamień.

– Cóż, to doskonale, prawda? Czy nie przechodziliśmy wczoraj przez to wszystko? Nie mówiliśmy, jak wiele tracimy czasu i sił, walcząc ze sobą nawzajem?

– Chyba pójdziemy spać bez kolacji.

– Nie bądź takim mądralą. – Stuknęła Ciana palcem w pierś. – Ja tu umieram z niepokoju, a wy tarzacie się po trawie jak zidiociałe szczeniaki.

– Mało brakowało, a wbiłabyś mi strzałę w stopę – przypomniał jej Hoyt.

– Chyba jesteśmy kwita, jeśli chodzi o popełnianie głupot na dzień dzisiejszy.

Glenna aż sapnęła.

– Do kuchni, obaj. Zrobię coś z tymi siniakami i ranami. Znowu.

– Chcę pójść do łóżka... – zaczął Cian.

– Obaj. Nie próbujcie w tej chwili ze mną zadzierać.

Odmaszerowała, a Cian potarł lekko skaleczoną wargę.

– Trochę wody upłynęło w rzece, ale nie przypominam sobie, żebyś miał szczególną słabość do apodyktycznych kobiet.

– Kiedyś nie miałem. Ale rozumiem je wystarczająco dobrze, żeby wiedzieć, że tym razem powinniśmy jej ustąpić. I szczerze mówiąc, boli mnie oko.

Gdy weszli do kuchni, Glenna z podwiniętymi rękawami rozstawiała swoje specyfiki na stole, a w czajniku wrzała woda.

– Chcesz krwi? – zapytała Ciana tak lodowato, że musiał odchrząknąć. Zdumiało go to, ale poczuł smutek. Nie odczuwał niczego podobnego od... zbyt dawna, by mógł sobie przypomnieć. Najwidoczniej obcowanie z ludźmi miało na niego zły wpływ.

– Wystarczy mi herbata, dziękuję.

– Zdejmij koszulę.

Glenna widziała, że miał już na końcu języka jakąś ciętą ripostę, ale okazał się na tyle rozsądny, by milczeć.

Posłusznie zdjął koszulę i usiadł.

– Zapomniałem o oparzeniach – powiedział Hoyt. Blizny zniknęły, w ich miejscu pozostały jedynie nikłe, czerwone ślady. – Gdybym pamiętał – ciągnął, siadając naprzeciwko Ciana – dostałbyś więcej ciosów w pierś.

– Typowe – mruknęła Glenna pod nosem i została zignorowana.

– Ale walczysz inaczej niż kiedyś. Teraz częściej używasz stóp i kolan.
– Hoyt wciąż czuł ich bolesne uderzenia. – I padasz na ziemię.

– Sztuki walki. Mam w kilku czarny pas. Stopień mistrzowski – wyjaśnił, widząc zdziwioną minę brata. – Musisz trochę potrenować.

Hoyt potarł obolałe żebra.

– Oj, muszę.

Czyż nie stali się nagle najlepszymi kumplami? pomyślała Glenna. Co takiego jest w mężczyznach, że kochają się jak bracia zaraz po tym, gdy rozkwasili sobie nawzajem twarze?

Nalała wrzątku do imbryka i podeszła do stołu.

– Wziąwszy pod uwagę skalę poparzeń, powiedziałabym, że z moimi umiejętnościami uleczenie ich zabrałoby mi trzy tygodnie. – Usiadła i wzięła do ręki balsam z szałwii. – Teraz daję sobie jakieś trzy dni.

– Można nas zranić i to nawet bardzo, ale o ile cios nie jest śmiertelny, większość ran błyskawicznie się goi.

– No to masz szczęście, zwłaszcza że do poparzeń dołożyłeś rozległy pejzaż siniaków. Ale nie regenerujecie się – ciągnęła, nakładając balsam. – Gdybym odcięła ci rękę, nie odrosłaby.

– To makabryczny i interesujący pomysł. Nie, nigdy nie słyszałem, żeby coś takiego się stało.

– W takim razie, jeśli nie będziemy mogli dosięgnąć serca ani głowy, możemy im obciąć jakąś kończynę.

Podeszła do zlewu, żeby umyć ręce i przygotować paczki lodu na siniaki.

– Proszę. – Podała jedną Hoytowi. – Połóż to na oko.

Powąchał torebkę.

– Nie powinnaś była się martwić – powiedział.

Cian się skrzywił.

– Zły ruch. Lepiej było powiedzieć: ach, kochanie, przepraszam, że przysporzyliśmy ci zmartwień. Byliśmy samolubni i nierozsądni, powinno się nas za to wychłostać. Mam nadzieję, że nam wybaczysz. I mów z trochę silniejszym akcentem, kobiety uwielbiają obcy akcent.

– A potem chyba powinienem ucałować jej stopy.

– Najlepiej to celować w tyłek. Całowanie tyłków jest tradycją, która nigdy nie wyszła z mody. Musisz wykazać się cierpliwością, Glenna, Hoyt ciągle się uczy.

Przyniosła imbryk do stołu i zaskoczyła obu, kładąc dłoń na policzku Ciana.

– I rozumiem, że to ty go nauczysz, jak sobie radzić ze współczesnymi kobietami?

– Cóż, trochę mi go żal, to wszystko.

Glenna uśmiechnęła się, pochyliła i musnęła wargami usta Ciana.

– Wybaczam ci. Napij się herbaty.

– Tak po prostu? – poskarżył się Hoyt. – Poklepiesz go po policzku i jeszcze dasz całusa? To nie jego stopę chciałaś przebić strzałą!

– Kobiety są niewyjaśnioną tajemnicą – oświadczył Cian cicho. – I jednym z cudów świata. Zabiorę herbatę na górę. – Wstał. – Muszę się przebrać w suche ubranie.

– Wypij wszystko – poleciła Glenna, nie odwracając się od blatu, gdzie przygotowywała następną miksturę. – Pomoże ci.

– W takim razie wypiję. Daj mi znać, jeśli on nie będzie się uczył wystarczająco szybko, by zaspokoić twoje wymagania. Nie miałbym nic przeciwko zajęciu jego miejsca.

– On już taki jest – powiedział Hoyt, gdy Cian wyszedł. – Rodzaj flirtu.

– Wiem. A zatem podczas bójki znowu staliście się przyjaciółmi.

– Powiedział prawdę, to ja uderzyłem go pierwszy. Mówiłem mu o matce i jej ogrodzie, a on był taki zimny. Pomimo że widziałem, co kryje się pod tym chłodem, ja... cóż, uderzyłem go i... potem zaprowadził mnie do grobów naszej rodziny. I tak to się stało.

Glenna popatrzyła na niego ze współczuciem.

– Obu wam musiało być ciężko nad tymi grobami.

– Teraz to takie realne, ja tu siedzę, a oni odeszli. Wcześniej nie zdawałem sobie z tego do końca sprawy.

Podeszła do niego i delikatnie wtarła mu miksturę w siniaki na twarzy.

– A on żył przez te wszystkie lata bez żadnej rodziny. Kolejne okrucieństwo, które go spotkało. Ich wszystkich zresztą. Nie myślimy o tym, gdy mówimy o wojnie, tylko zastanawiamy się, jak je zniszczyć. One też kiedyś były ludźmi, tak jak Cian.

– One chcą nas zabić, Glenna. Każdego, w kim bije serce.

– Wiem, wiem. Coś wyssało z nich człowieczeństwo. Ale kiedyś były ludźmi, Hoyt, miały rodziny, kochanków i nadzieje. Nie pamiętamy o tym. Może nam nie wolno.

Odgarnęła mu włosy z czoła. Miły księgowy, pomyślała znowu. Makler giełdowy. Jakie to niedorzeczne, jakie zwyczajne. Przed sobą miała najcudowniejszego mężczyznę na świecie.

– Myślę, że los zesłał nam Ciana, abyśmy zrozumieli, że to, co robimy, jest na tyle ważne, abyśmy byli gotowi ponieść wszelkie koszty. – Odstąpiła krok w tył. – Nic więcej nie mogę zrobić. Spróbuj już nie nadziewać się twarzą na pięści.

Chciała się odwrócić, ale Hoyt złapał ją za rękę, wstał i przyciągnął do siebie. Dotknął ustami jej warg z niewyobrażalną czułością.

– Myślę, że los zesłał cię tutaj, Glenno, żebym pamiętał, że na świecie istnieje coś więcej niż tylko śmierć, krew i przemoc. Jest w nim też piękno i dobro i ja je mam. – Objął ją czule. – Mam je tutaj.

Pozwoliła sobie na chwilę zapomnienia, położyła mu głowę na ramieniu. Chciała zapytać, co im zostanie, gdy to wszystko się skończy, ale wiedziała, że muszą przyjmować każdy dzień po kolei.

– Powinniśmy wziąć się do pracy. – Odsunęła się od niego. – Mam kilka pomysłów, jak stworzyć strefę ochronną wokół domu, w obrębie której moglibyśmy swobodnie się poruszać. I myślę, że Larkin miał rację, mówiąc o zwiadowcach. Gdybyśmy mogli dostać się do jaskini w ciągu dnia, może coś byśmy odkryli lub nawet zastawili pułapkę.

– Dużo myślałaś.

– Musiałam. Kiedy myślę i działam, to tak się nie boję.

– W takim razie do pracy.

– Jak już zaczniemy, to Moira będzie mogła nam pomóc – dodała Glenna, gdy wychodzili z kuchni. – Czyta wszystko, co wpadnie jej w ręce, więc może być naszym głównym źródłem informacji. Poza tym ma pewną moc. Niewielką i niewyćwiczoną, ale zawsze.

Podczas gdy Glenna i Hoyt pracowali w wieży, a w domu panowała cisza, Moira wertowała w bibliotece księgę o demonach. To fascynujące, pomyślała, tak wiele różnych teorii i legend. Postawiła sobie za zadanie wydobyć z nich prawdę.

Doszła do wniosku, że Cian by wiedział. Setki lat egzystencji to mnóstwo czasu na naukę, a ktoś, kto zapełnił taki pokój książkami, musiał poszukiwać wiedzy i ją szanować. Ale nie była gotowa, żeby go zapytać – i wątpiła, czy kiedykolwiek będzie.

Jeśli nie jest taki, jak potwory, o których czytała, noc w noc poszukujące ludzkiej krwi, spragnione nie tylko jej, ale i samego mordu, to kim jest?

Musiała dowiedzieć się więcej o ich wrogach, o Cianie, o wszystkich innych. Jak można rozumieć, a potem ufać temu, czego się nie zna?

Robiła notatki na papierze, który znalazła w jednej z szuflad wielkiego biurka. Moira była zachwycona kartkami i przyrządem do pisania. Piórem, poprawiła się, z atramentem w środku. Zastanawiała się, czy mogłaby przeszmuglować do Geallii trochę artykułów piśmiennych.

Zamknęła oczy. Tęskniła za domem i ta tęsknota nie opuszczała jej ani na chwilę, jak ból ćmiącego zęba. Zapisała ostatnie życzenie i ukryła w zapieczętowanej kopercie wśród swoich rzeczy, żeby Larkin je znalazł, jeśli ona umrze.

Jeśli zginie po tej stronie, chciała, żeby jej ciało zabrano z powrotem do Geallii i tam pochowano.

Zapisywała myśli, które krążyły jej po głowie. Zwłaszcza jedna wciąż do niej wracała, nie dając spokoju. Będzie musiała zapytać Glennę, czy to możliwe – i pozostałych, czy wyrażą zgodę.

Czy istniał sposób, żeby zapieczętować portal, zamknąć drogę do Geallii na zawsze?

Z westchnieniem popatrzyła w okno. Czy w Geallii też teraz padało, czy grób jej matki rozjaśniały promienie słońca?

Usłyszała zbliżające się kroki i przesunęła palcami po rękojeści miecza, ale opuściła dłoń, gdy do biblioteki wszedł King. Z niewytłumaczalnych powodów czuła się w jego towarzystwie swobodniej niż wobec innych.

– Masz coś przeciwko krzesłom, Mała?

Usta Moiry drgnęły. Podobał jej się sposób, w jaki mówił, słowa wytaczały się z niego jak kamienie po skalistym wzgórzu.

– Nie, ale lubię siedzieć na podłodze. Pora na trening?

– Mam przerwę. – Usiadł w szerokim fotelu, wielki kubek z kawą oparł na kolanie. – Larkin może jechać przez cały dzień, teraz ćwiczy na górze jakieś kata.

– Lubię kata. Przypomina taniec.

– Tylko upewnij się, że prowadzisz, jeśli twoim partnerem jest wampir. Bezmyślnie obróciła stronę książki.

– Hoyt i Cian walczyli ze sobą.

King łyknął kawy.

– Och, tak? Kto wygrał?

– Myślę, że nikt. Widziałam, jak wracali, i sądząc po wyglądzie ich twarzy i kuśtykaniu, walka skończyła się remisem.

– Skąd wiesz, że się bili? Może zostali zaatakowani.

– Nie. – Przesunęła palcami po literach. – Słyszę różne rzeczy.

– Masz wielkie uszy, Mała.

– Moja matka też tak zawsze mówiła. Zawarli pokój – Hoyt i jego brat.

– O jeden problem mniej, jeśli ten rozejm przetrwa. – King doszedł do wniosku, że jeśli wziąć pod uwagę charaktery obu braci, sporo czasu upłynie, zanim nastąpi całkowite zawieszenie broni. – I co chcesz znaleźć w tych książkach?

– Wszystko. Wcześniej czy później. Wiesz, w jaki sposób powstał pierwszy wampir? W książkach są różne wersje.

– Nigdy o tym nie myślałem.

– A ja tak. Jedna z wersji przypomina historię miłosną. Dawno temu, gdy świat był młody, ród demonów wymierał. Przedtem było ich więcej, setki chodziły po ziemi, ale człowiek stawał się coraz silniejszy i mądrzejszy, i czas demonów dobiegał końca.

Ponieważ King lubił opowieści, usiadł wygodniej w fotelu.

– Rodzaj ewolucji.

– Tak. Wiele demonów ukryło się pod ziemią, by tam przeczekać lub spać. Wtedy było więcej magii, bo ludzie nie odwracali się od niej jak dzisiaj. Człowiek i wróżki zawarli sojusz, by wypowiedzieć wojnę demonom i raz na zawsze zepchnąć je do podziemia. Jeden z nich, który został otruty, umierał powolną śmiercią. Pokochał kobietę, a to było zabronione nawet w świecie demonów.

– Więc człowiek nie ma monopolu na fanatyzm. Mów dalej – zachęcił, gdy zamilkła.

– Umierający demon porwał kobietę z jej domu. Miał obsesję na jej punkcie i jego ostatnim życzeniem było obcować z nią przed śmiercią.

– Nie różnił się tak bardzo od dzisiejszych mężczyzn.

– Chyba wszystkie żywe stworzenia pragną miłości i przyjemności. Poza tym akt fizyczny symbolizuje życie.

– A faceci chcą sobie pobzykać.

Zgubiła wątek.

– Po-co?

Prawie parsknął kawą, zakrztusił się, aż w końcu ryknął śmiechem, machając ręką w stronę Moiry.

– Nie zwracaj na mnie uwagi. Dokończ opowieść.

– Ach... Zabrał ją do głębokiego lasu i zrobił to, czego pragnął, a ona, jak zaklęta, łaknęła jego dotyku. Chcąc ocalić mu życie, zaoferowała swoją krew, więc ją ukąsił, a ona w zamian wypiła jego krew. Umarli razem, ale ona nie przestała istnieć. Stała się monstrum, które nazywamy wampirem.

– A wszystko z miłości.

– Tak, chyba tak. Z zemsty zaczęła polować na wszystkich mężczyzn, karmić się ich krwią, przemieniać ich w bestie, aby stworzyć więcej przedstawicieli swego gatunku. Jednak wciąż nosiła żałobę po swym kochanku-demonie i pewnego dnia uśmierciło ją światło słoneczne.

– Prawie przebija „Romeo i Julię", co?

– To sztuka. Widziałam tu książkę na półce, ale jeszcze jej nie czytałam.

Przeczytanie wszystkich książek w tym pokoju zajęłoby całe lata, pomyślała, bawiąc się warkoczem.

– Ale przeczytałam też inną opowieść o powstaniu wampirów. O demonie, oszalałym i chorym od zaklęcia potężniejszego niż on sam, spragnionym ludzkiej krwi. Karmił się nią, a im więcej wypił, tym bardziej stawał się szalony. Umarł po tym, jak jego krew zmieszała się z krwią śmiertelnika, który stał się wówczas wampirem. Pierwszym z gatunku.

– Pewnie wolisz tamtą wersję.

– Nie. Wolę prawdę i myślę, że ta druga jest jej bliższa. Jaka śmiertelna kobieta mogłaby pokochać demona?

– Żyłaś pod kloszem w swoim świecie, co? W miejscu, z którego pochodzę, ludzie bardzo często kochają potwory – albo tych, których inni uznają za potwory. W miłości nie ma logiki, Mała. Tak już jest.

Wzruszyła ramionami i odrzuciła warkocz na plecy.

– Cóż, jeśli ja się zakocham, to na pewno nie tak głupio.

– Mam nadzieję, że będę przy tobie na tyle długo, żeby ci przypomnieć te słowa.

Moira zamknęła książkę i podkuliła nogi.

– Kochasz kogoś?

– Kobietę? Parę razy byłem blisko i dlatego wiem, że jeszcze nie trafiłem w dziesiątkę.

– Skąd to wiesz?

– Kiedy trafisz, Mała, to odpadasz z gry. Ale samo strzelanie jest niezłą zabawą. Trzeba wyjątkowej kobiety, żeby zobaczyła więcej niż to. – Popukał się palcem w policzek.

– Podoba mi się twoja twarz. Jest taka duża i ciemna.

Roześmiał się tak serdecznie, że prawie rozlał kawę.

– Tu masz rację.

– I jesteś silny. Ładnie mówisz i umiesz gotować. Jesteś lojalny wobec przyjaciół.

Twarde rysy zmiękły.

– Aplikujesz na posadę miłości mojego życia?

Uśmiechnęła się wesoło.

– Chyba nie jestem twoją dziesiątką. Jeśli mam zostać królową, muszę kiedyś wyjść za mąż i urodzić dzieci. Mam nadzieję, że nie będzie to dla mnie tylko obowiązek, że odnajdę to, co moja matka znalazła u mojego ojca. Chciałabym, żeby mój wybrany był silny i lojalny.

– I przystojny.

Wzruszyła ramionami, bo na to także miała nadzieję.

– Czy teraz kobiety patrzą tylko na urodę?

– Nie wiem, ale uroda nie przeszkadza. Na przykład taki koleś jak Cian musi opędzać się od kobiet kijami.

– To dlaczego jest taki samotny?

Popatrzył na nią znad krawędzi kubka.

– Dobre pytanie.

– W jaki sposób go poznałeś?

– Uratował mi życie.

Moira otoczyła kolana ramionami i usiadła wygodniej. Uwielbiała ciekawe historie.

– Jak?

– Znalazłem się w niewłaściwym miejscu o niewłaściwym czasie. Złe sąsiedztwo we wschodnim LA. – Wypił trochę kawy i wzruszył ramionami. – Widzisz, mój staruszek zwiał przed moim urodzeniem, a stara cierpiała na coś, co nazywamy problemem z nielegalnymi substancjami. Przedawkowała. Wzięła za dużo jakiegoś gówna.

– Umarła. – Moira współczuła mu każdą komórką ciała. – Tak mi przykro.

– Miała pecha i dokonywała złych wyborów. Musisz wiedzieć, że niektórzy ludzie przychodzą na ten świat z postanowieniem, że spieprzą sobie życie. Ona była jedną z takich osób, więc ja żyłem sobie na ulicy, robiąc, co mogłem, żeby przetrwać i nie wpaść w łapy systemu. Pewnego razu idę sobie przekimać w jedno miejsce, jest ciemno i upał jak diabli.

– Nie miałeś domu.

– Miałem ulicę. Na rogu stoi kilku gości, pewnie czekają, żeby kogoś oskubać. Strugam twardziela, bo muszę przejść koło nich, żeby dotrzeć tam, gdzie chcę. Podjeżdża samochód i ze środka zaczynają strzelać do tamtych. Jestem w pułapce. Kula trafia mnie w głowę, potem jeszcze jedna i wiem, że nie żyję. Ktoś mnie łapie i dokądś ciągnie. Mam mgłę przed oczami, ale czuję się, jakbym fruwał. A potem obudziłem się gdzie indziej.

– Gdzie?

– W superpokoju hotelowym. Nigdy nie widziałem nic takiego na żywo, tylko w kinie. – Skrzyżował nogi w kostkach. – Ogromne łóżko, z dziesięć osób by się zmieściło, i ja w nim leżę. Łeb mi pęka, więc wiem, że nie umarłem i to nie raj. On wychodzi z łazienki. Jest bez koszuli i ma świeży bandaż na ramieniu. Postrzelili go, gdy wyciągał mnie spod kul.

– I co zrobiłeś?

– Nic, chyba byłem w szoku. On siada i przygląda mi się, jakbym był pieprzonym eksponatem za szkłem. „Jesteś szczęściarzem – mówi z tym swoim akcentem – i głupcem". Myślę sobie, że pewnie jest gwiazdą rocka czy kimś w tym stylu. Jego wygląd, to, jak mówi, elegancki pokój. Tak naprawdę pomyślałem, że jest zbokiem i że będzie chciał mnie... powiedzmy, że bałem się jak diabli. Miałem osiem lat.

– Byłeś dzieckiem? – Moira otworzyła szeroko oczy. – Byłeś taki mały?

– Miałem osiem lat – powtórzył. – Tam, gdzie dorastałem, szybko przestajesz być dzieckiem. On mnie pyta, co ja tam, do diabła, robiłem, a ja mu wciskam kit. Pyta mnie, czy jestem głodny, a ja odszczekuję coś w stylu, że nie będę... wykonywał żadnych seksualnych usług za pieprzony posiłek. Wtedy on zamawia stek, butelkę wina i oranżadę i mówi, że nie interesują go chłopcy. Jeśli jest jakieś miejsce, w którym wolałbym teraz być, to mogę tam pójść. Jeżeli nie, to powinienem zaczekać na stek.

– Poczekałeś na stek.

– Pieprzone bingo. – Puścił do niej oko. – I taki był początek. Dał mi jedzenie i wybór. Mogłem wracać tam, skąd przyszedłem – nie jego zmartwienie – albo mogłem dla niego pracować. Wziąłem tę robotę. Nie wiedziałem, że miał na myśli szkołę. Dał mi ubrania, edukację i szacunek dla samego siebie.

– Powiedział ci, kim jest?

– Nie wtedy, ale niedługo później. Wiedziałem, że był szurnięty, to mi nie przeszkadzało, a zanim zorientowałem się, że mówi prawdę, najszczerszą prawdę, zrobiłbym już dla niego wszystko. Facet, którym miałem być, umarł tamtej nocy na ulicy. On mnie nie przemienił – powiedział King cicho – tylko odmienił.

– Dlaczego? Pytałeś go kiedykolwiek, dlaczego to zrobił?

– Tak, ale to on powinien odpowiedzieć ci na to pytanie.

Skinęła głową. Ta opowieść i tak dała jej wystarczająco dużo do myślenia.

– Koniec przerwy – ogłosił. – Możemy poćwiczyć z godzinkę. Musisz utwardzić tę swoją chudą dupkę.

Moira błysnęła zębami w uśmiechu.

– Albo moglibyśmy potrenować z łukiem. Może wreszcie udałoby ci się trafić do celu.

– Chodź, mądralo. – Zmarszczył brwi i popatrzył w stronę korytarza. – Słyszałaś?

– Coś jak pukanie? – Wzruszyła ramionami i ponieważ zatrzymała się, żeby ułożyć książki, wyszła z biblioteki kilka kroków za nim.

Glenna zbiegła ze schodów. Nie zrobili dużych postępów, ale na razie mogła zostawić Hoyta samego. Ktoś się musiał zająć kolacją, a ona sama umieściła swoje imię na liście. Mogłaby wstawić kurczaka w marynatę i jeszcze na godzinkę wrócić na górę.

Dobry posiłek będzie niezłym początkiem wieczornego zebrania.

Podskoczy tylko do biblioteki i oderwie Moirę od książek na małą lekcję gotowania. Może to szowinistyczne z jej strony, że na drugiej pozycji na liście kucharzy zapisała jedyną kobietę poza sobą, jednak musiała od kogoś zacząć.

Aż podskoczyła, gdy usłyszała pukanie do drzwi. Przesunęła nerwowo dłonią po włosach.

Już miała zawołać Larkina lub Kinga, ale potrząsnęła głową. I kto tu mówi o szowinizmie! Jak miała stanąć do poważnej bitwy, skoro nie mogła nawet sama otworzyć drzwi w deszczowe popołudnie?

To mógł być sąsiad z grzecznościową wizytą. Albo zarządca Ciana wpadł zobaczyć, czy czegoś im nie brakuje.

Poza tym wampir nie mógł wejść do domu, nie mógł przekroczyć progu, chyba że ona sama by go zaprosiła.

Wysoce nieprawdopodobne.

Mimo wszystko i tak najpierw wyjrzała przez okno. Zobaczyła młodą kobietę koło dwudziestki, ładną blondynkę w dżinsach i jaskrawoczerwonym swetrze. Włosy miała związane w ogon, wysuwający się spod czerwonej czapki. W ręku trzymała mapę, którą studiowała, gryząc kciuk.

Pewnie się zgubiła, pomyślała Glenna, i im szybciej skieruje ją na właściwą drogę dalej od tego domu, tym lepiej.

Gdy odeszła od okna, pukanie rozległo się znowu.

Glenna otworzyła drzwi, uważając, by stać po swojej stronie progu.

– Dzień dobry. Potrzebuje pani pomocy?

– Dzień dobry. Tak, dziękuję. – W głosie kobiety słychać było ulgę i ciężki francuski akcent. – Ja, uch, zgubiłam się. *Excuse-moi*, mój angielski nie jest zbyt dobry.

– Nie ma sprawy, ja prawie wcale nie mówię po francusku. W czym mogę pomóc?

– Ennis? *S'il vous plaît*? Możesz mi powiedzieć, która droga do Ennis?

– Tak dokładnie nie wiem. Sama nie jestem stąd. Mogę popatrzeć na mapę. – Glenna wyciągnęła dłoń, nie spuszczając wzroku z oczu dziewczyny i trzymając się drugą ręką framugi. – Jestem Glenna. *Je suis* Glenna.

– Ach, *oui. Je m'appelle* Lora. Jestem w wakacjach, student.

– To miło.

– Deszcz. – Lora rozpostarła dłoń, na którą spadło kilka kropel. – Chyba się zgubić.

– Może przydarzyć się każdemu. Popatrzmy na tę twoją mapę, Lora. Jesteś sama?

– *Pardon?*

– Sama? Jesteś sama?

– *Oui. Mes amies...* moi przyjaciele... mam przyjaciele w Ennis, ale skręcić niedobrze. I zabłądzić.

Och nie, pomyślała Glenna, naprawdę nie sądzę.

– Jestem zaskoczona, że udało ci się dostrzec dom z głównej drogi. Jesteśmy dobrze ukryci.

– Przepraszam?

Glenna uśmiechnęła się promiennie.

– Założę się, że chciałabyś wejść i wypić filiżankę herbaty, zanim ruszysz dalej. – Zobaczyła światło, które rozbłysło w błękitnych jak u niemowlęcia oczach. – Ale nie możesz, prawda? Biedactwo, nie możesz przekroczyć progu.

– *Je ne comprendre pas.*

– Jestem pewna, że rozumiesz, ale na wypadek gdyby mój szósty zmysł dziś mnie zawiódł, musisz wrócić do głównej drogi i skręcić w lewo. Lewo – powtórzyła i podniosła rękę, żeby pokazać kierunek.

Usłyszała za sobą krzyk Kinga i odwróciła głowę, a wtedy jej loki znalazły się za linią progu. Poczuła eksplozję bólu, gdy dziewczyna brutalnie szarpnęła ją za włosy. Glenna wyleciała na zewnątrz i z ciężkim łomotem upadła na ziemię.

Dwa inne potwory pojawiły się znikąd. Instynkt kazał jej sięgnąć na oślep po krzyż, przy tym wściekle kopała nogami. Obraz jej się dwoił, w ustach czuła krew. Jak przez mgłę zobaczyła, że King rani jednego nożem i wrzeszczy do niej, żeby wstawała i wracała do domu.

Podniosła się z trudem na nogi i widziała, jak go otaczają, zamykają w pułapce. Usłyszała własny wrzask i wydawało jej się – miała nadzieję – że z domu odpowiedziały jej krzyki. Ale było już za późno, wampiry atakowały Kinga jak wściekłe psy.

– Francuska dziwka – warknęła Glenna i ruszyła na blondynkę. Trafiła pięściami w kość, trysnęła krew, ale po chwili znowu poleciała do tyłu i tym razem, gdy uderzyła o ziemię, zobaczyła mroczki przed oczami.

Poczuła, że ktoś ją ciągnie, dźwiga, w uszach dzwonił jej głos Moiry.

– Mam cię. Mam cię. Jesteś już w domu. Nie ruszaj się.

– Nie! King. One mają Kinga!

Moira pędziła już na zewnątrz z obnażonym mieczem. Gdy Glenna próbowała usiąść, przeskoczył przez nią Larkin i pognał za kuzynką.

Glenna najpierw uklękła, a potem wstała chwiejnie. W ustach poczuła kwaśny smak wymiocin, gdy pokuśtykała do drzwi.

Tak szybko, pomyślała tępo, jak to wszystko mogło wydarzyć się tak szybko? Moira i Larkin pędzili przez trawnik, a potwory usiłowały wpakować Kinga do czarnej furgonetki. Odjechały, zanim zdążyła wyjść z domu.

Ciało Larkina rozbłysło, zadrżało i nagle w jego miejscu stał kuguar, który pomknął za samochodem i zniknął im z oczu.

Glenna opadła na kolana i zwymiotowała na mokrą trawę.

– Do środka. – Hoyt złapał ją za ramię. – Do domu, Glenna. Moira, do środka.

– Za późno – wyszlochała Glenna, łzy przerażenia spływały jej po twarzy.

– Mają Kinga. – Podniosła wzrok i zobaczyła stojącego za Hoytem Ciana.

– Zabrały go. Porwały Kinga.

15

*D*o domu – powtórzył Hoyt. Zaczął ciągnąć Glennę do środka, gdy minął go Cian i pobiegł do stajni.

– Idź z nim. – Glenna walczyła z bólem i łzami. – O Boże, biegnij za nim. Szybko.

To była dla niego najtrudniejsza decyzja w życiu – zostawić ją tak, drżącą i zakrwawioną.

Drzwi stajni były otwarte, w środku stała czarna maszyna, do której Cian wrzucił broń.

– Czy to ich dogoni? – zapytał Hoyt.

Cian ledwo na niego spojrzał przekrwionymi oczami.

– Zostań z kobietami. Nie potrzebuję cię.

– Potrzebujesz czy nie, i tak mnie masz. Jak, do cholery, wejść do tego? – Mocował się z drzwiczkami, a gdy wreszcie się otworzyły, wskoczył do środka.

Cian bez słowa usiadł za kierownicą. Maszyna wydała ogłuszający ryk i zadrżała niczym gotowy do biegu koń. Pofrunęli, kamienie i ziemia wystrzeliły w powietrze jak pociski. Hoyt dostrzegł w drzwiach Glennę; podtrzymywała dłonią rękę i bał się, że ją złamała.

Modlił się do wszystkich bogów, by mógł ujrzeć znowu tę kobietę.

Patrzyła, jak odjeżdżał, i zastanawiała się, czy właśnie nie posłała swojego kochanka na śmierć.

– Weź całą broń, jaką dasz radę unieść – poleciła Moirze.

– Jesteś ranna. Pozwól mi obejrzeć twoją rękę.

– Przynieś broń, Moiro. – Odwróciła do niej zakrwawioną twarz. – Chyba że chcesz, żebyśmy zostały tu jak dzieci, podczas gdy mężczyźni będą walczyć?

Moira skinęła głową.

– Chcesz ostrze czy łuk?

– Jedno i drugie.

Glenna poszła szybko do kuchni i pozbierała butelki. Ból rozrywał jej ramię, więc naprędce zrobiła, co mogła, żeby je uleczyć. To Irlandia, pomyślała ponuro, więc wszędzie powinno być pełno kościołów, a w nich święcona woda. Zaniosła do furgonetki butelki, nóż rzeźnicki i paliki ogrodowe.

– Glenna. – Moira podeszła do niej z łukiem i kuszą przewieszonymi przez ramię i dwoma mieczami w dłoniach. Włożyła broń do samochodu i uniosła wiszący na łańcuszku krzyż.

– Znalazłam go w sali ćwiczeń. Musiał należeć do Kinga. On nie ma ochrony.

Glenna zatrzasnęła bagażnik.

– Ale ma nas.

Żywopłoty i wzgórza ledwo majaczyły za szarą kurtyną deszczu.

Na polach Hoyt widział krowy, owce i rzędy kamiennych murków, ale nigdzie nie było śladu Larkina ani samochodu, którym porwano Kinga.

– Możesz ich tym wytropić? – zapytał Ciana.

– Nie. – Zakręcił kołem, rozbryzgując kałużę. – Zabiorą go do Lilith. Zachowają go przy życiu. – Musiał w to wierzyć.

– Do jaskini? – Hoyt pomyślał, jak długo trwała jego podróż z klifów do Clare. Co prawda on jechał konno, był ranny i miał gorączkę, ale i tak dotarcie tam zabierze im zbyt wiele czasu. – Dlaczego myślisz, że zachowają go przy życiu?

– On jest dla niej nagrodą, sama będzie chciała go zabić. Nie mogą być daleko przed nami, a jaguar jest szybszy od tej cholernej furgonetki, którą go wiozą.

– Nie mogą go ukąsić. Krzyż je powstrzyma.

– Ale nie powstrzyma miecza ani strzały. Ani pieprzonej kuli. Nie przepadamy za bronią palną i łukiem – powiedział prawie do siebie. – Zbyt duża odległość od ofiary. Lubimy zabijać z bliska, patrzeć ofierze w oczy. Ona będzie chciała go torturować, nie będzie się śpieszyła. – Ścisnął kierownicę tak mocno, że omal jej nie zmiażdżył. – Dzięki temu powinniśmy zyskać trochę czasu.

– Nadchodzi noc.

Hoyt nie powiedział głośno tego, o czym obaj wiedzieli: w nocy będzie ich więcej.

Cian wyminął sedana z taką prędkością, że jaguar wpadł w poślizg na mokrej drodze, ale po chwili opony złapały przyczepność i pomknęli dalej. Oślepiał go blask świateł jadących z przeciwka samochodów, ale nie zwalniał. Miał tylko sekundę, żeby pomyśleć „cholerni turyści", zanim nadjeżdżające auto zepchnęło go na pobocze. Gałęzie żywopłotu przejechały po drzwiach i oknach jaguara, żwir wystrzelił spod kół.

– Powinniśmy już ich doganiać. Jeśli pojechali inną drogą lub ona ma inną kryjówkę... – Zbyt wiele możliwości, pomyślał Cian i jeszcze mocniej nacisnął pedał gazu. – Możesz coś zrobić? Użyć magii?

– Nie mam żadnych... – Złapał się fotela, gdy brat w szalonym tempie pokonał kolejny zakręt. – Poczekaj. – Schwycił krzyż, który miał na szyi, pchnął w niego moc i przyjął w siebie jego światło.

– Tarczo i symbolu, prowadź mnie. Pozwól mi zobaczyć.

Ujrzał kuguara biegnącego w deszczu, krzyż błyskał na szyi zwierzęcia jak srebrna obroża.

– Larkin jest blisko, za nami. Trzyma się pól. Jest zmęczony. – Szukał dalej, posługując się światłem jak palcami. – Glenna... Moira jest z nią. Nie zostały w domu, poruszają się. Ona cierpi ból.

– Oni nie mogą mi pomóc. Gdzie jest King?

– Nie mogę go znaleźć. Jest w ciemności.

– Nie żyje?

– Nie wiem. Nie mogę go dosięgnąć.

Cian nacisnął na hamulec, gwałtownie skręcił kierownicą. Samochód wpadł w szaleńczy taniec, kołując coraz bliżej czarnej furgonetki, która tarasowała wąską drogę. Rozległ się pisk opon i głuchy huk, gdy metal uderzył o metal.

Cian wyskoczył z mieczem w dłoni, zanim samochód w pełni wyhamował. Otworzył drzwi furgonetki, ale w środku nie było nikogo. Ani niczego.

– Tu jest kobieta! – zawołał Hoyt. – Jest ranna.

Cian, przeklinając, obszedł samochód i otworzył bagażnik. W środku zobaczył krew – sądząc po zapachu, ludzką. Ale nie tyle, by ktoś mógł tu umrzeć.

– Cian, ona została ukąszona, ale żyje.

Cian zerknął przez ramię i zobaczył leżącą na drodze kobietę, krew sączyła się z drobnych nakłuć na jej szyi.

– Nie wyssały wszystkiego, nie miały czasu. Ożyw ją. Przywróć jej przytomność – rozkazał. – Potrafisz to zrobić. Tylko szybko. Zabrali jej samochód. Dowiedz się, czym jechała.

– Ona potrzebuje pomocy.

– Do cholery, przeżyje albo nie. Obudź ją.

Hoyt dotknął ranek czubkami palców i poczuł, jak parzą.

– Proszę pani, proszę mnie posłuchać. Obudź się i wysłuchaj mnie.

Kobieta poruszyła się i otworzyła oczy, źrenice miała wielkie jak spodki.

– Rory! Rory. Pomóż mi.

Cian odepchnął brutalnie Hoyta na bok. Sam też miał moc.

– Popatrz na mnie. We mnie. – Pochylił się, aż popatrzyła mu prosto w oczy. – Co się stało?

– Kobieta, furgonetka. Myśleliśmy, że ktoś potrzebuje pomocy. Rory zatrzymał się, wysiadł. A oni... Och, słodki Boże. Rory!

– Zabrali wam samochód. Jaki?

– Niebieskie bmw. Rory. Zabrali go. Zabrali go. Dla ciebie nie ma miejsca, tak powiedzieli i popchnęli mnie na ziemię. Śmiali się.

Cian wyprostował się gwałtownie.

– Pomóż mi zepchnąć auto z drogi. Były wystarczająco sprytne, żeby zabrać kluczyki.

– Nie możemy jej tu tak zostawić.

– To z nią zostań, ale pomóż mi ruszyć ten pieprzony wóz.

Hoyt obrócił się z wściekłością i furgonetka błyskawicznie zjechała z drogi.

– Dobra robota.

– Ona może tu umrzeć. Nic złego nie zrobiła.

– Nie będzie pierwsza ani ostatnia. Mamy wojnę, prawda? – odparował Cian. – To się nazywa uboczna strata. Dobra strategia – wymamrotał. – Opóźniły nas i zmieniły samochód na szybszy. Już ich nie dogonię przed jaskinią. O ile w ogóle tam jadą. – Odwrócił się do brata. – Chyba jednak będziesz mi potrzebny.

– Nie zostawię rannej kobiety na poboczu jak psa.

Cian podszedł do samochodu, otworzył schowek na rękawiczki i wyjął telefon komórkowy. Powiedział coś szybko do słuchawki.

– To urządzenie komunikacyjne – wyjaśnił Hoytowi, chowając telefon. – Zadzwoniłem po pomoc medyczną i policję. Jeśli tu zostaniesz, zatrzymają cię i będą ci zadawali mnóstwo pytań, na które nie możesz odpowiedzieć.

Wyjął z bagażnika koc i kilka flar.

– Przykryj ją tym – polecił. – A ja rozstawię flary. Teraz King jest przynętą – dodał, zapalając światła. – Przynętą i nagrodą. Ona wie, że po niego przyjdziemy. Chce, żebyśmy przyszli.

– W takim razie nie możemy jej zawieść.

Cian, wiedząc, że i tak nie dogoni napastników, jechał teraz trochę wolniej.

– Okazała się sprytniejsza. Jest bardziej agresywna i nie zależy jej na swoich żołnierzach. Ma przewagę.

– Będą miały przewagę liczebną.

– Zawsze ją miały. W tej chwili może być skłonna do negocjacji, do zamiany.

– Jeden z nas za Kinga.

– Wy wszyscy jesteście dla niej tacy sami. Człowiek to człowiek, żaden z was nie ma szczególnej wartości. Może ty, bo ona szanuje moc i jej pragnie. Ale bardziej chce mnie.

– Chcesz wymienić swoje życie na jego?

– Nie zabije mnie. Przynajmniej nie od razu. Najpierw spróbuje wykorzystać swoje rozległe talenty. To by jej sprawiło przyjemność.

– Tortury.

– I perswazja. To byłoby mistrzowskie posunięcie, gdyby udało jej się przeciągnąć mnie na swoją stronę.

– Mężczyzna, który oddaje swoje życie za przyjaciela, nie odwróci się i go nie zdradzi. Dlaczego miałaby tak pomyśleć?

– Bo zmienne z nas kreatury. I to ona mnie stworzyła, co czyni rzecz całkiem możliwą.

– Nie, nie będzie chciała ciebie. Ja mógłbym uwierzyć, że oddałbyś swoje życie za Kinga, ale nie sądzę, żeby ona w to uwierzyła. Będziesz musiał zaoferować jej mnie – powiedział Hoyt po chwili zastanowienia.

– Och, doprawdy?

– Przez setki lat nic dla ciebie nie znaczyłem. King jest dla ciebie znacznie ważniejszy, ona to zrozumie. Człowiek za czarnoksiężnika. Zrobi dobry interes.

– A dlaczego niby miałbyś z własnej woli poświęcić życie dla człowieka, którego znasz od tygodnia?

– Bo ty przyłożysz mi nóż do gardła.

Cian zabębnił palcami w kierownicę.

– To może się udać.

Gdy dojechali do klifu, deszcz ustał, a na niebie świecił ponury księżyc. Poszarpane skały wznosiły się wysoko nad drogą, rzucając strzępiaste cienie na morze.

Słychać było jedynie plusk obmywających kamienie fal i szum powietrza przypominający oddech bogów.

Nie dostrzegli śladu żadnego samochodu, człowieka ani potwora.

Wzdłuż nadmorskiej drogi biegła barierka, pod nią były skały, woda i tunele jaskiń.

– Zwabimy ją na górę. – Cian wskazał głową na urwisko. – Jeśli zejdziemy do niej, znajdziemy się w pułapce, z morzem za plecami.

Zaczęli się wspinać po śliskich kamieniach i mokrej trawie. Na samym szczycie stała latarnia morska, jej światło przecinało ciemność jak nóż.

Obaj wyczuli napastnika, zanim jeszcze dostrzegli ruch. Wampir wyskoczył zza skał i wyszczerzył kły. Cian obrócił się, podniósł ramię i zrzucił go z urwiska na drogę. Drugiego przebił kołkiem, który wyjął zza pasa.

Wyprostował się i odwrócił do trzeciego, który okazał się trochę ostrożniejszy niż jego bracia.

– Powiedz swojej pani, że Cian McKenna chce z nią rozmawiać.

Białe kły zalśniły w świetle księżyca.

– Dziś w nocy będziemy pić waszą krew.

– Albo zginiesz głodny z rąk Lilith, bo nie dostarczyłeś jej tej wiadomości.

Potwór odwrócił się i wtopił w ciemność.

– Wyżej może być ich więcej – zauważył Hoyt.

– Nie sądzę. Ona pewnie oczekuje, że zejdziemy do jaskini, nie spodziewa się, że ruszymy na górę. Będzie zaintrygowana i przyjdzie.

Wspięli się na skały i weszli po pochyłym zboczu na miejsce, gdzie kiedyś Hoyt stawił czoło Lilith i temu, co uczyniła z jego brata.

– Doceni ironię wyboru miejsca.

– Wydaje się takie samo. – Hoyt schował krzyż pod koszulę. – Powietrze, noc. To było kiedyś moje miejsce, mogłem tu stać i przywołać moc jedną myślą.

– Mam nadzieję, że nadal możesz. – Cian wyjął nóż. – Uklęknij. – Naciął delikatnie skórę na szyi Hoyta i patrzył, jak na małej rance pojawia się krew.

– Teraz.

– A zatem trzeba dokonać wyboru.

– Zawsze chodzi o wybór. Zabiłbyś mnie wtedy, gdybyś mógł.

– Gdybym mógł, wtedy bym cię ocalił.

– Cóż, nie udało ci się ani jedno, ani drugie, prawda? – Wyjął nóż Hoyta z pochwy i skrzyżował ostrza na jego gardle. – Uklęknij.

Czując zimny dotyk stali na szyi, Hoyt opadł na kolana.

– Proszę, proszę, jaki piękny widok.

Lilith weszła w plamę księżycowego światła. Miała na sobie szmaragdowozieloną suknię, a rozpuszczone włosy spływały jej na ramiona jak promienie słońca.

– Lilith. Upłynęło sporo czasu.

– Zbyt dużo. – Jedwab zaszeleścił przy każdym jej kroku. – Czy przejechałeś całą tę drogę, żeby dać mi prezent?

– Żeby dokonać wymiany – poprawił ją Cian. – Odwołaj swoje psy – powiedział cicho – albo najpierw zabiję jego, a potem je zniszczę. I zostaniesz z niczym.

– Jaki stanowczy. – Machnęła ręką na wampiry, które czaiły się u jej boków. – Dojrzałeś. Kiedy ofiarowałam ci dar, byłeś tylko ślicznym szczeniakiem, a teraz patrzcie na niego, zwinny wilk. Podoba mi się ta zmiana.

– I nadal twój pies – warknął Hoyt.

– Ach, wszechmocny czarnoksiężnik na kolanach. To też mi się podoba. Zostawiłeś mi pamiątkę. – Rozchyliła suknię i pokazała Hoytowi wypalony na sercu pentagram. – Sprawiał mi ból przez dziesięć lat. Jestem ci za to coś winna. Powiedz mi, Cianie, jak ci się udało go tu przyprowadzić?

– To nie było trudne, on myśli, że jestem jego bratem.

– Ona zabrała ci życie. Jest samym złem i śmiercią.

Cian uśmiechnął się nad głową Hoyta.

– To właśnie w niej kocham. Dam ci go za człowieka, którego dziś zabrałaś. Tamten jest pożyteczny i lojalny. Chcę go mieć z powrotem.

– Ale jest dużo większy od tego. Byłby lepszą ucztą.

– Nie ma mocy, jest zwykłym śmiertelnikiem. Ja daję ci czarnoksiężnika.

– A sam potrzebujesz człowieka.

– Tak jak powiedziałem, mam z niego pożytek. Wiesz, ile czasu i wysiłku kosztuje wytrenowanie ludzkiego sługi? Chcę go z powrotem. Nikt nie będzie kradł tego, co należy do mnie, nawet ty.

– Porozmawiamy o tym. Zabierz go na dół. Sporo zmieniłam w jaskiniach. Usiądziemy wygodnie, coś przekąsimy. Mam na przystawkę szwajcarską studentkę o rubensowskich kształtach. Możemy się nią podzielić. Och, ale poczekaj. – Roześmiała się melodyjnie. – Słyszałam, że teraz karmisz się świńską krwią.

– Nie można wierzyć we wszystko, co się usłyszy.

Cian powoli uniósł nóż, którym zranił Hoyta, i przesunął językiem po zakrwawionym ostrzu. Smak ludzkiej krwi po tak długim czasie rozpalił jego głód do czerwoności.

– Żyję już na tyle długo, żeby nie być idiotą. To jednorazowa oferta. Daj mi człowieka, weź czarnoksiężnika.

– Jak mogę ci zaufać, drogi chłopcze? Zabijasz naszych współbraci.

– Zabijam, kogo chcę i kiedy chcę. Tak jak ty.

– Związałeś się z nimi. Z ludźmi. Knułeś przeciwko mnie.

– Dopóki mnie to bawiło, ale stało się nudne i zbyt kosztowne. Daj mi człowieka, weź czarnoksiężnika. A w ramach bonusu zaproszę cię do swojego domu, możesz urządzić sobie z pozostałych małą ucztę.

Głowa Hoyta drgnęła i ostrze przecięło skórę. Zaklął po staroirlandzku cichym, spokojnym głosem.

– Czuję zapach mocy w tej krwi – zanuciła Lilith. – Cudownie.

– Jeszcze jeden krok, a przetnę mu szyję i będzie po wszystkim.

– Doprawdy? – Uśmiechnęła się uroczo. – Ciekawe. Rzeczywiście tego chcesz? – Skinęła dłonią.

Na brzegu skały, niedaleko latarni morskiej Cian zobaczył dwa wampiry podtrzymujące bezwładnego Kinga.

– On żyje – powiedziała lekko. – Oczywiście masz na to tylko moje słowo, tak jak ja mam twoje, że dasz mi tego tutaj, jak śliczny prezent opakowany w błyszczący papier. Zagrajmy w grę.

Uniosła spódnice i zawirowała.

– Zabij go, a ja oddam ci człowieka. Zabij brata, ale nie nożem. Zabij go tak, jak powinieneś. Wypij jego krew, wyssij, a człowiek będzie twój.

– Najpierw daj mi człowieka.

Wydęła wargi i figlarnie strzepnęła dłońmi spódnice.

– Och, no dobrze. – Skinęła najpierw jedną, potem drugą ręką. Cian odsunął ostrza od gardła Hoyta, gdy wampiry zaczęły wlec Kinga w ich stronę. Cisnęły go na ziemię i mocnym kopniakiem zrzuciły ze skały.

– Och! – W oczach Lilith zabłysły wesołe iskierki. Przycisnęła dłoń do ust.

– Dziurawe palce. Chyba teraz będziesz musiał mi odpłacić i go zabić.

Cian z dzikim rykiem skoczył do przodu, a Lilith uniosła się w powietrze, rozpościerając suknie jak skrzydła.

– Brać ich! – krzyknęła. – Przyprowadzić ich do mnie! – I zniknęła.

Cian schwycił mocniej oba noże, a Hoyt skoczył na równe nogi i wyciągnął zza pasa drewniane kołki.

Nagle koło nich śmignęły strzały, przecinając powietrze i przebijając serca potworów. Zanim Cian zdążył wymierzyć pierwszy cios, pół tuzina wampirów już zamieniło się w popiół, który wiatr zwiał prosto do morza.

– Nadchodzi więcej! – krzyknęła Moira spomiędzy drzew. – Musimy uciekać. Tędy. Szybko!

Ucieczka miała gorzki smak, paliła wściekle w gardle, ale mieli do wyboru tylko pewną śmierć, więc wycofali się z walki.

Gdy dotarli do jaguara, Hoyt chciał wziąć brata za rękę.

– Cian...

– Przestań. – Zatrzasnął za sobą drzwi i patrzył, jak pozostali wsiadają do furgonetki. – Po prostu nic nie mów.

Długa droga do domu wypełniona była ciszą, smutkiem i wściekłością.

Glenna nie płakała. Za bardzo cierpiała, by uronić choć jedną łzę. Prowadziła samochód jak w transie, cała drżąc z bólu i szoku, umysł miała zupełnie otępiały.

– To nie była twoja wina.

Słyszała głos Moiry, ale nie mogła odpowiedzieć. Czuła, że Larkin dotknął jej ramienia, zapewne chcąc dodać otuchy, ale była zbyt otępiała, by zareagować. A gdy oboje usiedli na tylnym siedzeniu, żeby dać jej choć złudzenie samotności, odczuła tylko niewielką ulgę.

Skręciła w las i ostrożnie manewrowała po wąskiej drodze. Zatrzymała furgonetkę przed oświetlonym domem, wyłączyła silnik i sięgnęła do klamki.

Drzwi auta stanęły otworem i została wyciągnięta na zewnątrz, a potem uniesiona parę centymetrów nad ziemię. Nawet wtedy nic nie poczuła, ani ukłucia lęku na widok czającego się w oczach Ciana głodu.

– Powiedz mi, czemu nie miałbym skręcić ci karku i skończyć z tym raz na zawsze!

– Nie wiem.

Hoyt dopadł do nich pierwszy, ale Cian odepchnął go jednym szybkim ciosem.

– Przestań. To nie jego wina – powiedziała do Hoyta, zanim zdążył zaatakować po raz drugi. – Proszę, przestań. – To było do Larkina.

– Myślisz, że to mnie wzruszy?

Spojrzała Cianowi prosto w oczy.

– Nie. Dlaczego miałoby cię wzruszać? On był twój. Ja go zabiłam.

– To nie była jej wina! – Moira z całych sił pociągnęła Ciana za ramię, ale on nawet nie drgnął.

– Niech sama mówi za siebie.

– Nie może. Nie widzisz, jak bardzo jest poraniona? Nie pozwoliła mi się opatrzyć, zanim ruszyłyśmy za wami. Musimy wejść do środka. Jeśli zostaniemy teraz zaatakowani, wszyscy umrzemy.

– Jeżeli zrobisz jej krzywdę – powiedział Hoyt cicho – sam cię zabiję.

– Czy tylko tyle nam zostało? – wyszeptała zmordowana Glenna. – Jedynie śmierć? Czy zawsze już tak będzie?

– Daj mi ją. – Hoyt wyrwał Glennę Cianowi, wziął ją na ręce i zaniósł do domu, mrucząc do niej po staroirlandzku.

– A ty pójdziesz z nami i wysłuchasz, co mamy ci do powiedzenia. – Moira zacisnęła dłoń na ramieniu Ciana. – On na to zasługuje.

– Nie mów mi, na co on zasługuje. – Uwolnił ramię z siłą, która odrzuciła ją o kilka kroków. – Nic o tym nie wiesz.

– Wiem więcej, niż myślisz. – Ruszyła za Hoytem do domu.

– Nie mogłem ich dogonić – tłumaczył się Larkin ze wzrokiem wbitym w ziemię. – Nie byłem wystarczająco szybki. – Otworzył bagażnik i zaczął wyładowywać broń. – Nie mogę przemienić się w coś takiego. – Trzasnął drzwiami. – To, czym się staję, musi być żywe. Nawet kuguar nie mógł ich dogonić.

Cian bez słowa poszedł do domu.

Glenna leżała na kanapie w głównym salonie. Miała zamknięte oczy i bladą, wilgotną twarz. Na tle białej skóry siniaki na szczęce i policzku wydawały się jeszcze ciemniejsze. W kąciku ust zaschła krew.

Hoyt delikatnie sprawdził jej rękę. Nie jest złamana, pomyślał z ulgą. Próbując nie sprawić Glennie bólu, zdjął jej koszulę i zobaczył więcej siniaków na ramieniu i klatce piersiowej, sięgających aż do biodra.

– Wiem, czego potrzebujemy – powiedziała Moira i wyszła.

– Nie są połamane. – Hoyt zbadał dłońmi żebra. – Na szczęście nie masz żadnych złamań.

– Ma szczęście, że jej głowa wciąż tkwi na szyi. – Cian podszedł do barku, wyjął whisky i napił się prosto z butelki.

– Ona jest poważnie ranna, w środku też.

– Nie zasłużyła na nic innego za to, że wyszła z domu.

– Nie wyszła. – Moira wróciła z kuferkiem Glenny. – Nie było tak, jak myślisz.

– Chyba nie chcesz, żebym uwierzył, że King wyszedł z domu, a ona skoczyła mu na pomoc.

– Wyszedł po mnie. – Glenna otworzyła zamglone z bólu oczy. – I one go zabrały.

– Cicho – rozkazał Hoyt. – Moira, będziesz mi potrzebna.

– Użyjemy tego. – Moira wybrała jedną z buteleczek. – Polej tym siniaki.
– Podała Hoytowi butelkę, a sama uklęknęła i położyła dłonie na piersi Glenny.
– Ile mam w sobie mocy, użyję tobie do pomocy. Niech ciepło leczy, niech
koi twe rany, niech zniknie ból, niech znikną szramy. – Popatrzyła błagalnie
na Glennę. – Pomóż mi. Nie jestem w tym najlepsza.

Glenna położyła ręce na dłoniach Moiry, zamknęła oczy. Hoyt przykrył
ich dłonie swoimi, a Glenna wciągnęła głęboko powietrze i jęknęła, ale gdy
Moira chciała zabrać ręce, mocno je ścisnęła.

– Czasami uzdrowienie boli – wyszeptała z trudem. – Czasem musi. Powtórz zaklęcie trzy razy.

Gdy Moira usłuchała, po twarzy Glenny spłynął pot, ale siniaki nieco
zbladły.

– Tak, już lepiej. Dzięki.

– Poprosimy tu trochę whisky – warknęła Moira.

– Nie, raczej nie. – Glenna podniosła się, próbując odzyskać oddech. – Pomóż mi usiąść. Muszę zobaczyć, jak to teraz wygląda.

– Zajmijmy się jeszcze tym. – Hoyt przesunął palcami po jej twarzy,
a ona złapała go za rękę. Teraz popłynęły łzy, których nie mogła powstrzymać.

– Tak strasznie mi przykro.

– Nie możesz się winić, Glenno.

– A kogo innego trzeba winić? – warknął Cian i Moira zerwała się na równe nogi.

– Nie miał na szyi krzyża. – Sięgnęła do kieszeni i wyjęła amulet. – Zdjął
go w sali ćwiczeń i zostawił.

– Pokazywał mi ciosy w zapasach – wyjaśnił Larkin. – I powiedział, że
krzyż mu przeszkadza. Musiał o nim zapomnieć.

– On wcale nie zamierzał wychodzić, prawda? I nigdzie by nie poszedł,
gdyby nie ona.

– Pomylił się. – Moira położyła krzyż na stole. – Glenno, on musi znać
prawdę.

– King myślał, musiał pomyśleć, że albo wpuszczę ją do domu, albo do
niej wyjdę. Nie zrobiłabym tego, ale byłam zbyt pewna siebie, zarozumiała,
więc co za różnica? I dlatego on nie żyje.

Cian znowu łyknął z butelki.

– Powiedz mi, dlaczego King nie żyje.

– Ona zapukała do drzwi. Nie powinnam była otwierać, ale zobaczyłam,
że to kobieta. Młoda dziewczyna z mapą. Nie miałam zamiaru wyjść ani za-
prosić jej do środka, przysięgam ci. Powiedziała, że się zgubiła. Mówiła
z francuskim akcentem. Była naprawdę urocza, ale ja wiedziałam... czułam.
I nie mogłam oprzeć się impulsowi, żeby z nią pograć. Boże, och Boże – jęknęła, z oczu ciekły jej łzy. – Jak głupio z mojej strony. Jaka byłam próżna.
– Wzięła głęboki oddech. – Powiedziała, że ma na imię Lora.

– Lora. – Cian opuścił butelkę. – Młoda, atrakcyjna, francuski akcent?

– Tak. Ty ją znasz.

– Znam. – Napił się.

– Wiedziałam, czym jest. Nie wiem skąd, ale wiedziałam. Powinnam była po prostu zamknąć jej drzwi przed nosem, ale na wszelki wypadek, gdybym się myliła, pomyślałam, że wskażę jej drogę. Zaczęłam jej tłumaczyć i wtedy King krzyknął i zbiegł do holu. Odwróciłam się. Zaskoczył mnie jego krzyk i nie uważałam. Wtedy złapała mnie za włosy i wyciągnęła za drzwi.

– To się stało tak szybko – mówiła dalej Moira. – Ja byłam za Kingiem. Prawie nie widziałam ruchu tej wampirzycy. On za nią pobiegł, a wtedy wyskoczyło ich więcej. Cztery, może pięć. Pojawiły się szybko jak błyskawice.

Moira nalała sobie trochę whisky i wypiła jednym haustem.

– Wszystkie rzuciły się na Kinga, a on krzyczał do Glenny, żeby wracała do domu, ale ona wstała i pobiegła, żeby mu pomóc. Jedna z tamtych powaliła ją na ziemię, jakby miała pięści ze stali. Glenna próbowała mu pomóc, chociaż była ranna. Może zachowała się nieostrożnie, ale on też. – Moira znowu wzięła krzyż do ręki. – I zapłacił za to potworną cenę. Zapłacił za to, że chciał bronić przyjaciela.

Hoyt pomógł Glennie wstać.

– Powiedziałabym, że mi przykro, jednak to za mało. Wiem, ile dla ciebie znaczył.

– Nie masz zielonego pojęcia.

– Myślę, że tak, i wiem, ile znaczył dla nas. Wiem, że zginął przeze mnie. Będę żyła z tą świadomością do końca moich dni.

– Ja też. Niestety, ja będę żył o wiele dłużej niż ty.

Wziął butelkę whisky i wyszedł.

16

*C*hwilę między jawą a snem wypełniły blask świec i błogosławieństwo zapomnienia. Łagodne ciepło i lawendowy zapach prześcieradeł.

Ale owa chwila minęła i Glennie wróciła pamięć.

King nie żył, te potwory cisnęły go do morza równie beztrosko, jak chłopiec rzuca kamień do jeziora.

Poszła na górę w poszukiwaniu samotności i zapomnienia.

Patrzyła na migotanie świecy i zastanawiała się, czy kiedykolwiek będzie znowu mogła spać w ciemności. Czy kiedyś zobaczy nadchodzącą noc i nie pomyśli, że wraz z nią nastaje ich czas? Będzie spacerowała bez lęku w świetle księżyca? Czy kiedyś jeszcze zazna tych prostych przyjemności? Czy już zawsze będzie czuła dreszcz lęku w deszczowy dzień?

Odwróciła głowę na poduszce i zobaczyła jego sylwetkę na tle srebrnego światła, które sączyło się z okna wychodzącego na herbarium. Stoi na straży, pomyślała, opiekuje się nią i nimi wszystkimi. Bez względu na to, jaki ciężar wszyscy dźwigali, jego był największy, a mimo to wciąż był gotów stanąć między nią a ciemnością.

– Hoyt.

Usiadła, gdy się odwrócił, i wyciągnęła do niego ręce.

– Nie chciałem cię obudzić. – Podszedł i wziął ją za ręce, wpatrując się w jej twarz. – Boli cię?

– Nie, ból minął, przynajmniej na razie. Dzięki tobie i Moirze.

– Sama sobie pomogłaś na równi z nami. Sen też ci pomoże.

– Nie odchodź, proszę. Co z Cianem?

– Nie wiem. – Popatrzył z troską na drzwi. – Zamknął się w pokoju z butelką whisky. – Odgarnął włosy z twarzy Glenny i uniósł jej podbródek, by obejrzeć dokładniej siniaki. – Wszyscy robimy, co możemy, żeby choć trochę złagodzić ból.

– Ona nigdy by go nie wypuściła. Nigdy nie oddałaby Kinga, bez względu na to, co byśmy zrobili.

– Wiem. – Usiadł na brzegu łóżka. – W głębi duszy Cian też o tym wiedział, ale musiał spróbować. Obaj musieliśmy.

Proponując Hoyta jako kartę przetargową, pomyślała, wspominając jego słowa na temat tego, co wydarzyło się na skałach.

– Teraz wszyscy wiemy, że w tej grze nie może być mowy o żadnych układach – ciągnął. – Czujesz się na siłach, żeby wysłuchać tego, co mam ci do powiedzenia?

– Tak.

– Straciliśmy jednego z nas. Jednego z szóstki, która miała stoczyć bitwę i wygrać tę wojnę. Nie wiem, co to oznacza.

– Naszego wojownika. Może to znaczy, że wszyscy powinniśmy stać się wojownikami. Lepszymi. Zabiłam dzisiaj, Hoyt, bardziej dzięki szczęściu niż umiejętnościom unicestwiłam coś, co kiedyś było człowiekiem. Potrafię tego dokonać i zrobię to ponownie, już bardziej umiejętnie. Z każdym dniem będę w tym lepsza. Zabrała jednego z nas i myśli, że to nas osłabi i przestraszy, ale się myli. Pokażemy jej, jak bardzo.

– Ja mam poprowadzić nas do bitwy. Ty znasz się na magii. Będziesz pracowała w wieży nad bronią, tarczami, zaklęciami. Kręgiem ochronnym dla...

– Hola, poczekaj. – Uniosła dłoń. – Czy ja dobrze rozumiem? Zamkniesz mnie w wieży jak Roszpunkę*?

– Nie znam tej osoby.

– Jeszcze jedna bezbronna kobieta oczekująca na ocalenie. Będę pracowała nad magią, poświęcę temu więcej czasu i energii, tak samo jak sztuce walki. Ale nie będę siedziała dniem i nocą w wieży z kociołkiem i kryształowymi kulami, pisząc zaklęcia, gdy wy będziecie walczyli.

– Stoczyłaś dzisiaj swoją pierwszą bitwę i omal nie zginęłaś.

– Teraz mam dużo więcej szacunku dla naszego przeciwnika. Zostałam wybrana tak samo jak wy wszyscy. Nie będę się chować.

– Wykorzystywanie swoich mocnych stron to nie chowanie. Dowództwo nad tą armią powierzono mnie...

– Och, pozwól, przyszyję ci kilka belek na pagony i zacznę cię nazywać generałem.

– Dlaczego jesteś taka zła?

– Nie chcę, żebyś mnie chronił, tylko żebyś mnie doceniał.

– Doceniał cię? – Poderwał się na równe nogi, a czerwona poświata z kominka oblała mu twarz. – Jesteś mi tak droga, że ledwo mogę to znieść. Tak wiele już straciłem. Widziałem, jak zabierają mi brata, z którym spoczywałem w jednym łonie. Stałem nad grobami mojej rodziny. Nie będę patrzył, jak te potwory rozrywają cię na strzępy, ciebie, moje jedyne światło. Nie zaryzykuję po raz drugi twojego życia. Nie chcę stać nad twoim grobem.

– Ale ja mogę ryzykować twoje życie? Stać nad twoim grobem?

– Ja jestem mężczyzną... – W jego ustach zabrzmiało to tak, jakby tłumaczył dziecku, że niebo jest niebieskie, aż Glenna zaniemówiła na pełne dziesięć sekund, po czym opadła z powrotem na poduszki.

– Jedyny powód, dla którego jeszcze nie zamieniłam cię w ryczącego osła, jest taki, że traktuję cię ulgowo, bo pochodzisz z nieoświeconego wieku.

– Nie... nieoświeconego?

---

* Roszpunka – postać z bajki braci Grimm, dziewczyna uwięziona przez złą czarownicę w wieży.

– Pozwól, że powiem ci coś o moich czasach, Merlinie. Kobiety są równe mężczyznom. Pracujemy, chodzimy na wojnę, głosujemy, a przede wszystkim same podejmujemy decyzje dotyczące naszego życia, ciała i umysłu. Tutaj mężczyźni nie rządzą.

– Nigdy nie znałem świata, w którym by rządzili – wymamrotał. – Jednak pod względem siły fizycznej, Glenna, nie jesteście nam równe.

– Nadrabiamy innymi zaletami.

– Bez względu na to, jak bystre macie umysły, jak szczwane podstępy stosujecie, wasze ciała są delikatniejsze. Stworzone do noszenia dzieci.

– To, co powiedziałeś, jest sprzeczne. Gdyby mężczyźni mieli rodzić dzieci, świat już dawno by zginął, i to bez pomocy bandy żądnych krwi wampirów. I pozwól, że zwrócę twoją uwagę na jeszcze jeden fakt. Całą tę wojnę rozpętała kobieta.

– To chyba powinien być mój argument.

– Jednak nie jest, więc zapomnij o tym. Zgromadziła nas tutaj także kobieta, a zatem mamy przewagę liczebną. Mam więcej argumentów, ale ta niedorzeczna dyskusja przyprawia mnie o ból głowy.

– Powinnaś odpocząć. Porozmawiamy o tym jutro.

– Nie będę odpoczywać i nie porozmawiamy o tym jutro.

Jego światło?, pomyślał. Czasami była oślepiającym reflektorem skierowanym prosto w oczy.

– Jesteś przekorną i irytującą kobietą.

– Tak. – Teraz uśmiechnęła się i jeszcze raz wyciągnęła do niego ręce. – Usiądź koło mnie, dobrze? Martwisz się o mnie, rozumiem to i doceniam.

– Gdybyś to dla mnie zrobiła – uniósł jej dłoń do ust – byłbym spokojniejszy. Stałbym się lepszym przywódcą.

– Och, a to dobre. – Zabrała rękę i popukała go lekko w pierś. – Wyśmienite. Nie tylko kobiety uciekają się do podstępów.

– To nie jest podstęp, tylko prawda.

– Poproś mnie o coś innego, a spróbuję ci to dać, ale tego nie mogę zrobić, Hoyt. Ja też się o ciebie martwię, o nas wszystkich. Zastanawiam się, co możemy zrobić i czy w ogóle do czegoś jesteśmy zdolni. I dlaczego z całego świata – a właściwie ze wszystkich światów – to my zostaliśmy wybrani. A już straciliśmy jednego człowieka.

– Gdybym cię stracił... Glenno, na samą myśl o tym czuję w sobie bezdenną pustkę.

Wiedziała, że czasami to kobieta musiała być silniejsza.

– Jest tak wiele światów. Nie sądzę, żebyśmy mogli się stracić. Mamy teraz więcej niż kiedykolwiek i myślę, że to czyni nas lepszymi. Może to między innymi dlatego tu jesteśmy, żebyśmy odnaleźli siebie nawzajem. – Nachyliła się do niego i westchnęła, gdy ją objął. – Zostań ze mną. Chodź, połóż się ze mną. Kochaj mnie.

– Musisz wyzdrowieć.

– Tak. – Pociągnęła go w dół i dotknęła ustami jego warg. – Muszę.

Miał nadzieję, że potrafi okazać jej tę czułość, której tak potrzebowała.

– Powoli. – Musnął ustami jej policzek. – Po cichu.

Dotykał jej tylko ustami, pokrywając delikatnymi pocałunkami usta, twarz, szyję. Odsunął delikatną suknię, którą miała na sobie, i całował piersi, koił zadrapania i leczył siniaki.

Pocałunki delikatne jak dotyk skrzydeł motyla, które jednocześnie uspokajały i pobudzały jej ciało i umysł.

A gdy ich oczy się spotkały, wiedział więcej niż w całym swoim życiu. Trzymał w objęciach więcej, niż kiedykolwiek posiadał.

Uniósł ją na poduszkę z powietrza i srebrnego światła, otaczając łóżko magią. Świece wokoło zapłonęły z cichym westchnieniem, a ich światło zalało pokój kolorem stopionego złota.

– To piękne. – Unosili się w powietrzu, a ona wzięła go za ręce, rozkoszując się każdą sekundą.

– Dałbym ci wszystko, co posiadam, a to i tak byłoby za mało.

– Mylisz się. Dajesz mi wszystko.

Więcej niż przyjemność, więcej niż namiętność. Czy wiedział, co się z nią działo, gdy dotykał jej w ten sposób? Nic, czemu musieli stawić czoło, żaden strach, ból ani potępienie nie mogły przyćmić tego uczucia. Światło jaśniało w niej jak latarnia morska i wiedziała, że już nigdy nie otoczą jej ciemności.

Oto życie w swej najsłodszej i najbardziej hojnej postaci. Jego smak był niczym balsam dla duszy, jego dotyk wzbudzał pożądanie. Zatopiona w nim uniosła ramiona i odwróciła dłonie wnętrzem do góry. Płatki róż, białe jak śnieg, opadły na nich niczym deszcz.

Uśmiechnęła się, gdy wsunął się w nią, gdy poruszali się razem, delikatnie i powoli. Światło i powietrze, zapach i emocje otaczały złączone ciała i serca.

Jeszcze raz splotły się ich palce, usta spotkały, i gdy odpływali razem, miłość koiła oboje.

W kuchni Moira dumała nad puszką zupy. Nikt nic nie jadł i postanowiła zrobić posiłek, który przygotowałaby Glenna, gdyby nie spała. Udało jej się zaparzyć herbatę, ale z resztą nie mogła sobie poradzić.

Kiedyś widziała, jak King otwierał taki walec za pomocą małego urządzenia, które wydawało zgrzytliwe odgłosy. Już trzy razy próbowała je uruchomić i poważnie rozważała, czyby nie przynieść miecza i nie rozciąć metalu na pół.

Musiała przyznać, że bardzo słabo znała się na magii kuchennej, ale rozejrzała się dookoła, żeby sprawdzić, czy na pewno jest sama, przywołała całą swoją moc i wyobraziła sobie otwartą puszkę.

Metalowy walec podskoczył lekko na blacie, ale wieczko nie drgnęło.

– No dobrze, ostatni raz.

Pochyliła się i obejrzała przymocowany pod blatem otwieracz. Gdyby miała odpowiednie narzędzia, mogłaby rozebrać go na części i dowiedzieć się, jak działał. Uwielbiała rozkładać rzeczy na części. Ale gdyby miała odpowiednie narzędzie, mogłaby otworzyć tę cholerną puszkę bez tego piekielnego urządzenia.

Wyprostowała się, odgarnęła włosy do tyłu i mrucząc pod nosem, spróbowała ponownie. Tym razem maszyna zawirowała, a wieczko puszki odskoczyło. Moira zaklaskała w dłonie z radości i pochyliła się, żeby popatrzeć, jak działa otwieracz.

Jakie to sprytne, pomyślała. Tyle tu było sprytnych urządzeń. Zastanawiała się, czy kiedykolwiek pozwolą jej poprowadzić furgonetkę. King powiedział, że kiedyś ją nauczy.

Na myśl o nim usta jej zadrżały, więc mocno zacisnęła wargi. Modliła się, by miał szybką i bezbolesną śmierć. Jutro rano położy dla niego kamień na cmentarzu, który widzieli z Larkinem podczas spaceru.

A gdy wróci do Geallii, wzniesie jeszcze jeden i poprosi harfiarza, żeby napisał o nim pieśń.

Przelała zawartość puszki do garnka i zapaliła gaz tak, jak pokazała jej Glenna.

Muszą jeść. Smutek i głód bardzo ich osłabią, a słabi będą łatwym celem. Zjedzą zupę z chlebem, pomyślała. To będzie prosty, ale sycący posiłek.

Odwróciła się do spiżarni i podskoczyła, gdy zobaczyła w drzwiach Ciana. Opierał się o ścianę, w palcach kołysał pustą butelkę po whisky.

– Przekąska o północy? – Uśmiechnął się, ukazując białe zęby. – Ja też lubię coś przegryźć o tej porze.

– Nikt nic nie jadł i pomyślałam, że powinniśmy się wzmocnić.

– Zawsze o wszystkim myślisz, co, mała królewno? Twój umysł bez przerwy pracuje.

Widziała, że jest pijany. Whisky zasnuła mgłą jego oczy i obniżyła tembr głosu, jednak nie zdołała ukryć bólu.

– Powinieneś usiąść, zanim się przewrócisz.

– Dziękuję za uprzejme zaproszenie w moim własnym domu, ale przyszedłem tylko po następną butelkę. – Potrząsnął tą, którą trzymał w dłoni. – Wygląda na to, że tę ktoś już wypił.

– Możesz się zapić do nieprzytomności, jeśli chcesz, lecz równie dobrze mógłbyś coś zjeść. Wiem, że jadasz normalne posiłki, widziałam. Zadałam sobie sporo trudu, żeby to przygotować.

Popatrzył na blat kuchenny i uśmiechnął się kwaśno.

– Otworzyłaś puszkę.

– Bardzo przepraszam, że nie miałam czasu, aby zabić utuczone cielę. To będzie musiało ci wystarczyć.

Odwróciła się do kuchenki i zamarła, gdy poczuła, że stanął tuż za nią. Przesunął palcami po jej gardle tak delikatnie, jakby musnęły ją skrzydła ćmy.

– Kiedyś myślałem, że możesz być smakowita.

Pijany, wściekły i pogrążony w rozpaczy, pomyślała. To wszystko czyniło go niebezpiecznym. Nie może pokazać mu, że się go boi.

– Stoisz mi na drodze.

– Jeszcze nie.

– Nie mam czasu dla pijaków. Może ty nie potrzebujesz jedzenia, ale Glenna musi coś zjeść, żeby wyzdrowieć.

– Powiedziałbym, że już jest całkiem zdrowa. – W jego głosie zabrzmiały gorzkie nuty. – Nie widziałaś, jak chwilę temu rozbłysły światła?

- Widziałam, ale nie wiem, co to ma wspólnego z Glenną.
- To oznacza, że ona i mój brat zabawili się trochę. Seks – wyjaśnił, gdy Moira popatrzyła na niego pytająco. – Troszkę dobrego, gorącego seksu na ukoronowanie wieczoru. Ach, ona się rumieni. – Roześmiał się i przysunął bliżej. – Cała ta śliczna krew pod samą skórą. Przepyszne.
- Przestań.
- Kiedyś lubiłem, jak drżeli, tak jak ty teraz. Od tego krew staje się gorętsza i emocje rosną. Już prawie zapomniałem.
- Śmierdzisz whisky. Zupa już się zagrzała. Usiądź, naleję ci trochę.
- Nie chcę żadnej pieprzonej zupy. Nie miałbym nic przeciwko gorącemu seksowi, ale pewnie jestem zbyt pijany, by temu podołać. No dobrze, wezmę drugą butelkę i dokończę dzieła.
- Cian, w obliczu śmierci ludzie szukają pociechy u siebie nawzajem. To nie jest brak szacunku, tylko potrzeba bliskości.
- Nie rób mi wykładu na temat seksu, wiem o nim więcej, niż możesz sobie wyobrazić. O przyjemności, jaką daje, bólu i po co się go uprawia.
- Ludzie szukają pocieszenia także w butelce, ale to nie jest zdrowe. Wiem, kim dla ciebie był.
- Nie wiesz.
- Rozmawiał ze mną, chyba więcej niż z innymi, bo umiem słuchać. Opowiedział mi, jak go znalazłeś i co dla niego zrobiłeś.
- Zabawiłem się trochę.
- Przestań. – W jej głosie pojawił się władczy ton, miała go we krwi. – Teraz okazujesz brak szacunku dla człowieka, który był moim przyjacielem, a twoim synem, bratem i druhem. Jutro chcę położyć dla niego kamień. Mogę poczekać do zmierzchu, żebyś ty też mógł wyjść i...
- A co mnie obchodzą twoje kamienie? – zapytał i wyszedł.

* * *

Glenna była tak wdzięczna za słońce, że mogłaby się rozpłakać. Na niebie majaczyło wprawdzie parę chmurek, ale bardzo cienkich, tak że promienie słoneczne przebijały się przez nie bez trudu, rzucając światłocienie na ziemię.

Wciąż czuła ból, na ciele i w sercu, ale wzięła jeden z aparatów fotograficznych i wyszła przed dom, pozwalając, by słońce ogrzewało jej twarz. Oczarowana melodią wody poszła do strumienia, położyła się na brzegu i grzała na słońcu.

Ptaki śpiewały, wypełniając radością powietrze przepojone zapachem kwiatów. Widziała naparstnice tańczące w lekkiej bryzie i przez chwilę czuła, jak ziemia pod nią wzdycha i szepcze coś, ciesząc się nowym dniem.

Wiedziała, że smutek będzie przychodził i odchodził, lecz dziś jest dzień pracy i światła, a na świecie wciąż istnieje magia.

Gdy padł na nią cień, odwróciła się i uśmiechnęła do Moiry.
- Jak się czujesz?
- Lepiej – odpowiedziała Glenna. – Jestem jeszcze trochę obolała i sztyw-

na, ale już lepiej. – Przyjrzała się tunice i grubym spodniom dziewczyny.
– Musimy kupić ci jakieś ubrania.
– To mi wystarczy.
– Może pojedziemy do miasteczka, zobaczymy, co uda nam się znaleźć.
– Nie mam nic na wymianę. Nie będę mogła zapłacić.
– A od czego jest Visa? Ja funduję. – Położyła się płasko na plecach i zamknęła oczy. – Myślałam, że wszyscy jeszcze śpią.
– Larkin wziął konia i wybrał się na przejażdżkę, obu dobrze to zrobi. Nie sądzę, żeby w ogóle spał.
– Wątpię, czy ktokolwiek z nas naprawdę spał. To wydaje się takie nierzeczywiste, prawda? W dzień, gdy świeci słońce i ptaki śpiewają.
– A mnie teraz wydaje się dużo bardziej realne – odrzekła Moira, siadając. – Uprzytamnia mi, jak wiele mamy do stracenia. Znalazłam kamień – ciągnęła, przegarniając palcami trawę. – Pomyślałam, że gdy Larkin wróci, moglibyśmy pójść na cmentarz i zrobić grób dla Kinga.
Glenna nie otworzyła oczu, ale wyciągnęła rękę do Moiry.
– Masz dobre serce – powiedziała. – Tak, zrobimy grób dla Kinga.

Z powodu odniesionych ran Glenna nie mogła ćwiczyć, jednak nie zamierzała rezygnować z pracy. Następne dwa dni spędziła na gotowaniu, zakupach i studiowaniu magii.
I fotografowaniu.
Dzięki temu nie czuła się tak bezużyteczna, gdy inni w pocie czoła doskonalili sztukę władania mieczem i walki wręcz.
Uczyła się okolicy, zapamiętując układ dróg. Dawno nie prowadziła samochodu i musiała trochę poćwiczyć, jeżdżąc po krętych alejkach, ścinając żywopłoty na zakrętach, a w końcu pędząc przez ronda, gdy już odzyskała wiarę w swoje umiejętności kierowcy.
Wertowała księgi z zaklęciami w poszukiwaniu metod ataku i obrony, w poszukiwaniu rozwiązań. Nie mogła sprowadzić Kinga z powrotem, ale postanowiła zrobić wszystko, co w jej mocy, by chronić tych, którzy zostali.
Potem wpadła na świetny pomysł, że każdy członek drużyny powinien nauczyć się prowadzić auto. Zaczęła od Hoyta.
Siedziała obok niego, gdy w żółwim tempie jeździł furgonetką tam i z powrotem po wąskiej alejce.
– Mam lepsze rzeczy do roboty.
– Być może. – W tym tempie minie milenium, zanim przekroczą dziesięć kilometrów na godzinę. – Ale każdy z nas powinien móc usiąść za kółkiem, gdyby zaszła taka konieczność.
– Dlaczego?
– Bo tak.
– Zamierzasz zabrać tę maszynę na bitwę?
– Nie z tobą w roli kierowcy. Myślę praktycznie, Hoyt. Jestem jedyną osobą, która może prowadzić auto za dnia. Jeśli coś mi się stanie...
– Przestań. Nie kuś bogów. – Zacisnął rękę na jej dłoni.
– Musimy to wziąć pod uwagę. Mieszkamy na odludziu, potrzebujemy

środków transportu. Poza tym umiejętność prowadzenia samochodu da nam wszystkim pewną niezależność. Powinniśmy być przygotowani na wszystko.

– Moglibyśmy zdobyć więcej koni.

Powiedział to z taką tęsknotą, że Glenna poklepała go pocieszająco po ramieniu.

– Świetnie ci idzie, ale może mógłbyś spróbować pojechać odrobinę szybciej.

Wystrzelił do przodu, aż spod kół trysnęła fontanna żwiru. Glenna nabrała tchu i wrzasnęła:

– Hamulec! Hamuj! Hamuj!

Samochód stanął równie gwałtownie, jak ruszył.

– Oto nowe słowo do twojego słownika – powiedziała uprzejmie. – Hamulec.

– Powiedziałaś, że mam jechać szybciej. Tu jest „jedź". – Wskazał na pedał gazu.

– Tak, no cóż, dobrze. – Wciągnęła głęboko powietrze. – Jest ślimak i jest zając. Spróbujmy znaleźć jakieś zwierzę pomiędzy. Powiedzmy, pies. Miły, zdrowy golden retriever.

– Psy ścigają zające – zauważył Hoyt, a Glenna się roześmiała. – Tak lepiej. Byłaś smutna. Tęskniłem za twoim śmiechem.

– Uśmiechnę się od ucha do ucha specjalnie dla ciebie, jeśli ukończymy tę lekcję w jednym kawałku. Zrobimy wielki krok naprzód i wyjedziemy na drogę. – Sięgnęła do góry i zacisnęła palce na krysztale wiszącym na wstecznym lusterku. – Miejmy nadzieję, że to zadziała.

Poszło mu lepiej, niż się spodziewała, co oznaczało, że nikt nie został okaleczony ani ranny. Serce Glenny nieźle się mordowało, skacząc jej do gardła i opadając aż do pięt, ale trzymali się drogi – przez większość czasu.

Z przyjemnością patrzyła, jak Hoyt bierze zakręty, ściskając długimi palcami kierownicę, jakby to była lina ratunkowa na wzburzonym morzu.

Żywopłoty zamykały się nad nimi niczym zielone tunele usiane krwistoczerwonymi plamami fuksji i otwierały się nagle na szerokie pola i łąki, z białymi plamkami owiec i leniwych, łaciatych krów.

Miejska dziewczyna w Glennie była oczarowana. W innym czasie, pomyślała, w innym świecie mogłaby pokochać tę krainę. Gra świateł i cieni na zielonej trawie, szachownica pól, niespodziewany błysk wody, wznoszące się i opadające kamienie starożytnych ruin.

Tak dobrze było zobaczyć coś więcej poza domem w lesie, pomyślała, oglądać i darzyć miłością świat, o którego ocalenie mieli walczyć.

Popatrzyła na Hoyta, który nagle zwolnił.

– Musisz trzymać równe tempo, za wolna jazda może być tak samo groźna jak za szybka. I kiedy tak o tym myślę, to chyba dosyć uniwersalna reguła.

– Chcę stanąć.

– Musisz zjechać na pobocze. Włącz kierunkowskaz, tak jak ci pokazywałam, i zjedź na bok. – Sama spojrzała do tyłu. Pobocze było wąskie, ale na drodze nie dostrzegła żadnego ruchu. – Przesuń dźwignię na luz, to na środku. Dobrze. Więc... Co się stało? – zapytała, gdy Hoyt otworzył drzwi po swojej stronie.

Odpięła pas, złapała kluczyki – i po chwili namysłu aparat – i pobiegła za nim, ale Hoyt już był w połowie pola i szedł szybko w stronę ruin starej, kamiennej wieży.

– Trzeba było powiedzieć, jeśli chciałeś rozprostować nogi albo opróżnić pęcherz – zaczęła, sapiąc, gdy już się z nim zrównała. Dotknęła jego ramienia i poczuła zesztywniałe mięśnie. – Co się stało?

– Znam to miejsce. Tu mieszkali ludzie, mieli dzieci. Moja najstarsza siostra wyszła za ich drugiego syna. Nazywał się Fearghus. Uprawiali tę ziemię. Oni... chodzili po niej. Żyli tu.

Wszedł w ruiny, które kiedyś musiały być małym wiejskim domem. Zniknął dach i jedna ze ścian, na ziemi rosła trawa poprzetykana białymi kwiatkami w kształcie gwiazd, gdzieniegdzie leżały owcze bobki. Powiew wiatru przypominał szept duchów.

– Mieli córkę, ładną dziewczynę. Nasze rodziny żywiły nadzieję, że my... – Położył dłoń na ścianie. – Zostały tylko kamienie – powiedział cicho. – Same ruiny.

– Ale wciąż tu stoją, Hoyt, a ty ich pamiętasz. To, co robimy, co musimy zrobić, czy to nie oznacza, że mieli szansę na długie i szczęśliwe życie? Uprawiali tę ziemię, chodzili po niej. Żyli.

– Przyszli na pogrzeb mojego brata. – Opuścił rękę. – Nie wiem, co powinienem teraz czuć.

– Nie potrafię sobie wyobrazić, jak jest ci ciężko. Każdego dnia. – Położyła mu dłoń na ramieniu, czekając, aż Hoyt popatrzy jej w oczy. – Część tego, co należało do twojego świata, pozostała w moim. Myślę, że to ważne, z tego powinniśmy czerpać nadzieję i siłę. Chcesz być sam? Mogę poczekać na ciebie w samochodzie.

– Nie. Za każdym razem, gdy tracę odwagę albo myślę, że nie potrafię wykonać zadania, które przede mną stoi, ty jesteś ze mną. – Pochylił się i zerwał mały kwiatek. – One rosły też w moich czasach. – Obrócił go w palcach i wetknął jej we włosy. – Zabierzmy go ze sobą jako znak nadziei.

– Tak. Słuchaj – uniosła aparat – to miejsce aż prosi się o fotografię. I światło jest fenomenalne.

Odsunęła się, żeby znaleźć jak najlepsze ujęcie. Podaruje mu jedno z tych zdjęć, postanowiła. Żeby miał po niej jakąś pamiątkę. I taką samą odbitkę powiesi na swoim strychu.

Będzie sobie wyobrażała, że on patrzy na to zdjęcie tak samo jak ona i wspomina, jak stali tutaj w słoneczne popołudnie wśród dzikich kwiatów, na dywanie z trawy.

Ale ta myśl przyniosła więcej bólu niż pociechy, więc Glenna wycelowała obiektyw w stronę Hoyta.

– Nie musisz się uśmiechać. Właściwie... – Nacisnęła migawkę. – Dobrze, bardzo ładnie. Nastawię samowyzwalacz i zrobimy sobie zdjęcie razem. – Rozejrzała się dookoła w poszukiwaniu czegoś, na czym mogłaby postawić apa-

rat. Żałowała, że nie wzięła statywu. – Cóż, będziemy musieli coś wymyślić.
– Ustawiła kadr: mężczyzna, kamienne mury i pole. – Niech powietrze stanie,
spełni me wezwanie. Pod moją ręką twarde jak skała, tak by ni cząstka nie
zadrżała.

Postawiła aparat na znieruchomiałym powietrzu, włączyła samowyzwalacz i podbiegła do Hoyta.

– Patrz w obiektyw. – Objęła go w pasie zadowolona, gdy zrobił to samo.
– A gdyby udało ci się choć trochę uśmiechnąć... raz, dwa... – Światełko mig-
nęło. – Gotowe. Dla potomności.

Wzięła aparat i wyszli razem na zewnątrz.

– Skąd wiesz, jak będą wyglądały, gdy wyjmiesz je z tego pudełka?

– Nie wiem, nie na sto procent. Chyba można powiedzieć, że to też rodzaj
nadziei. – Obejrzała się na ruiny. – Potrzebujesz więcej czasu?

– Nie. – Czas, pomyślał, zawsze będzie go za mało. – Powinniśmy wracać.
Mamy sporo pracy.

– Kochałeś ją? – zapytała Glenna, gdy ruszyli przez pole do samochodu.

– Kogo?

– Tę dziewczynę, córkę ludzi, którzy tu mieszkali.

– Nie, nie kochałem. Moja matka była bardzo rozczarowana, ale myślę, że
dziewczyna nie. Nie szukałem kobiety, żeby się ożenić, założyć rodzinę. Wydawało mi się, że mój dar, moja praca wymagają samotności, a żonom trzeba
poświęcać czas i uwagę.

– To prawda, chociaż teoretycznie one w zamian ofiarowują ci to samo.

– Chciałem być sam. Przez całe życie wydawało mi się, że mam za mało
samotności i spokoju, a teraz obawiam się, że zawsze miałem jej zbyt wiele.

– To będzie zależało od ciebie. – Zatrzymała się, by po raz ostatni rzucić
okiem na ruiny. – Co im powiesz, gdy wrócisz? – Nawet rozmowa na ten temat rozdzierała jej serce.

– Nie wiem. – Wziął ją za rękę i razem patrzyli na ślady przeszłości. – A co
ty powiesz swoim bliskim, gdy to wszystko dobiegnie końca?

– Pewnie nic. Niech myślą, że wybrałam się w spontaniczną podróż do Europy, tak jak im powiedziałam. Po co mam ich obarczać lękiem przed tym, co
poznaliśmy? – zapytała, gdy Hoyt odwrócił się do niej. – Wiemy już, że to, co
straszy po nocy, jest prawdziwe, a ta wiedza to ciężar. Powiem im, że ich kocham, i to wszystko.

– Czy to nie jest inny rodzaj samotności?

– Z taką samotnością mogę sobie poradzić.

Tym razem Glenna usiadła za kierownicą. Hoyt, zanim wsiadł, rzucił
ostatnie spojrzenie na ruiny i pomyślał, że bez tej kobiety zagubi się w samotności na zawsze.

17

*N*ie dawało mu to spokoju – myśl o powrocie do własnego świata i obawa przed śmiercią tutaj. Bał się, że już nigdy nie zobaczy domu, i zarazem się lękał, że spędzi resztę swoich dni bez kobiety, nadającej jego życiu nowy sens.

Czekała ich walka, którą mieli stoczyć na miecze i szpady, a w jego wnętrzu szalała bitwa, raniąc mu serce rozrywane niewyobrażalnym pragnieniem.

Obserwował Glennę z okna wieży, gdy fotografowała Larkina i Moirę, najpierw jak się mocują, a potem w mniej bojowych pozach.

Jej rany zagoiły się na tyle, że nie poruszała się już tak sztywno i z wysiłkiem, ale on nigdy nie zapomni, jak wyglądała, leżąc zakrwawiona na ziemi.

Jej styl ubierania już go nie dziwił, pasował do niej i tego, kim była. Sposób, w jaki poruszała się, odziana w czarne spodnie i białą koszulę, z ognistorudymi włosami upiętymi niedbale na czubku głowy, wydawał mu się esencją gracji i elegancji.

W jej twarzy dostrzegał piękno i bystrość, w umyśle inteligencję i ciekawość, a w sercu współczucie i męstwo.

Zdał sobie sprawę, że znalazł w niej wszystko, czego mógł kiedykolwiek pragnąć, choć wcześniej nawet nie wiedział, że mu tego brakuje.

Oczywiście nie miał do niej żadnego prawa, oboje dostali tylko tyle czasu, ile potrwa wypełnienie zadania. Jeśli przeżyją, jeśli światy przetrwają, on wróci do swojego, a ona pozostanie tutaj.

Nawet miłość nie mogła pokonać przepaści tysiąca lat.

Miłość. Serce zabolało go na sam dźwięk tego słowa, więc przycisnął dłoń do piersi. A zatem to była miłość, ta udręka, ten ogień. Światło i ciemność.

Nie tylko rozgrzane ciała i westchnienia w blasku świec, ale też ból i świadomość w świetle dnia, w głębi nocy. Czuć tak wiele do drugiej osoby, to przyćmiewało wszystko inne.

I wydawało się przerażające.

Nie bądź tchórzem, upomniał Hoyt samego siebie. Był czarnoksiężnikiem z urodzenia, a okoliczności zrobiły z niego wojownika. Trzymał w dłoni błyskawicę i wzywał wiatr, by nią cisnął. Zabijał demony i dwa razy stanął twarzą w twarz z ich królową.

Na pewno potrafi stawić czoło miłości. Miłość nie może go zranić ani zabić, nie może pozbawić go mocy. Więc jakim musi być tchórzem, że przed nią ucieka?

Powodowany impulsem wyszedł szybko z pokoju i zbiegł po schodach. Gdy mijał drzwi pokoju brata, usłyszał muzykę – niskie i ponure tony. Wiedział, że to muzyka żałobna.

Wiedział też, że jeśli jego brat się obudził, inni z jego gatunku też wkrótce wstaną. Nadchodził zmierzch.

Przeszedł szybko przez hol, przez kuchnię, gdzie coś się gotowało na kuchence, i wyszedł tylnymi drzwiami.

Larkin zabawiał damy, zmieniając się w srebrnego wilka, a Glenna biegała wokół niego z małym pudełeczkiem, którym robiła zdjęcia. Aparat fotograficzny, przypomniał sobie.

Larkin wrócił do ludzkiej postaci, podniósł miecz i stanął w dumnej pozie.

– Wyglądasz lepiej jako wilk – powiedziała Moira.

Pogroził jej mieczem i rzucił się za nią w pogoń. Ich okrzyki i śmiechy tak bardzo różniły się od muzyki w pokoju brata, że Hoyt stanął i patrzył na tę scenę z podziwem.

Na świecie wciąż rozlegał się śmiech, nadal był czas na zabawę i radość. Wciąż jaśniało światło, choć ciemność podkradała się coraz bliżej.

– Glenno.

Popatrzyła na niego roześmianymi oczami.

– Och, idealnie! Nie poruszaj się. Dokładnie tam, z domem za plecami.

– Chciałbym...

– Cii. Zaraz stracę światło. Tak, właśnie tak, niedostępny i zirytowany. Cudownie! Szkoda, że nie mam czasu, żeby przynieść twój płaszcz, jesteś do niego stworzony.

Zmieniła kąt, ukucnęła i podniosła obiektyw.

– Nie, nie patrz na mnie. Patrz nad moją głową, jakbyś był zatopiony w myślach. Patrz na drzewa.

– Nieważne, gdzie patrzę, i tak widzę tylko ciebie.

Opuściła na chwilę aparat, zarumieniona z radości.

– Próbujesz odwrócić moją uwagę. No, pokaż to słynne spojrzenie Hoyta, tylko na chwilę. Patrz na drzewa, poważny czarnoksiężniku.

– Chcę z tobą pomówić.

– Dwie minutki. – Zmieniła pozycję, zrobiła jeszcze parę zdjęć i wstała. – Potrzebuję statywu – wymamrotała, przeglądając broń na stole.

– Glenno, wrócisz ze mną?

– Dwie minutki – powtórzyła, próbując wybrać między długim mieczem i szpadą. – I tak muszę iść sprawdzić, co z zupą.

– Nie mówię o powrocie do cholernej kuchni. Pójdziesz ze mną?

Zerknęła na niego odruchowo, podnosząc aparat i robiąc zdjęcie jego poważnej twarzy. Sycący posiłek, pomyślała, dobrze przespana noc i jutro rano znowu będzie zdatna do ćwiczeń.

– Dokąd?

– Do domu. Do mojego domu.

– Co? – Opuściła aparat i poczuła, jak serce podskoczyło jej do gardła. – Słucham?

– Kiedy to już się skończy. – Zbliżył się do niej, wciąż patrząc jej w oczy. – Pójdziesz ze mną? Zostaniesz ze mną? Będziesz należeć do mnie?

– Z tobą? Z powrotem do dwunastego wieku?

– Tak.

Powoli, ostrożnie odłożyła aparat na stół.

– Dlaczego mnie o to prosisz?

– Bo widzę tylko ciebie, chcę tylko ciebie. W świecie, w którym zabrakłoby ciebie, pięć minut byłoby wiecznością. Nie mogę stawić czoła wieczności, w której nie będę widział twojej twarzy. – Pogłaskał ją po policzku. – Nie będę słyszał twojego głosu, nie będę mógł cię dotknąć. Myślę, że zostałem przysłany tu nie tylko po to, by stoczyć bitwę, ale też żeby odnaleźć ciebie. – Ujął jej dłonie i przycisnął do ust. – W tym strachu, żałobie i bólu widzę tylko ciebie, Glenno.

Przez cały czas patrzyła mu w oczy, a gdy umilkł, dotknęła dłonią jego serca.

– Tam jest tak wiele – powiedziała cicho – a ja mam ogromne szczęście być tego częścią. Pójdę z tobą. Pójdę z tobą wszędzie.

Poczuł nieopisaną radość, która rozgrzała mu serce i ciało.

– Zostawiłabyś swój świat, wszystko, co znasz? Dlaczego?

– Bo dla mnie pięć minut bez ciebie to także wieczność. Kocham cię. – Dostrzegła zmianę w jego oczach. – To najsilniejsze zaklęcie w każdej magii. Kocham cię. Wypowiadając te słowa, już do ciebie należę.

– Gdy ja to powiem, nasza miłość ożyje i nikt ani nic nie zdoła jej zabić. – Ujął jej twarz w obie dłonie. – Czy zechcesz mnie, jeśli zostanę tutaj?

– Ale powiedziałeś...

– Zechcesz mnie, Glenno?

– Tak, oczywiście, że tak.

– W takim razie zobaczymy, który świat jest nam przeznaczony. Bez względu na miejsce, bez względu na czas, będę cię kochał. – Dotknął wargami jej ust. – I tylko ciebie.

– Hoyt. – Otoczyła go ramionami. – Jeśli mamy to, możemy dokonać wszystkiego.

– Jeszcze tego nie powiedziałem.

Roześmiała się i obsypała go pocałunkami.

– Ale byłeś blisko.

– Poczekaj. – Odsunął ją o kilka centymetrów i wbił w nią spojrzenie intensywnie błękitnych oczu. – Kocham cię.

Z nieba wystrzelił pojedynczy promień światła i otoczył ich białym kręgiem.

– A zatem stało się – oznajmił cicho Hoyt. – W tym życiu i we wszystkich, które nadejdą, należę do ciebie. A ty do mnie. Oddaję ci wszystko, czym jestem, Glenno.

– A ja tobie wszystko, czym będę. Przysięgam ci. – Przytuliła policzek do jego twarzy. – Cokolwiek się wydarzy, to należy do nas.

Odchyliła głowę tak, by ich usta mogły się spotkać.

– Wiedziałam, że to będziesz ty – powiedziała miękko. – Od chwili, w której weszłam do twojego snu.

Tulili się mocno do siebie otoczeni kręgiem światła. Gdy promień zbladł, a mrok zaczął ogarniać ziemię, zebrali resztę broni i razem zanieśli ją do domu.

Cian patrzył na nich z okna sypialni. Miłość jaśniała wokół nich promieniem, który niemal palił mu skórę, raził oczy.

I padał na serce, które nie biło prawie od tysiąca lat.

A zatem jego brat przegrał z jedynym wrogiem, przed którym nie było obrony. Teraz przeżyją swoje krótkie i bolesne życie skąpani w tym świetle.

Może warto.

Odwrócił się i zniknął w chłodnej ciemności pokoju.

Kiedy zszedł na dół, było już zupełnie ciemno, a Glenna krzątała się po kuchni. Uszczęśliwiona nuciła przy pracy. Ktoś mógłby powiedzieć, że wraz z melodią z jej ust wypływały różowe serduszka, pomyślał z przekąsem Cian.

Wkładała naczynia do zmywarki, w kuchni unosił się zapach ziół i kwiatów. Miała upięte wysoko włosy i od czasu do czasu poruszała biodrami w rytm nuconej melodii.

Czy on też miałby taką kobietę, gdyby żył? Taką, która śpiewałaby w kuchni albo stała w kręgu światła, patrząc na niego oczami pełnymi miłości?

Oczywiście miał kobiety. Setki. I niektóre naprawdę go kochały – na własną zgubę, jak przypuszczał. Ale nawet jeśli ich twarze rozświetlała kiedyś taka miłość, żadnej z nich już nie pamiętał.

Sam wyeliminował miłość ze swojego życia.

Albo tak sobie wmówił. W każdym razie kochał Kinga jak ojciec syna lub brat brata. Mała królewna miała rację i przeklinał ją za to.

Obdarzył miłością i zaufaniem człowieka, a on zrobił to, co mieli w zwyczaju wszyscy ludzie: umarł i zostawił go samego.

Bo chciał ją ratować, pomyślał, patrząc na Glennę. Kolejna rzecz, którą robili ludzie: poświęcali się jeden dla drugiego.

Ta cecha od dawna go fascynowała. Łatwiej mu było zrozumieć inny z ich zwyczajów: zabijanie siebie nawzajem.

Wtem Glenna odwróciła się i podskoczyła. Talerz, który trzymała w dłoni, wyśliznął się jej z palców i roztrzaskał na podłodze.

– Boże. Przepraszam. Zaskoczyłeś mnie.

Zauważył, że poruszała się szybko i zbyt nerwowo jak na kobietę o takim wdzięku. Wzięła zmiotkę i szufelkę z szafki i zaczęła sprzątać skorupy.

Nie rozmawiał z nią ani z nikim innym od nocy, w której zginął King. Zostawił ich, żeby ćwiczyli sami lub robili, co im się żywnie podoba.

– Nie słyszałam, jak wszedłeś. Wszyscy zjedli już kolację i poszli na górę poćwiczyć. Pokazałam dziś Hoytowi, jak prowadzić samochód. Jeździliśmy z godzinę. Pomyślałam... – Upuściła skorupy i popatrzyła na niego. – Och, Boże, powiedz coś.

– Nawet jeśli przeżyjecie, pochodzicie z dwóch różnych światów. Jak zamierzacie to rozwiązać?

– Czy Hoyt z tobą rozmawiał?

– Nie musiał. Mam oczy.

– Nie wiem, jak to rozwiążemy. – Odłożyła szczotkę. – Znajdziemy sposób. Czy to ma dla ciebie jakieś znaczenie?

– Absolutnie żadnego. Ale mnie ciekawi. – Wziął ze stojaka butelkę wina i przeczytał etykietkę. – Żyję między wami już sporo czasu, gdybyście mnie nie ciekawili, już dawno temu umarłbym z nudów.

Glenna próbowała się uspokoić.

– Wierzę, że miłość czyni nas silniejszymi. Bardzo nam potrzeba siły, jak dotąd nie szło nam zbyt dobrze.

Otworzył wino i sięgnął po szklankę.

– Zwłaszcza tobie.

– Cian – powiedziała, gdy odwrócił się, żeby wyjść. – Wiem, że winisz mnie za to, co stało się z Kingiem. Masz pełne prawo, żeby obarczać mnie odpowiedzialnością i nienawidzić, ale jeśli nie znajdziemy sposobu, żeby współpracować, on nie będzie jedynym z nas, który straci życie. Będzie pierwszy.

– Wyprzedziłem go o pareset lat. – Wzniósł kieliszek w jej stronę w prześmiewczym toaście i wyszedł.

– Cóż, dzięki za pogawędkę – wymamrotała Glenna i wróciła do zmywarki.

Pewnie jej nienawidzi, pomyślała, i Hoyta też, za to, że ją kocha. W ich zespole nastąpił rozłam, zanim w ogóle mieli szansę, by stać się drużyną.

Gdyby był na to czas, zostawiłaby go na razie, poczekała, aż gniew Ciana ostygnie, a nienawiść zblednie, ale nie mogli stracić już ani jednej cennej chwili. Będzie musiała znaleźć jakiś sposób na wyjście z tej sytuacji.

Wytarła ręce i powiesiła ścierkę.

Nagle coś grzmotnęło w kuchenne drzwi, jakby spadło na nie zwalone drzewo. Glenna instynktownie odstąpiła krok do tyłu, sięgnęła po miecz oparty o szafkę i kołek, który leżał na blacie.

– Nie mogą tu wejść – wyszeptała, jednak głos jej drżał. – Jeśli chcą mnie oglądać, jak sprzątam kuchnię, to proszę bardzo.

Ale żałowała, że nie udało im się z Hoytem otoczyć domu ochronnym pierścieniem.

Nie mogła pozwolić, by ją wystraszyły. Na pewno nie zamierzała otwierać drzwi, żeby uciąć sobie pogawędkę z czymś, co chciało rozerwać ją na strzępy.

Ktoś zaczął drapać w drzwi tuż nad progiem i jęknął. Dłoń Glenny, zaciśnięta na rękojeści miecza, zrobiła się mokra od potu.

– Pomóż mi, proszę.

Głos był słaby, ledwo słyszalny, ale wydawało jej się...

– Wpuść mnie, Glenno. Glenna? W imię Boga, wpuść mnie, zanim po mnie przyjdą.

– King? – Miecz zadzwonił, gdy skoczyła do drzwi. Jednak nie wypuściła kołka z drugiej ręki.

Już raz omal dałam się nabrać, pomyślała, odsuwając się jak najdalej od wejścia.

Leżał na kamieniach tuż za progiem, w podartym i zakrwawionym ubraniu. Na twarzy miał zaschniętą krew, a jego głos był ledwie słyszalny.

Żyje, tylko o tym mogła myśleć.

Chciała pochylić się i wciągnąć go do środka, lecz Cian znalazł się przy niej w ułamku sekundy. Odepchnął ją na bok i położył dłoń na pokiereszowanym policzku Kinga.

– Musimy zabrać go do środka. Szybko, Cian. Mam coś, co mu pomoże.

– One są blisko. Śledzą mnie. – King sięgnął na oślep po dłoń Ciana. – Nie sądziłem, że mi się uda.

– Udało ci się. Chodź do środka. – Cian chwycił przyjaciela pod ramiona i wciągnął do kuchni. – Jak udało ci się uciec?

– Nie wiem. – King z zamkniętymi oczami leżał na kuchennej podłodze. – Ominąłem skały. Myślałem, że utonę, ale... wydostałem się z wody. Byłem ranny. Zemdlałem, nie wiem na jak długo. Potem szedłem i szedłem, cały dzień. W nocy się ukrywałem, one wychodzą w nocy.

– Pozwól mi zobaczyć, jak mogę mu pomóc – zaczęła Glenna.

– Zamknij drzwi – rozkazał jej Cian.

– Czy wszystkim się udało? Czy wszyscy... och, jak mi się chce pić.

– O tak, wiem. – Cian schwycił go mocno za rękę i popatrzył mu głęboko w oczy. – Ja wiem.

– Zaczniemy od tego. – Glenna mieszała coś energicznie w kubku. – Cian, gdybyś mógł zawołać pozostałych, Moira i Hoyt są mi potrzebni. Musimy położyć Kinga do łóżka.

Pochyliła się nad rannym, a krzyż wiszący na jej szyi musnął Kinga po twarzy.

Zasyczał jak wąż i rzucił się do tyłu.

Nagle, ku przerażeniu Glenny, wstał. I wyszczerzył zęby w uśmiechu.

– Nigdy mi nie mówiłeś, jakie to uczucie – powiedział do Ciana.

– Na to brakuje słów. Trzeba samemu doświadczyć.

– Nie. – Glenna mogła tylko pokręcić głową. – O Boże, nie.

– Mogłeś mnie tam zabrać już dawno, ale cieszę się, że tego nie zrobiłeś. Cieszę się, że to się stało teraz, kiedy jestem w kwiecie wieku.

King obszedł Glennę i odciął jej drogę do drzwi.

– Najpierw mnie torturowali. Lilith zna zadziwiające sposoby zadawania bólu. Wiesz, że w walce z nią nie macie żadnych szans.

– Przepraszam – wyszeptała Glenna. – Tak bardzo mi przykro.

– Niepotrzebnie. Powiedziała, że mogę cię mieć. Zjeść cię albo przemienić. Mój wybór.

– Nie chcesz mnie skrzywdzić, King.

– Och tak, chce – odparł Cian spokojnie. – On pragnie twojego bólu niemal tak mocno jak smaku twojej krwi na języku. Taka już jego natura. Czy przekazała ci dar, zanim zrzuciła cię ze skały?

– Nie, ale byłem poważnie ranny, ledwo mogłem ustać na nogach. Gdy mnie zrzucali, byłem obwiązany liną. Miała mi ofiarować dar, gdybym przeżył. Przeżyłem. Ona przyjmie cię z powrotem – zwrócił się do Ciana.

– Wiem.

Glenna patrzyła to na jednego, to na drugiego. Zdała sobie sprawę, że jest uwięziona między dwoma wampirami. On wiedział, teraz nie miała już wątpliwości. Cian wiedział, co jest z Kingiem, zanim go wpuścił do domu.

– Nie rób tego. Jak możesz to robić swojemu bratu?

– Nie mogę go mieć – powiedział King do Ciana. – Ty też nie. Lilith chce Hoyta dla siebie, sama chce wypić krew czarnoksiężnika. Dzięki temu stanie się jeszcze potężniejsza. Wszystkie światy będą do niej należały.

Miecz leżał za daleko, a kołek też już odłożyła. Nie pozostało jej nic do obrony.

– Mamy zabrać do niej Hoyta i tę drugą kobietę żywych. A ta tutaj i chłopak? Są nasi, jeśli chcemy.

– Od bardzo dawna nie piłem ludzkiej krwi. – Cian wyciągnął rękę i dotknął karku Glenny. – A myślę, że ta uderzy nam do głowy.

King oblizał usta.

– Możemy się nią podzielić.

– Pewnie, dlaczego nie? – Cian zacisnął palce na karku Glenny, a gdy zaczęła się bronić, wybuchnął śmiechem. – Och tak, krzycz o pomoc. Przywołaj tu innych, oszczędzisz nam wycieczki na górę.

– Obyś zgnił w piekle. Przykro mi z powodu tego, co cię spotkało – powiedziała do Kinga, gdy ruszył w jej stronę – i przepraszam, że to po części także moja wina. Ale nie ułatwię ci tego.

Użyła Ciana jako podpory i kopnęła Kinga obiema nogami, ale on tylko cofnął się kilka kroków, roześmiał i ruszył na nią znowu.

– Pozwolą im biegać po jaskiniach, żebyśmy mogli ich gonić. Lubię, jak uciekają i krzyczą.

– Nie będę krzyczała. – Broniła się rękami i nogami.

Usłyszała odgłos kroków, pomyślała „nie!" i jednak wrzasnęła.

– Krzyż. Nie mogę ominąć tego pieprzonego krzyża. Uderz ją, niech straci przytomność! – zażądał King. – Zdejmij to z niej. Jestem głodny!

– Zajmę się tym. – Odepchnął Glennę na bok, gdy pozostali wbiegli do kuchni.

I patrząc prosto w oczy przyjaciela, przebił mu serce kołkiem, który chował za plecami.

– Tylko tyle mogę dla ciebie zrobić – powiedział i odrzucił palik na bok.

– King! Tylko nie on. – Moira opadła na kolana nad garścią popiołu, położyła na niej dłonie i przemówiła głosem drżącym od łez: – Pozwól, aby to, kim był, jego dusza i serce, wróciły do świata. Demon, który je zabrał, nie żyje. Daj mu światło, by znalazł powrotną drogę.

– Nie wskrzesisz człowieka z popiołu.

Podniosła wzrok na Ciana.

– Nie, ale może uwolnię jego duszę, żeby narodził się znowu. Nie zabiłeś swojego przyjaciela, Cian.

– Nie. Lilith to zrobiła.

– Myślałam... – Glenna wciąż drżała, gdy Hoyt pomagał jej wstać.

– Wiem, co myślałaś. Dlaczego miałabyś oczekiwać czegoś innego?

– Bo powinnam była ci zaufać. Powiedziałam, że nie jesteśmy drużyną, ale nie rozumiałam, że ponoszę za to taką samą odpowiedzialność jak wszyscy. Nie ufałam ci. Myślałam, że mnie zabijesz, a ty uratowałeś mi życie.

– Mylisz się. Uratowałem jego.

– Cian – zrobiła krok w jego stronę – to moja wina. Nie potrafię...

– To nie jest twoja wina. Nie ty go zabiłaś, nie ty przemieniłaś. Zrobiła to Lilith. I przysłała go tutaj, żeby umarł jeszcze raz. Był młody, jeszcze się nie przyzwyczaił do nowej postaci, poza tym ranny. Nie dałby rady nam wszystkim i ona dobrze o tym wiedziała.

– Wiedziała, co zrobisz. – Hoyt położył bratu rękę na ramieniu. – I ile to będzie cię kosztowało.

– W pewien sposób ona nie mogła przegrać. W każdym razie tak myślała. Jeślibym go nie zabił, wziąłby przynajmniej jedno z was, a może wszystkich, gdybym mu pomógł. Jeśli zaś bym go zabił, kosztowałoby mnie to... och, dużo, naprawdę sporo.

– Śmierć przyjaciela – odezwał się Larkin – to ciężkie przeżycie. Wszyscy to czujemy.

– Nie wątpię. – Cian popatrzył na Moirę, która wciąż klęczała na podłodze. – Jednak to najbardziej uderza we mnie, bo King najpierw był mój. Lilith zrobiła mu to przez ciebie – zwrócił się do Glenny – ale też ze względu na mnie. Winiłbym cię, gdyby po prostu go zabiła, ale za to nie mogę. To wina jej i moja. – Wziął do ręki kołek i popatrzył na jego ostry koniec. – I kiedy nadejdzie czas, gdy staniemy z nią twarzą w twarz, Lilith będzie moja. Jeśli którekolwiek z was spróbuje zadać jej śmiertelny cios, nie pozwolę mu. Źle to sobie wykombinowała. Jestem jej coś dłużny i za to, co zrobiła mi dzisiaj, podaruję jej śmierć. – Podniósł miecz. – Dziś wieczór będziemy trenować.

Glenna ćwiczyła z Larkinem, Moira z Hoytem, a Cian chodził wokół nich i obserwował, jak stal krzyżuje się ze stalą. Co jakiś czas wykrzykiwał obraźliwe słowa, co, jak przypuszczała, było jego sposobem motywacji.

Ramię ją rwało, a żebra bolały. Pot spływał jej po plecach i zalewał oczy, jednak nie przestawała walczyć. Ból i wysiłek pomagał pozbyć się obrazu Kinga zmierzającego w jej stronę z wyszczerzonymi kłami.

– Wyżej ramię! – krzyczał na nią Cian. – Nie przetrwasz pięciu minut, jeśli nie umiesz dobrze złapać pieprzonego miecza. I na litość boską, przestań z nią tańczyć, Larkin. Nie jesteśmy w dyskotece.

– Ona jeszcze nie wyzdrowiała – warknął Larkin. – I co to, do cholery, jest dyskoteka?

– Stop. – Moira opuściła miecz i otarła wierzchem dłoni spocone czoło. – Muszę chwilę odpocząć.

– Nie musisz. Wydaje ci się, że robisz jej przysługę, prosząc o przerwę? Myślisz, że one zgodzą się na chwilę odpoczynku, bo wasza koleżaneczka musi złapać oddech?

– Nic mi nie jest. Nie musisz na nią krzyczeć. – Glenna próbowała wyrównać oddech i odzyskać nieco siły w nogach. – Wszystko w porządku, nie musisz na mnie uważać – powiedziała do Larkina.

– Popatrz tylko na nią. – Hoyt pokazał ręką Larkinowi, żeby się odsunął. – Jest za wcześnie, żeby tak intensywnie ćwiczyła.

– Nie ty o tym decydujesz – zauważył Cian.

– Ale ja tak uważam. Jest wyczerpana i obolała. Wystarczy.

– Powiedziałam, że nic mi nie jest i sama mogę występować w swoim imieniu. Twój brat najwyraźniej czerpie ogromną przyjemność z zachowywania się jak sukinsyn, jednak w tym wypadku ma rację. Nikt nie musi przemawiać w mojej obronie.

– Zatem będziesz musiała się do tego przyzwyczaić, bo zamierzam mówić za ciebie za każdym razem, gdy będziesz tego potrzebowała.

– Sama wiem, czego i kiedy potrzebuję.

– Może wy dwoje po prostu zagadacie wroga na śmierć – stwierdził sucho Cian.

Cierpliwość Glenny się skończyła. Wymierzyła miecz w Ciana.

– Chodź. No chodź, tylko ty i ja. Ty nie będziesz mnie oszczędzał.

– Nie. – Skrzyżował swoje ostrze z jej mieczem. – Nie będę.

– Powiedziałem: wystarczy. – Hoyt opuścił swój miecz między nich i z wściekłości cisnął po ostrzu płomień.

– Z którym z nas chciałbyś się zmierzyć? – Głos Ciana był teraz jak jedwab, oczy pociemniały mu niebezpiecznie.

– To może być ciekawe – uznał Larkin, ale wkroczyła jego kuzynka.

– Uspokójmy się – powiedziała. – Wszyscy jesteśmy zdenerwowani, zmęczeni i zgrzani jak konie po długim galopie. Nie ma sensu, żebyśmy się nawzajem ranili. Jeśli nie możemy odpocząć, to przynajmniej otwórzmy drzwi, wpuśćmy tu trochę powietrza.

– Chcesz otworzyć drzwi? – Cian przechylił głowę i uśmiechnął się łagodnie. – Potrzebujesz świeżego powietrza? Och, pewnie, wpuśćmy tu trochę wieczornej bryzy.

Podszedł do drzwi na taras i otworzył je szeroko, a potem ruchem szybkim jak błyskawica wyłowił z ciemności dwa wampiry.

– Ależ proszę, wejdźcie – powiedział, wpychając je do środka. – Mamy tu mnóstwo jedzenia. – Oba potwory wyciągnęły broń, a Cian podszedł do stołu, nabił jabłko na miecz, po czym oparł się o ścianę, zdjął owoc z ostrza i ugryzł.

– Zobaczmy, jak sobie z nimi poradzicie – zaproponował. – W końcu jest was więcej, więc macie jakąś szansę przeżycia.

Hoyt obrócił się instynktownie, chroniąc Glennę. Larkin już atakował, ale jego przeciwnik bez trudu zablokował ostrze miecza i wymierzył cios, po którym Larkin przeleciał przez pół pokoju.

Potwór odwrócił się i ruszył na Moirę. Pierwsze uderzenie wytrąciło jej miecz z ręki. Próbowała wydobyć kołek, jednak napastnik wydawał się lecieć w powietrzu wprost na nią.

Glenna opanowała strach, sięgnęła po wściekłość i magię i wystrzeliła ogniem. Wampir jeszcze w powietrzu stanął w płomieniach.

– Dobra robota, Ruda – pochwalił Cian i patrzył, jak jego brat walczy o życie.

– Pomóż mu. Pomóż mi.

– Sama nie możesz?

– Są zbyt blisko siebie, żebym mogła użyć ognia.

– Spróbuj tego. – Rzucił jej kołek i ugryzł jabłko.

Glenna, nie myśląc, rzuciła się w przód i wbiła kołek w plecy wampira, który przyciskał Hoyta do podłogi.

I nie trafiła w serce.

Potwór zawył, ale w tym ryku było więcej radości niż bólu. Odwrócił się i uniósł miecz. Moira i Larkin ruszyli na odsiecz, jednak Glennie śmierć zajrzała w oczy. Byli zbyt daleko, a ona nie miała żadnej broni.

Wtedy Hoyt przeciął mieczem szyję potwora. Krew zbryzgała twarz Glenny, zanim wampir przemienił się w popiół.

– Dosyć żałosne, chociaż w sumie skuteczne. – Cian wytarł ręce. – Zmieńcie się w parach. Koniec zabawy.

– Wiedziałeś, że one tam są. – Dłoń Moiry, w której dziewczyna wciąż ściskała kołek, drżała. – Wiedziałeś.

– Oczywiście, że wiedziałem. Gdybyś ruszyła głową albo przynajmniej skorzystała z któregoś ze zmysłów, też byś wiedziała.

– Pozwoliłbyś, żeby nas zabiły?

– To raczej wy niemal pozwoliliście, żeby was zabiły. Ty – pokazał na Moirę – stałaś sparaliżowana ze strachu. Ty – do Larkina – zaatakowałeś bezmyślnie i niemal przypłaciłeś to głową. A co do ciebie – zwrócił się do Hoyta – ochrona kobiet to może i rycerski gest, ale oboje byście zginęli – oczywiście z nieskalanym honorem. Ruda użyła rozumu – i mocy, którą dali jej wasi cholerni bogowie – jednak tylko na początku, potem załamała się i stała potulnie, czekając na śmierć. – Zrobił krok do przodu. – Dlatego teraz będziemy pracowali nad waszymi słabościami. Których jest multum.

– Ja mam dość. – Głos Glenny był niewiele głośniejszy od szeptu. – Mam dosyć krwi i śmierci jak na jedną noc. Wystarczy. – Rzuciła kołek i wyszła.

– Zostaw ją. – Cian machnął ręką, gdy Hoyt obrócił się, by pójść za nią. – Na litość boską, gdybyś miał choć odrobinę rozumu, wiedziałbyś, że ona teraz nie ma ochoty na niczyje towarzystwo. Po tak dramatycznym wyjściu zasługuje na chwilę spokoju.

– Masz rację – powiedziała Moira szybko. – Chociaż niełatwo mi to przyznać. – Podniosła miecz, który wampir wytrącił jej z ręki. – Znasz nasze słabości. – Skinęła głową, patrząc Cianowi w oczy. – Bardzo dobrze. Pokaż mi moje.

18

*H*oyt spodziewał się, że zastanie Glennę w łóżku. Miał nadzieję, że zasnęła już, a on będzie mógł podleczyć jej rany.

Jednak ona stała w ciemności przy oknie.

– Nie zapalaj światła – powiedziała zwrócona do niego plecami. – Cian miał rację, na zewnątrz jest ich więcej. Poruszają się jak cienie, ale jeśli się skupisz, to wychwycisz ich ruch. Myślę, że wkrótce wrócą do dziury, w której chowają się za dnia.

– Powinnaś odpocząć.

– Wiem, że mówisz tak, bo się o mnie martwisz, i jestem już wystarczająco spokojna, żeby nie urwać ci za to głowy. Wiem też, że na dole zachowałam się fatalnie, ale nic mnie to nie obchodzi.

– Jesteś tak samo zmęczona, jak ja. Chcę wziąć prysznic i położyć się spać.

– Masz swój pokój. I nikt cię nie prosił... – Odwróciła się do niego. Jej twarz wydawała się jeszcze bledsza na tle ciemnego szlafroka. – Jednak nie jestem tak spokojna, jak mi się wydawało. Nie miałeś prawa, absolutnie żadnego prawa stawać tam przede mną.

– Miałem pełne prawo. Dała mi je miłość. A nawet bez niej, jeśli mężczyzna nie chroni kobiety...

– Natychmiast przestań. – Podniosła dłoń, jakby chciała odeprzeć jego słowa. – Tu nie chodzi o mężczyzn i kobiety, tylko o ludzi. Sekundy, które straciłeś na myślenie o mnie, mogły kosztować cię życie. Żadne z nas nie może sobie na to pozwolić. Jeśli nie wierzysz, że sama potrafię się obronić, że wszyscy jesteśmy do tego zdolni, przegramy.

Hoyta wcale nie obchodziło, że to prawda. Wciąż miał przed oczami potwora, który chciał odebrać jej życie.

– I co by się z tobą stało, gdybym nie zniszczył tego monstrum?

– To zupełnie inna kwestia. – Podeszła do niego, a Hoyt poczuł zniewalająco kobiecy zapach balsamów, które wcierała w skórę.

– Ta dyskusja to głupota i strata czasu.

– Dla mnie to nie jest głupie, więc słuchaj. Walka ramię w ramię i ochrona współtowarzyszy to jedno, wszyscy musimy wiedzieć, że możemy na sobie polegać. Ale zasłanianie mnie przed niebezpieczeństwem to zupełnie coś innego. Musisz zrozumieć i zaakceptować tę różnicę.

– Jak mogę to zrobić, jeśli chodzi o ciebie, Glenno? Gdybym cię stracił...

– Posłuchaj. – Schwyciła go za ramiona. – Każde z nas może zginąć, z całych sił próbuję to zrozumieć i zaakceptować. Ale jeśli umrzesz, nie chcę żyć ze świadomością, że zginąłeś przeze mnie. Nie zgadzam się na to.

Usiadła na brzegu łóżka.

– Dziś wieczór zabiłam. Nigdy nawet nie przypuszczałam, że będę musiała użyć mocy w takim celu. – Przyjrzała się swoim dłoniom. – Zrobiłam to, żeby ocalić człowieka, jednak i tak czuję ogromny ciężar. Wiem, że gdybym zabiła mieczem lub kołkiem, łatwiej by mi było się z tym pogodzić. Ale ja użyłam magii, żeby niszczyć.

Uniosła twarz, oczy miała przepełnione smutkiem.

– Ten dar był zawsze taki promienny, a teraz otoczony jest ciemnością. To także muszę zrozumieć i zaakceptować. Musisz mi na to pozwolić.

– Akceptuję twoją moc i to, co możesz i chcesz z nią zrobić. Myślę, że wszyscy byśmy skorzystali, gdybyś zajęła się tylko i wyłącznie magią.

– I zostawiła wam całą brudną robotę? Mam mieszać w kociołku z dala od linii frontu?

– Dwa razy tego wieczoru o mało cię nie straciłem, dlatego zrobisz tak, jak mówię.

Glenna na chwilę straciła głos.

– Do ciężkiej cholery, dziś wieczorem dwa razy stanęłam oko w oko ze śmiercią i przeżyłam.

– Porozmawiamy o tym jutro.

– O nie, nie, nie porozmawiamy o tym jutro. – Wyciągnęła dłoń i zatrzasnęła drzwi łazienki, na sekundę przedtem, zanim Hoyt dosięgnął klamki.

Odwrócił się, najwyraźniej u kresu cierpliwości.

– Nie pokazuj mi tu swojej magii.

– Nie pokazuj mi tu swojej samczej przewagi. To i tak nie wyszło, jak chciałam. – Była zła, ale czuła, że zaraz się roześmieje, więc wzięła głęboki oddech. – Nie będę tańczyła, jak mi zagrasz, Hoyt, i nie oczekuję, żebyś ty to robił. Bałeś się o mnie i doskonale to rozumiem, bo sama byłam przerażona. Bałam się o siebie, o ciebie, o nas wszystkich. Ale musimy sobie z tym poradzić.

– Jak? – zapytał. – Jak to zrobić? Taka miłość to dla mnie nowość, takie pragnienie i strach, który mu towarzyszy. Kiedy zostaliśmy tu wezwani, myślałem, że to najtrudniejsze zadanie, jakie mnie w życiu spotkało, ale myliłem się. Miłość do ciebie jest trudniejsza, bo kocham cię, wiedząc, że mogę cię stracić.

Przez całe życie pragnęła takiej miłości. Która kobieta tego nie pragnęła?

– Nigdy nie wiedziałam, że można czuć aż tak wiele do drugiej osoby. Ta sytuacja dla mnie też jest nowa, trudna i przerażająca. Chciałabym móc ci obiecać, że mnie nie stracisz, tak bardzo bym chciała. Ale wiem, że im jestem silniejsza, tym większe mam szanse na pozostanie przy życiu. Na wygraną.

Znowu wstała.

– Patrzyłam dziś na Kinga, na człowieka, którego tak bardzo polubiłam. Patrzyłam na to, co z niego zrobiły, przecież teraz pragnął mojej krwi, mojej śmierci. Ten widok, ta świadomość sprawiły mi ból nie do zniesienia. Był moim przyjacielem. – Głos jej zadrżał i musiała się odwrócić, cofnąć do okna i ciemności. – Gdzieś w głębi duszy, nawet gdy walczyłam o życie, widziałam człowieka, jakim był, człowieka, który ze mną gotował, siedział przy stole, śmiał się. Nie mogłam użyć przeciwko niemu swojej mocy, nie potrafiłam się do tego zmusić. Gdyby Cian nie... – Odwróciła się od okna, i wyprostowała plecy. – Nigdy więcej nie okażę słabości. Nie zawaham się po raz drugi. Musisz mi uwierzyć.

– Kazałaś mi uciekać. Tego nie nazwałabyś chronieniem mnie przed walką? Otworzyła usta i zaraz je zamknęła. Odchrząknęła.

– Wtedy wydawało mi się to właściwe. No dobrze, dobrze. Masz rację. Oboje nad tym popracujemy. Mam też parę pomysłów na broń, ale zanim pójdziemy spać, chciałabym wyjaśnić jeszcze jedną kwestię.

– Czemu nie jestem zaskoczony?

– Nie pochwalam kłótni ani nie pochlebiają mi twoje utarczki z Cianem na mój temat.

– Nie chodziło tylko o ciebie.

– Wiem, ale ja byłam katalizatorem. Zamierzam też pomówić o tym z Moirą. Jej pomysł na odwrócenie uwagi Ciana ode mnie zupełnie zmienił sytuację.

– Wpuszczenie tych potworów do domu było szaleństwem z jego strony. Mogliśmy przypłacić życiem jego gniew i arogancję.

– Nie – odpowiedziała cicho z absolutną pewnością. – Miał rację, że tak postąpił.

Hoyt popatrzył na nią osłupiały.

– Jak możesz tak mówić? Jak możesz go bronić?

– Dowiódł czegoś bardzo ważnego, czego nie wolno nam zapomnieć. Nigdy nie będziemy wiedzieli, kiedy one przyjdą, i musimy być gotowi, by zabijać lub umrzeć w każdej minucie każdego dnia. Tak naprawdę nie byliśmy na to przygotowani, nawet po Kingu. Gdyby było ich więcej, ta walka mogłaby mieć zupełnie inny finał.

– On tam stał i nic nie zrobił.

– Kolejna lekcja. Jest z nas najsilniejszy i w tych okolicznościach najmądrzejszy. To my musimy nadrobić braki. Mam parę pomysłów, przynajmniej co do nas dwojga.

Podeszła do niego, wspięła się na palce i pocałowała go w policzek.

– Idź do łazienki. Chcę się z tym przespać. Chcę przespać się z tobą.

Śniła o bogini i spacerze po świecie pełnym ogrodów, gdzie fruwały ptaki kolorowe jak kwiaty i kwitły kwiaty lśniące niczym klejnoty.

Z wysokiej, czarnej skały spływała woda koloru szafiru wprost do przejrzystego jak kryształ jeziora, w którym baraszkowały złote i rubinowe ryby.

Powietrze było ciepłe i przesycone aromatem.

Za ogrodami rozciągała się srebrna płachta plaży, turkusowe morze obmywało jej brzegi delikatnie niczym kochanek. Dzieci budowały lśniące zamki z piasku, pluskały się w pianie, a ich śmiech ulatywał w powietrzu jak śpiew ptaków.

Wprost z plaży wznosiły się lśniąco białe schody wysadzane rubinami. Wysoko nad nimi stały domy pomalowane baśniowymi pastelami, otoczone powodzią kwiatów i drzew.

Glenna słyszała muzykę dobiegającą z wysokiego wzgórza, harfy i flety wygrywały melodię radości.

– Gdzie jesteśmy?

– Jest wiele światów – odpowiedziała Morrigan. – To jeden z nich. Pomyślałam, że powinnaś zobaczyć, że nie walczycie tylko o twój świat, jego czy waszych przyjaciół.

– Tak tu pięknie. Ten świat wydaje się... szczęśliwy.

– Jedne są, inne nie. W niektórych życie jest trudne, pełne bólu i wysiłku. Ale to wciąż życie. Ten świat jest stary. – Szaty bogini rozwiał wiatr, gdy rozłożyła szeroko ramiona. – Zapracował na to piękno i spokój bólem i ciężką pracą.

– Możesz powstrzymać to, co ma nadejść. Powstrzymaj ją.

Długie włosy zatańczyły wokół głowy bogini, gdy odwróciła się do Glenny.

– Zrobiłam, co mogłam, by ją powstrzymać. Wybrałam was.

– To nie wystarczy. Już straciliśmy jednego z żołnierzy. Był dobrym człowiekiem.

– Jak wielu.

– Czy tak właśnie działają los i przeznaczenie? Siły wyższe? Tak bezdusznie?

– Wyższe moce dają śmiech tym dzieciom, dają kwiaty i słońce, miłość i przyjemności. Ale także ból i śmierć. Tak musi być.

– Dlaczego?

Morrigan popatrzyła na nią z uśmiechem.

– Inaczej to wszystko nie miałoby znaczenia. Otrzymałaś dar, dziecko. Ten dar ma jednak swój ciężar.

– Użyłam tego daru, by zabić. Przez całe życie wierzyłam, uczono mnie, wiedziałam, że to, co mam i kim jestem, nie może wyrządzić nikomu krzywdy. A ja użyłam mocy, by zadać ból.

Morrigan dotknęła włosów Glenny.

– To ciężar, który musisz dźwigać. Musiałaś walczyć nim przeciw złu.

– Już nigdy nie będę taka sama. – Glenna popatrzyła na morze.

– Nie, nie będziesz. I nie jesteś jeszcze gotowa, żadne z was nie jest. Nie stanowicie jeszcze całości.

– Straciliśmy Kinga.

– On nie jest stracony, przeniósł się do innego świata.

– Nie jesteśmy bogami i czujemy żal po śmierci przyjaciela, zwłaszcza gdy była tak okrutna.

– Będzie jeszcze wiele śmierci, więcej żalu.

Glenna zamknęła oczy. Dużo ciężej było mówić o śmierci w obliczu takiego piękna.

– Chyba mam dziś dzień dobrych wiadomości. Chcę wracać.

– Tak, powinnaś tam być. Ona przyniesie krew i inny rodzaj mocy.

- Kto? - Glenna aż podskoczyła ze strachu. - Lilith? Czy ona nadchodzi?
- Popatrz tam. - Morrigan wskazała na zachód. - Gdy rozbłyśnie błyskawica.

Niebo stało się czarne, a z jego serca wystrzeliła błyskawica i uderzyła wprost w serce morza.

Gdy Glenna jęknęła i obróciła się, Hoyt objął ją ramionami.
- Jest ciemno.
- Już prawie świta. - Dotknął ustami jej włosów.
- Nadchodzi burza, a ona razem z nią.
- Śniłaś?
- Morrigan mnie zabrała. - Przytuliła się mocniej do Hoyta. Był ciepły i taki realny. - W jakieś piękne miejsce. Idealne i piękne. A potem zapadła ciemność i piorun uderzył w wodę. Słyszałam, jak one warczą w ciemności.
- Już jesteś bezpieczna.
- Nikt z nas nie jest. - Rozpaczliwie szukała wargami jego ust. - Hoyt.

Uniosła się nad nim, wiotka i pachnąca. Biała skóra na tle perłowych cieni. Ujęła jego dłonie, przycisnęła do swoich piersi. Czuła pieszczotę jego palców. Prawdziwą i ciepłą.

Jej serce przyspieszyło, a świece w pokoju zapłonęły, zajaśniał ogień w kominku.

- Jest w nas moc. - Pochyliła się nad nim, pokrywając jego twarz i szyję pocałunkami. - Zobacz ją. Poczuj. To, co razem tworzymy.

Życie, tylko tyle zdołała pomyśleć. Tutaj było życie, gorące i ludzkie. Tu kryła się moc, która mogła odepchnąć lodowate palce śmierci.

Uniosła się znowu i przyjęła go w siebie, głęboko i mocno, a podniecenie rozgrzało jej krew niczym wino.

Otulił ją, uniósł, aby dotknąć ustami jej piersi, poczuć bicie jej serca. Życie, pomyślał. Tu było życie.

- Wszystko, czym jestem. - Rozkoszował się nią do utraty tchu. - I więcej. Od pierwszej chwili na wieki.

Ujęła jego twarz w dłonie i zobaczyła własne odbicie w jego źrenicach.
- W każdym świecie. We wszystkich.

To zawładnęło nią tak niespodziewanie i było tak gorące, że krzyknęła. Wstawał bezszelestny świt, gdy namiętność pochłonęła ich oboje.

- To ogień - powiedziała Glenna.

Siedzieli w wieży przy kawie i plackach jęczmiennych. Glenna starannie zamknęła drzwi i wzmocniła zamek czarem, chciała być pewna, że nikt ani nic im nie przeszkodzi, dopóki nie skończy.

- To podniecenie. - Oczy miał zaspane, ciało zrelaksowane.

Seks, pomyślała Glenna, potrafił zdziałać cuda. Sama czuła się całkiem nieźle.

- Widzę, że lubisz seks o poranku, ale ja nie mówię o takim ogniu. W każdym razie nie tylko. Ogień jest doskonałą bronią przeciwko temu, z czym walczymy.

– Wczoraj zabiłaś jednego ogniem. – Nalał sobie jeszcze kawy. Zaczynała mu naprawdę smakować. – Efektywny sposób, szybki, ale też...

– Trochę nieprzewidywalny. Jeśli źle wycelujemy lub ktoś z nas znajdzie się na linii ognia, efekty będą tragiczne. – Zabębniła palcami o kubek. – Nauczymy się go kontrolować, kierować nim. Będziemy ćwiczyć i ćwiczyć, wykorzystamy też ogień do wzmocnienia innej broni. Tak jak ty wczoraj, gdy posłałeś płomień po ostrzu.

– Słucham?

– Płomień na mieczu, który skrzyżowałeś z mieczem Ciana. – Uniosła brwi. – Nie wzywałeś go, po prostu się pojawił. Gwałtowne uczucie – w tym wypadku wściekłość. Namiętność, gdy się kochamy. Wczoraj wieczorem na ostrzu twojego miecza na chwilę zapłonął ogień. – Wstała od stołu i zaczęła przechadzać się po pokoju. – Nie udało nam się otoczyć domu ochronnym pierścieniem.

– Może jeszcze coś wymyślimy.

– Ryzykowne, zważ, że mamy wśród domowników wampira. Nie możemy użyć zaklęcia odstraszającego wampiry bez odstraszenia Ciana, ale może z czasem znajdziemy jakiś sposób. Na razie ogień jest nie tylko efektywną bronią, ale też pięknym symbolem. I możesz założyć się o swój piękny tyłek, że śmiertelnie przeraża wroga.

– Ogień wymaga skupienia i koncentracji. To trochę trudne, kiedy walczysz o życie.

– Popracujemy nad tym. Chciałeś, żebym zajęła się magią, i w tym wypadku cię posłucham. Pora, żebyśmy przygotowali sobie porządny arsenał. – Usiadła na stole. – Kiedy przyjdzie pora na podróż do Geallii, nie pojedziemy goli i bosi.

Spędziła nad tym cały dzień, z Hoytem i bez niego. Przekopywała się przez sterty książek, swoich i tych, które znalazła w bibliotece.

Gdy zapadł zmierzch, zapaliła świece i zignorowała Ciana dobijającego się do drzwi. Zamknęła uszy na jego przekleństwa i krzyki, że jest pieprzona pora na cholerne ćwiczenia.

Ona już ćwiczyła.

I zamierzała wyjść, dopiero gdy będzie gotowa.

★ ★ ★

Kobieta była młoda i świeża. I zupełnie, absolutnie sama.

Lora obserwowała ją ukryta w ciemności i nie mogła uwierzyć swemu szczęściu. I pomyśleć, że była zła na Lilith, gdy królowa wysłała ją z trzema żołnierzami na zwykły zwiad. Chciała pojechać do jednego z leżących na uboczu pubów, zabawić się, poucztować. Jak długo według Lilith mieli siedzieć ukryci w jaskiniach i ukrywać, żywiąc się pojedynczymi turystami?

Najlepszą zabawą od tygodni było dla Lory wymierzenie kilku klapsów tej wiedźmie i porwanie czarnego faceta spod samego nosa nudnej świętej brygady.

Tak bardzo by chciała, żeby mieli bazę gdzieś indziej, wszędzie, tylko nie na tym odludziu, może w Paryżu lub Pradze, w miejscu tak pełnym ludzi, że mogłaby przebierać w nich jak w ulęgałkach. W mieście pełnym dźwięków i pulsujących serc, zapachu ludzkich ciał.

Mogłaby przysiąc, że w tym głupim kraju było więcej krów i owiec niż ludzi.

Nudy.

Ale oto pojawiła się interesująca odmiana.

Taka ładna dziewczyna. Taka pechowa.

Dobra kandydatka nie tylko na przekąskę, ale i na przemianę. Byłoby wesoło mieć nową towarzyszkę, przyjaciółkę, z którą mogłaby się zabawić i którą mogłaby sobie wychować.

Nowa towarzyszka, postanowiła, żeby przerwać tę nieskończoną nudę, przynajmniej zanim zacznie się prawdziwa zabawa.

Dokąd ta ślicznotka jechała po zmroku swoim uroczym autkiem?, zastanawiała się Lora. Co za pech, przebić oponę na opustoszałej, wiejskiej drodze.

I miała ładny płaszcz, uznała, patrząc, jak kobieta wyjmuje lewarek i zapasową oponę. Nosiły chyba ten sam rozmiar, więc weźmie sobie i płaszcz, i to, co okrywał.

Cała ta cudowna, ciepła krew.

– Przyprowadźcie ją do mnie. – Skinęła na trzech zwiadowców, którzy stali za nią.

– Lilith powiedziała, że mamy się nie karmić, dopóki...

Odwróciła się, zabłysły jej kły, a oczy zalśniły na czerwono. Wampir, który za życia był mężczyzną o stu kilogramach samych mięśni, cofnął się przestraszony.

– Kwestionujesz moje polecenia?

– Nie. – W końcu ona jest tutaj i czuł jej głód, a Lilith daleko.

– Przyprowadźcie mi ją – powtórzyła Lora, figlarnie grożąc im palcem. – I żadnego smakowania. Chcę mieć ją żywą. Pora, żebym dostała nową koleżankę. – Wydęła słodko usta. – I spróbujcie nie zniszczyć płaszcza. Podoba mi się.

Wyszli z cienia na drogę, trzech mężczyzn, którzy niczym się nie wyróżniali. Poczuli zapach człowieka. I kobiety.

Obudził się w nich głód, nigdy do końca niezaspokojony, i tylko lęk przed gniewem Lory powstrzymał całą trójkę przed zaatakowaniem jak stado głodnych wilków.

Kobieta zerknęła na nich przez ramię, gdy podchodzili. Uśmiechnęła się przyjaźnie, podnosząc z klęczek, i przeczesała dłonią krótkie, czarne włosy, eksponując białą szyję.

– Miałam nadzieję, że ktoś będzie tędy przechodził.

– Najwidoczniej to twój szczęśliwy wieczór. – Złajany przez Lorę wampir wyszczerzył zęby w uśmiechu.

– Najwidoczniej. Taka ciemna, opuszczona droga, żadnych budynków. Uch, trochę przerażające.

- Mogło być gorzej.

Wampiry uformowały trójkąt, by osaczyć ją przed samochodem. Kobieta postąpiła krok do tyłu z oczami rozszerzonymi ze strachu, a potwory wydały niski pomruk.

- Och, Boże. Chcecie mnie skrzywdzić? Nie mam dużo pieniędzy, ale...
- Nie zależy nam na pieniądzach, chociaż je też weźmiemy.

Wciąż ściskała w dłoni lewarek i gdy podniosła go obronnym ruchem, jeden z napastników roześmiał się.

- Nie podchodźcie. Trzymajcie się z daleka.
- Metal nie stanowi dla nas problemu.

Ruszył na nią, wyciągając ręce do jej gardła. I zmienił się w popiół.

- Nie, ale ostry koniec tego bywa bardziej kłopotliwy. - Pomachała kołkiem, który trzymała za plecami.

Rzuciła się do przodu, kopnęła jednego w brzuch, zablokowała jego cios przedramieniem i wbiła mu kołek w serce. Poczekała, aż ostatni napastnik ją zaatakuje, popychany wściekłością pomieszaną z głodem, i z całej siły uderzyła go w twarz lewarkiem. Wampir padł na drogę, a kobieta błyskawicznie znalazła się na nim.

- Metal jednak może być małym problemem - powiedziała. - Ale my zakończymy to inaczej.

Przebiła mu serce kołkiem, wstała i otrzepała płaszcz.

- Cholerne wampiry.

Rozstawiła szerzej nogi i złapała mocniej lewarek i kołek.

- A ty nie masz ochoty na zabawę? - zawołała. - Czuję twój zapach aż tutaj. Ci trzej nie dostarczyli mi zbyt wiele rozrywki, a ja chcę się zabawić.

Zapach zaczął słabnąć. Po chwili powietrze znów było czyste. Kobieta czekała, w końcu z westchnieniem schowała kołek do pochwy przytwierdzonej do paska. Zmieniła koło i popatrzyła w niebo.

Chmury zakryły księżyc, a na zachodzie przetoczył się grzmot.

- Idzie burza - wymruczała.

W sali ćwiczeń Hoyt upadł ciężko na plecy. Czuł, jak zadrżały mu wszystkie kości. Larkin skoczył na niego i uderzył go w pierś stępionym kołkiem.

- Dziś wieczór zabiłem cię już sześć razy. Wypadasz z gry. - Zaklął łagodnie, gdy poczuł na szyi ostrze miecza.

Moira uniosła broń i pochyliła się nad nim z uśmiechem.

- Z niego na pewno zostałaby tylko garstka popiołu, ale ty też jesteś już martwy.

- No cóż, jeśli zamierzasz atakować człowieka od tyłu...
- One tak robią - przypomniał mu Cian i, co zdarzało mu się niezwykle rzadko, skinął z aprobatą w stronę dziewczyny. - I to nie w pojedynkę. Zabijasz i ruszasz dalej. Jak najszybciej.

Zacisnął dłonie na szyi Moiry, udając, że skręca jej kark.

- Teraz wszyscy troje jesteście martwi, bo straciliście za dużo czasu na gadanie. Musicie umieć poradzić sobie z wieloma przeciwnikami, używając miecza, kołka lub rąk.

Hoyt wstał i otrząsnął się.

– A może nam pokażesz?

Cian uniósł brwi na to wyzwanie.

– No dobrze. Wy wszyscy przeciwko mnie. Spróbuję nie poturbować was bardziej, niż to będzie niezbędnie konieczne.

– Przechwałki. To też strata czasu na gadanie, prawda? – Larkin stanął w bojowej pozycji.

– W tym wypadku to tylko stwierdzenie oczywistego faktu. – Podniósł stępiony kołek i rzucił go Moirze. – Musicie przewidywać ruchy moje i swoje nawzajem. Wtedy... Zdecydowałaś się wpaść na imprezę?

– Pracowałam nad czymś. I zrobiłam postępy. – Glenna dotknęła rękojeści przytroczonego do pasa sztyletu. – Muszę zrobić sobie małą przerwę. W co się bawicie?

– Zamierzamy skopać Cianowi tyłek – odpowiedział Larkin.

– Och, przyłączam się. Broń?

– Twój wybór. – Cian wskazał głową na sztylet. – Ty chyba już masz.

– Nie, to nie do tego. – Podeszła do stołu i wybrała stępiony kołek. – Zasady?

W odpowiedzi Cian podskoczył i jednym ciosem powalił Larkina na matę.

– Wygrać. To jedyna zasada.

Hoyt zaatakował, a Cian pozwolił, by siła ciosu brata uniosła go w powietrze. Odepchnął się stopami od ściany, obrócił i całym ciałem pchnął Hoyta na Moirę, aż oboje upadli.

– Przewidujcie – powtórzył i niemal leniwym kopnięciem w tył wyrzucił Larkina w powietrze.

Glenna podniosła krzyż i ruszyła naprzód.

– Ach, sprytnie. – Oczy Ciana zaczerwieniły się na obwódkach. Za oknem zahuczał grzmot. – Tarcza i broń zmusi wroga do ucieczki. Tyle że... – Skoczył i wybił Glennie krzyż z ręki, lecz gdy sięgnął po kołek, przeciwniczka zanurkowała i znalazła się w dole.

– A to sprytna sztuka. – Cian skinął z aprobatą, a błyskawica oświetliła mu twarz. – Używa głowy i instynktu... przynajmniej wtedy, gdy stawka jest wysoka.

Teraz go otoczyli, co uznał za pewne ulepszenie ich strategii. Jeszcze nie stanowili drużyny, nie działali jak dobrze naoliwiona maszyna, ale robią postępy.

Cian uderzył w najsłabsze jego zdaniem ogniwo, obrócił się i uniósł Moirę nad ziemię. Cisnął dziewczyną, a Larkin instynktownie rzucił się, by ją złapać. Wystarczyło, że Cian podstawił mu nogę, i oboje upadli na ziemię w plątaninie rąk i nóg.

Odwrócił się i schwycił atakującego brata za koszulę. Solidny cios głową odrzucił Hoyta do tyłu, dając Cianowi cenny moment na wyrwanie Glennie kołka.

Stanął, przyciskając ją do siebie plecami, z ramieniem wokół jej szyi.

– I co teraz? – zapytał pozostałych. – Mam tu waszą czarownicę. Wycofacie się i zostawicie ją mnie? Czy podejdziecie, ryzykując, że skręcę jej kark? Oto pytanie.

– A może pozwolą, żebym sama sobie poradziła? – Glenna złapała za łańcuszek, który miała na szyi, i przysunęła krzyż do twarzy Ciana.

Wypuścił ją, skoczył na sufit i pozostał tam przez chwilę, niebezpieczna mucha, po czym opadł lekko na stopy.

– Nieźle. Ale i tak musicie mnie jeszcze powalić. Gdybym miał... – Rozbłysła błyskawica, gdy wyrzucił rękę i schwycił lecący kołek centymetr od swego serca.

– Powiedziałbym, że ktoś oszukuje – powiedział łagodnie.

– Odsuńcie się od niego.

Odwrócili się i w blasku następnej błyskawicy zobaczyli kobietę w czarnym skórzanymu płaszcz do kolan, która weszła przez drzwi tarasu. Była szczupła, miała krótkie ciemne włosy odsłaniające wysokie czoło i intensywnie niebieskie oczy.

Rzuciła na podłogę dużą torbę i z kołkiem w jednej i nożem o dwóch ostrzach w drugiej ręce podeszła do światła.

– Kim ty, do diabła, jesteś? – zapytał Larkin.

– Murphy. Blair Murphy. I dziś wieczór ocalę wam życie. Dlaczego, do cholery, wpuściliście jednego z nich do domu?

– Tak się składa, że ten dom należy do mnie – poinformował ją Cian.

– Świetnie. Twoi spadkobiercy już mogą zacząć świętować. Kazałam wam się od niego odsunąć – warknęła, gdy Hoyt i Larkin stanęli przed Cianem.

– Ja byłbym jego spadkobiercą. To mój brat.

– Jest jednym z nas – dodał Larkin.

– Nie, tak naprawdę nie jest.

– Ależ tak. – Moira uniosła dłonie, żeby pokazać, że są puste, i podeszła powoli do intruza. – Nie pozwolimy ci go skrzywdzić.

– Wydaje mi się, że sami kiepsko sobie z nim radziliście.

– Ćwiczyliśmy. On postanowił nam pomóc.

– Wampir pomaga ludziom? – Zmrużyła z ciekawością wielkie oczy, w których zabłysnęły iskierki humoru. – Cóż, człowiek uczy się całe życie. – Powoli opuściła kołek.

Cian odepchnął stojących przed nim obrońców.

– Co ty tu robisz? Jak tu trafiłaś?

– Jak? Aer Lingus. Co robię? Zabijam tylu przedstawicieli twojego gatunku, ilu zdołam. Obecny w tym pokoju chwilowo wyłączony z planu.

– Skąd o nich wiesz? – zapytał Larkin.

– Długa historia. – Zamilkła i obejrzała pokój, unosząc brwi na widok sterty broni. – Niezły zapas. Na widok berdysza* zawsze robi mi się ciepło na sercu.

– Morrigan. Morrigan powiedziała, że ona przyjdzie z błyskawicą. – Glenna dotknęła ramienia Hoyta i podeszła do Blair. – Morrigan cię przysłała.

– Powiedziała, że będzie was pięcioro. Nie wspominała, że macie jakichś nieżywych w załodze. – Po chwili namysłu nowo przybyła schowała nóż do pochwy i zatknęła kołek za pas. – Ale to lepiej dla was. Słuchajcie, mam za sobą długą podróż. – Przerzuciła torbę przez ramię. – Znajdzie się tu coś na ząb?

---

* Berdysz – szeroki topór o silnie zakrzywionym ostrzu i długim drzewcu.

19

*M*amy mnóstwo pytań.

Blair skinęła Glennie głową, próbując gulaszu.

– Nie wątpię i ja do was też. To jest dobre. – Nabrała drugą łyżkę. – Dzięki, wyrazy uznania dla kucharza i tak dalej.

– Proszę bardzo. Jeśli nie masz nic przeciwko temu, ja zacznę. Gdzie mieszkasz?

– Ostatnio? W Chicago.

– W Chicago tu i teraz?

Blair rozciągnęła szerokie usta w uśmiechu. Sięgnęła po chleb, który Glenna położyła na stole, i pomalowanymi na różowo paznokciami rozerwała kromkę na pół.

– Właśnie tak. W sercu planety Ziemi. A ty?

– W Nowym Jorku. To jest Moira i jej kuzyn Larkin. Są z Geallii.

– Kitujesz. – Blair przyjrzała się im uważnie, nie przerywając jedzenia. – Zawsze myślałam, że to legenda.

– Nie wydajesz się zdziwiona faktem, że jest inaczej.

– Niewiele rzeczy mogłoby mnie zaskoczyć, zwłaszcza teraz, po wizycie bogini. Poważna sprawa.

– To jest Hoyt. Czarnoksiężnik z Irlandii. Dwunastowiecznej Irlandii.

Blair zobaczyła, jak Glenna sięgnęła do tyłu po dłoń Hoyta i jak czule splotły się ich palce.

– Wy dwoje jesteście parą?

– Można tak powiedzieć.

Uniosła kieliszek i pociągnęła łyk wina.

– To otwiera kobietom gustującym w starszych mężczyznach nowe perspektywy, ale kto może mieć do ciebie pretensje?

– Naszym gospodarzem jest jego brat, Cian, z którego zrobiono wampira.

– Z dwunastego wieku? – Blair odchyliła się na krześle i obejrzała go uważnie, ale bez rozbawienia, z którym obserwowała Hoyta. – Masz prawie tysiąc lat? Nigdy nie widziałam wampira, który wytrzymałby tak długo. Najstarszy, jakiego spotkałam, dobijał do pięćsetki.

– Higieniczny tryb życia – powiedział Cian.

– Tak, jeszcze ci uwierzę.

– On nie pije ludzkiej krwi. – Skoro garnek stał już na kuchni, Larkin wziął miskę i nałożył sobie solidną porcję gulaszu. – I walczy po naszej stronie. Jesteśmy armią.

– Armią? Temat do pracy o manii wielkości. Kim ty jesteś? – zapytała Glennę.

– Czarownicą.

– A zatem macie czarownicę, czarnoksiężnika, parę uciekinierów z Geallii i wampira. Niezła armia.

– Potężną wiedźmę. – Hoyt odezwał się po raz pierwszy. – Uczoną o wyjątkowych umiejętnościach i odwadze, człowieka zmieniającego postać i tysiącletniego wampira, którego stworzyła sama królowa.

– Lilith? – Blair odłożyła łyżkę. – Ona cię przemieniła?

Cian oparł się o blat kuchenny i skrzyżował nogi w kostkach.

– Byłem młody i głupi.

– A ty kim jesteś? – chciał wiedzieć Larkin.

– Ja? Łowcą demonów. – Podniosła łyżkę i wróciła do jedzenia. – Przez większość życia ścigałam i zamieniałam w proch podobnych do niego.

Glenna przekrzywiła głowę.

– Tak jak Buffy?

Blair ze śmiechem przełknęła gulasz.

– Nie. Po pierwsze, nie jestem jedyna, tylko najlepsza.

– Jest was więcej. – Larkin doszedł do wniosku, że ma także ochotę na kieliszek wina.

– To u nas rodzinne, zajmujemy się tym od wieków. Nie wszyscy, ale z każdym pokoleniem jedna lub dwie osoby więcej. Mój ojciec jest łowcą i moja ciotka. Jego wuj też był i tak dalej. Mam jeszcze dwóch kuzynów w tym fachu.

– I Morrigan cię tu przysłała – wtrąciła Glenna. – Tylko ciebie.

– Muszę przyznać ci rację, skoro tylko ja tu jestem. No dobrze, przez ostatnich kilka tygodni działy się dziwne rzeczy. Potwory były bardziej aktywne niż zwykle, nabrały śmiałości. A ja ciągle miewam te sny. Złowieszcze sny są w pakiecie przy mojej profesji, ale teraz mam je za każdym razem, gdy zamknę oczy, a czasem nawet na jawie. Niepokojące.

– Lilith? – zapytała Glenna.

– Pojawiła się kilka razy. Do tej pory myślałam, że ona też jest legendą. W każdym razie w tym śnie wydawało mi się, że jestem tutaj. Byłam już kiedyś w Irlandii, to kolejna rodzinna tradycja. Ale we śnie stoję na wzgórzu, wokół jałowa, twarda ziemia, głębokie rozpadliny i groźne skały.

– Dolina Ciszy – wtrąciła Moira.

– Tak ona to nazwała. Morrigan. Powiedziała, że będę potrzebna. – Blair zawahała się i rozejrzała dookoła. – Pewnie nie muszę przybliżać wam szczegółów, skoro wszyscy tu jesteście. Wielka bitwa, możliwa apokalipsa. Królowa wampirów formuje armię, żeby zniszczyć ludzkość. Będzie na mnie czekało pięcioro, zebranych razem. Mamy czas do Samhain. Niezbyt dużo czasu, jeśli wziąć wszystko pod uwagę – no wiecie, bogini, wieczność. Ale tak to wygląda.

– I przyjechałaś – powiedziała Glenna. – Tak po prostu?

– A ty nie? – Blair wzruszyła ramionami. – Po to się urodziłam. Śniłam o tym miejscu, odkąd tylko pamiętam. Stoję na wzniesieniu, a na dole toczy się bitwa. Księżyc, mgła, wrzaski. Zawsze wiedziałam, że tu skończę.

Zawsze przypuszczała, że tu umrze.

– Tylko oczekiwałam trochę więcej wsparcia.

– Przez trzy tygodnie zabiliśmy ponad tuzin – powiedział Larkin lekko poirytowany.

– Gratuluję. Ja już nie będę liczyć, skoro pierwszego zabiłam trzynaście lat temu. Ale wykończyłam trzy po drodze, jak tu jechałam.

– Trzy? – Łyżka Larkina znieruchomiała. – Sama?

– Był jeszcze jeden, ale nie wylazł. Ściganie go nie wydawało mi się najlepszym sposobem na przeżycie, a to pierwsza zasada w rodzinnym poradniku. Mogło być ich więcej, chociaż wyczułam tylko jednego. Wokół domu też parę się czai, musiałam przemknąć między nimi, żeby wejść do środka.

Odsunęła pustą miskę.

– To było naprawdę dobre. Jeszcze raz dzięki.

– Jeszcze raz proszę. – Glenna wstawiła miskę do zlewu. – Hoyt, mogę zamienić z tobą słówko? Przeprosimy was na chwilę.

Wyciągnęła go z kuchni do holu.

– Hoyt, ona jest...

– Wojownikiem – dokończył. – Tak, jest ostatnią z szóstki.

– To nigdy nie był King. – Odwróciła się, przyciskając dłoń do ust. – On nigdy nie należał do szóstki i to, co go spotkało...

– Stało się. – Hoyt złapał ją za ramiona i odwrócił do siebie. – I nie można tego zmienić. Ona jest wojownikiem i zamyka krąg.

– Musimy jej zaufać, chociaż nie wiem, jak to zrobić. Niemal zabiła twojego brata, zanim zdążyła powiedzieć „dzień dobry".

– I mamy tylko jej słowo, że jest tą, za którą się podaje.

– Na pewno nie jest wampirem. Bez trudu weszła do domu, poza tym Cian by wiedział.

– Wampiry mogą mieć ludzkich służących.

– I jak możemy się tego dowiedzieć? Uwierzymy jej na słowo?

– Musimy mieć pewność.

– Przecież nie możemy poprosić jej o prawo jazdy.

Potrząsnął głową, nawet nie pytając, co miała na myśli.

– Musimy ją sprawdzić. Chyba na górze, w wieży. Zrobimy krąg i zyskamy pewność.

Gdy zebrali się na górze, Blair rozejrzała się dookoła.

– Niezła kwatera, ale ja osobiście wolę przytulniejsze wnętrza. Nawet nie próbuj się do mnie zbliżyć – ostrzegła Ciana. – Zrobisz krok w moją stronę, a przebiję ci serce.

– Możesz spróbować.

Zabębniła palcami po przytroczonym do paska kołku. Na prawym kciuku nosiła rzeźbioną srebrną obrączkę.

– No więc o co wam chodzi?

– Nie otrzymaliśmy żadnego znaku, że przyjedziesz – zaczęła Glenna. – To znaczy, że to będziesz właśnie ty.

– Myślicie, że jestem koniem trojańskim?

– To ewentualność, której nie możemy zlekceważyć, dopóki nie mamy dowodu.

– To prawda – przyznała Blair. – Bylibyście głupi, wierząc tylko mojemu słowu. Właściwie to lepiej się czuję, widząc, że nie jesteście głupi. Czego chcecie? Licencji łowcy demonów?

– Naprawdę masz...

– Nie. – Przyjęła pozę wojownika szykującego się do bitwy. – Ale jeśli planujecie jakieś magiczne sztuczki, które wymagają mojej krwi lub innych płynów ustrojowych, to macie pecha. Absolutne weto.

– Nic w tym stylu. To znaczy magia, ale nic, do czego potrzebna byłaby krew. Nasza piątka jest ze sobą połączona, niektórzy z nas także krwią. Stanowimy krąg. Zostaliśmy wybrani. Jeśli jesteś ostatnim ogniwem naszego kręgu, będziemy wiedzieli.

– A jak nie?

– Nie możemy cię skrzywdzić. – Hoyt położył dłoń na ramieniu Glenny. – Używanie mocy przeciw człowiekowi byłoby wbrew naszej naturze.

Blair zerknęła na pałasz oparty o ścianę.

– Jest coś w książce z zasadami o ostrych przedmiotach?

– Nie zrobimy ci krzywdy. Jeśli jesteś sługą Lilith, uczynimy cię naszym więźniem.

Blair uśmiechnęła się, unosząc najpierw jeden kącik ust, potem drugi.

– Życzę powodzenia. No dobra, zróbmy to. Tak jak powiedziałam, gdybyście łyknęli wszystko bez jednego „hmm", bardziej bym się martwiła, w co się wpakowałam. Wy dookoła białego kręgu, a ja w środku?

– Znasz się na magii? – zapytała Glenna.

– Coś tam wiem. – Weszła do kręgu.

– Jedno z nas na każdym czubku pentagramu – poinstruowała Glenna. – Hoyt będzie przeszukiwał.

– Przeszukiwał?

– Twój umysł – uspokoił ją Hoyt.

– Tam są też prywatne sprawy. – Wzruszyła ramionami i popatrzyła na niego spode łba. – Mam o tobie myśleć jako o moim prywatnym psychoterapeucie?

– Nie jestem psychoterapeutą. Pójdzie nam szybciej i będzie znacznie przyjemniej, jeśli otworzysz się na czary. – Uniósł dłonie i zapalił świece. – Glenna?

– To jest krąg światła i wiedzy, przez bliźniacze umysły i serca stworzony. W tym oto kręgu światła i wiedzy nikt nigdy nie zostanie skrzywdzony. By ujrzeć prawdę, stoimy w tym kręgu, niech żadne kłamstwo nie ma tu wstępu.

Powietrze zadrgało, a płomienie świec strzeliły jeszcze wyżej. Hoyt wyciągnął ręce w stronę Blair.

– Żadnej krzywdy, żadnego bólu. Tylko myśli wewnątrz myśli. Twój umysł do mojego umysłu, twoja pamięć do naszej pamięci.

Blair popatrzyła mu głęboko w oczy. W jej oczach coś zamigotało, po czym stały się bezdennie ciemne i wtedy zobaczył.

Wszyscy zobaczyli.

Młoda dziewczyna walczyła z potworem prawie dwa razy większym od siebie. Miała zakrwawioną twarz i podartą koszulę. Słyszeli, jak z trudem łapie oddech. Z boku stał mężczyzna i przyglądał się walce.

Potężny cios odrzucił dziewczynę na ziemię, jednak natychmiast się poderwała. Znowu upadła. Monstrum skoczyło na nią, ale przeturlała się i wbiła mu w plecy kołek, do samego serca.

– Za wolno – uznał mężczyzna. – Niezdarnie, nawet jak na pierwszą walkę. Musisz się poprawić.

Nic nie powiedziała, tylko pomyślała: poprawię się. Będę najlepsza ze wszystkich.

Teraz była starsza i walczyła u boku tego samego mężczyzny. Wściekle, drapieżnie. Przeciwników było pięciu, ale para walczących szybko sobie z nimi poradziła. A gdy skończyli, mężczyzna potrząsnął głową.

– Więcej kontroli, mniej namiętności. Pasja cię zabije.

Była naga, w łóżku z młodym mężczyzną, poruszali się razem w przyćmionym świetle lampy. Nachyliła się do niego z uśmiechem, pocałowała go w usta. Na jej palcu błyszczał diament, a umysł był przepełniony namiętnością, miłością i radością.

A potem smutkiem i rozpaczą, gdy siedziała w ciemności na podłodze, sama, opłakując złamane serce. Na palcu nie lśnił już diament.

Stała na wzgórzu nad polem bitwy, obok niej bogini jak biały cień.

– Ty zostałaś wezwana pierwsza i ostatnia – odezwała się do niej Morrigan. – Czekają na ciebie. W twoich rękach spoczywają losy światów. Połączcie siły i walczcie.

Pomyślała: zmierzałam ku temu przez całe życie. Czy tam nadejdzie mój kres?

Hoyt opuścił dłonie i powoli sprowadził ją z powrotem. Oczy Blair pojaśniały, zamrugała.

– I co? Zdałam egzamin?

Glenna uśmiechnęła się do niej, podeszła do stołu i wzięła do ręki krzyż.

– Ten jest dla ciebie.

Blair powiesiła sobie łańcuszek na palcu.

– To miło. Pięknie wykonany i doceniam wasz gest, ale mam swój. – Wyciągnęła krzyż spod koszuli. – Kolejna pamiątka rodzinna.

– Jest śliczny, ale gdybyś mogła...

– Poczekaj. – Hoyt złapał krzyż i wbił w niego wzrok. – Skąd to masz? Gdzie go znalazłaś?

– Mówiłam już, należy do rodziny. Mamy ich siedem. Przekazywane są z pokolenia na pokolenie. Lepiej go zostaw.

Popatrzył na nią uważnie, a Blair zmrużyła oczy.

– Jakiś problem?

– Tej nocy, kiedy bogini kazała mi tu przybyć, dała mi siedem takich krzyży. Prosiłem o ochronę dla mojej rodziny, rodziny, którą kazała mi opuścić. To jest jeden z nich.

– To było kiedy? Prawie dziewięćset lat temu? Wcale nie oznacza, że...

– Ten jest Noli. – Popatrzył nad jej głową na Ciana. – Czuję to. To jest krzyż Noli.

– Noli?

– Naszej siostry. Najmłodszej. – Głos mu zachrypł. Cian podszedł bliżej, by obejrzeć krzyż. – Z tyłu wygrawerowałem jej imię. Powiedziała, że znowu ją zobaczę. I na bogów, właśnie widzę. Jest w tej kobiecie. Jej krew, nasza krew.

– Nie masz wątpliwości? – zapytał cicho Cian.

– Sam założyłem go jej na szyję. Popatrz na nią, Cian.

– Tak. Cóż. – Odwrócił wzrok i podszedł do okna.

– Wykuty w ogniu bogów, podarowany przez czarnoksiężnika. – Blair wzięła głęboki oddech. – Tak mówi rodzinna legenda. Moje drugie imię brzmi „Nola". Blair Nola Bridgit Murphy.

– Hoyt. – Glenna dotknęła jego ramienia. – Ona należy do twojej rodziny.

– To chyba oznacza, że jesteś moim praprapra razy tysiąc wujkiem czy jak to się nazywa. – Popatrzyła na Ciana. – Ależ to doskonały numer. Jestem spokrewniona z wampirem!

O poranku zalanym słabym i kapryśnym słońcem Glenna i Hoyt stali na rodzinnym cmentarzu. Trawa wciąż była mokra po wczorajszej burzy, krople spadały z płatków róż rosnących nad grobem jego matki.

– Nie wiem, jak mogę cię pocieszyć.

Wziął ją za rękę.

– Jesteś tutaj. Nigdy nie przypuszczałem, że będę potrzebował czyjejś obecności, nie tak, jak potrzebuję ciebie. To wszystko dzieje się zbyt szybko. Utrata i zysk, odkrycie, pytania. Życie i śmierć.

– Opowiedz mi o swojej siostrze. O Noli.

– Była bystra, uczciwa i utalentowana. Obdarzona darem widzenia. Kochała zwierzęta, myślę, że miała z nimi wyjątkowy kontakt. Zanim odszedłem, wilczyca ojca urodziła szczeniaki. Nola całymi godzinami bawiła się z nimi w stajni. – Odwrócił się i oparł czoło o czoło Glenny. – Widzę ją w tej kobiecie, tej wojowniczce, która jest teraz z nami. I we mnie też toczy się wojna.

– Przyprowadzisz tutaj Blair?

– Powinienem.

– Zrobisz to, co należy. – Przechyliła głowę i pocałowała go lekko. – Dlatego cię kocham.

– Gdybyśmy mieli się pobrać...

Odskoczyła do tyłu.

– Pobrać?

– Na pewno to się nie zmieniło przez wieki. Mężczyzna i kobieta kochają się, więc składają sobie przysięgę. Małżeństwo, węzeł, który łączy ich na zawsze.

– Wiem, czym jest małżeństwo.

– I to cię martwi?

– Nie martwi i nie uśmiechaj się do mnie w ten sposób, jakbym była bezdennie głupia. Daj mi chwilę. – Popatrzyła nad grobami na lśniące w oddali wzgórza. – Tak, ludzie wciąż się pobierają, jeśli chcą. Niektórzy żyją razem bez tego rytuału

– Ja i ty, Glenno Ward, jesteśmy specjalistami od rytuałów.

Spojrzała na niego i poczuła ucisk w żołądku.

– Tak, to prawda.

– Gdybyśmy mieli się pobrać, zamieszkałabyś tutaj ze mną?

Kolejny ucisk.

– Tutaj? W tym miejscu, w tym świecie?

– W tym miejscu, w tym świecie.

– Ale... nie chcesz wrócić? Nie musisz?

– Nie sądzę, żebym mógł wrócić. W sensie magicznym pewnie byłoby to możliwe – dodał szybko, zanim zdążyła coś powiedzieć. – Lecz nie sądzę, żebym mógł wrócić do tego, co było. Do domu. Wiedząc, kiedy oni umrą i że tutaj jest Cian, moja druga połowa. Nie mógłbym wrócić, wiedząc, że ty poszłabyś ze mną i usychała z tęsknoty za swoim światem.

– Powiedziałam, że pójdę.

– Bez wahania – przyznał. – Ale wahasz się na myśl o małżeństwie.

– Zaskoczyłeś mnie. I tak naprawdę jeszcze mnie nie poprosiłeś o rękę – dodała trochę zirytowana. – Raczej postawiłeś hipotezę.

– Gdybyśmy mieli się pobrać – powtórzył po raz trzeci z nutką rozbawienia w głosie – zamieszkałabyś tu ze mną?

– W Irlandii?

– Tak, tutaj, w tym domu. To byłoby takie połączenie naszych światów i potrzeb. Poprosiłbym Ciana, żeby pozwolił nam tu zamieszkać. Dom potrzebuje ludzi, rodziny, dzieci, które byśmy spłodzili.

Glenna milczała, chcąc się opanować, próbując zajrzeć w głąb swojego serca. Jej czas, jego miejsce, pomyślała. Tak, to był pełen miłości kompromis, połączenie dusz.

– Zawsze byłam pewna siebie, nawet jako dziecko. Dowiedz się, czego chcesz, postaraj się to zdobyć i ceń, gdy ci się uda. Starałam się pamiętać, że nic w życiu nie trwa wiecznie. Ani moja rodzina, ani mój dar, ani styl życia.

Musnęła palcami jedną z róż jego matki. Proste piękno. Cud życia.

– Ale zawsze uważałam, że świat będzie trwał wiecznie i będzie się kręcił bez mojej pomocy. Dowiedziałam się niedawno, że jest inaczej, i zrozumiałam, że muszę starać się o coś innego, coś innego cenić.

– Czy w ten sposób chcesz mi powiedzieć, że to nie jest odpowiedni czas na rozmowę o małżeństwie i dzieciach?

– Nie. Chcę ci powiedzieć, że zrozumiałam wagę zwykłych małych rzeczy – i dużych. Życie staje się dużo ważniejsze, gdy wiesz, że możesz wszystko stracić. Dlatego, Hoycie Czarnoksiężniku – pocałowała go najpierw w jeden, potem w drugi policzek – gdybyśmy mieli się pobrać, zamieszkałabym z tobą w tym domu, zajmowałabym się gospodarstwem i rodziła ci dzieci. I bardzo bym się starała zawsze to doceniać.

Nie spuszczając z niej wzroku, wyciągnął dłoń wewnętrzną stroną do góry. Glenna dotknęła jej i ich palce splotły się mocno, a z zaciśniętych dłoni wystrzelił snop światła.

– Czy wyjdziesz za mnie, Glenno?

– Tak.

Objął ją mocno i przyciągnął do siebie, a jego pocałunek pełen był obietnic i możliwości. Pełen nadziei. Otoczyła Hoyta ramionami i wiedziała, że znalazła najważniejszą część swego przeznaczenia.

– Teraz mamy jeszcze więcej powodów, by walczyć. – Ukrył twarz w jej włosach. – Możemy zyskać coś więcej.

– I tak będzie. Chodź ze mną. Pokażę ci, nad czym pracuję.

Poprowadziła go bliżej domu, gdzie stały tarcze do strzelania z łuku. Usłyszała tętent kopyt i zobaczyła, jak Larkin wjeżdża na koniu między drzewa.

– Wolałabym, żeby nie jeździł po lesie. Tam jest tyle cieni.

– Nie sądzę, żeby zdołały go złapać, jeśli tylko leżą i czekają. Ale gdybyś go poprosiła – pogłaskał ją po włosach – jeździłby po łąkach.

Glenna uniosła brwi ze zdziwieniem.

– Gdybym poprosiła?

– Gdyby wiedział, że się martwisz, zrobiłby to dla ciebie. Jest bardzo wdzięczny za to, co dla niego robisz. Karmisz go – wyjaśnił w odpowiedzi na jej pytające spojrzenie.

– Och. No cóż, nie ma wątpliwości, że Larkin lubi jeść. – Glenna popatrzyła w stronę domu. Moira pewnie odbywała poranną sesję w bibliotece, a Cian spał. Co do Blair, to jeszcze chwilę potrwa, zanim Glenna pozna rozkład dnia nowo przybyłej.

– Chyba zrobię lazanię na obiad. Nie martw się – poklepała go po ręku – będzie ci smakować. I coś mi się wydaje, że już prowadzę dom i opiekuję się rodziną. Nigdy nie widziałam siebie jako strażniczki domowego ogniska. Człowiek uczy się całe życie. No dobrze.

Wyjęła sztylet, z absolutną łatwością przeskakując od kuchni do broni. Człowiek uczy się całe życie.

– Pracowałam nad tym wczoraj.

– Nad sztyletem – wtrącił Hoyt.

– Nad zaczarowaniem sztyletu. Pomyślałam, że powinnam zacząć od czegoś małego, a ewentualnie później zabrać się do mieczy. Mówiliśmy, że zajmiemy się bronią, ale tyle się działo, że ta sprawa zeszła na dalszy plan. I wtedy pomyślałam o tym.

Wziął od niej sztylet i przejechał palcem po ostrzu.

– W jaki sposób go zaczarowałaś?

– Pomyśl o ogniu. – Popatrzył na nią figlarnie. – Nie, dosłownie – powiedziała, odstępując krok w tył. – Wyobraź sobie płomień na ostrzu.

Obrócił sztylet w dłoniach i złapał jak do walki. Pomyślał o ogniu, wyobraził sobie, jak pokrywa stal, ale ostrze pozostało zimne.

– Trzeba wypowiedzieć zaklęcie? – zapytał.

– Nie, tylko musisz chcieć, widzieć to. Spróbuj jeszcze raz.

Skoncentrował się i nic nie osiągnął.

– No dobrze, może działa tylko w moich rękach – na razie. Poprawię to. – Wzięła od niego sztylet, przywołała obraz ognia i wycelowała ostrzem w tarczę.

Nie pojawiła się nawet iskierka.

– Cholera, wczoraj działało. – Obejrzała uważnie sztylet, żeby się upewnić, że zabrała z wieży właściwą broń. – To ten, wyryłam na rękojeści pentagram. Widzisz?

– Tak, widzę. Może czar ma jakiś limit i już się wyczerpał.

– Niemożliwe. Musiałabym zdjąć zaklęcie, a nie zrobiłam tego. Włożyłam w to mnóstwo czasu i energii, więc...

– Co się dzieje? – Blair wyszła z domu, z jedną ręką w kieszeni, w drugiej trzymała kubek z parującą kawą. W pochwie przy jej pasku tkwił nóż, z uszu zwisały kamienie księżycowe. – Rzucacie nożem?

– Nie. Dzień dobry.

Uniosła brew, słysząc ton irytacji w głosie Glenny.

– Widać nie dla wszystkich. Ładny sztylet.

– Nie działa.

– Zobaczymy. – Blair wzięła sztylet od Glenny, zważyła go w dłoni i popijając kawę, rzuciła do tarczy. Ostrze trafiło w sam środek. – Jak dla mnie działa.

– Świetnie, ma ostry czubek, a ty doskonałe oko. – Glenna podeszła szybko do tarczy i wyrwała sztylet. – Co się stało z magią?

– Nie mam pojęcia. To tylko nóż, i to niezły. Kłuje, tnie i sieka. Spełnia swoje zadanie. Jeśli zaczynasz liczyć na magię, możesz się przeliczyć i ktoś przystawi ci do gardła ten ostry czubek.

– Masz magię we krwi – przypomniał jej Hoyt. – Powinnaś okazywać jej więcej szacunku.

– Szanuję ją, ale lepiej się czuję, operując ostrymi narzędziami niż wudu.

– Wudu to zupełnie inna kwestia – warknęła Glenna. – To, że umiesz rzucać nożem, nie oznacza, że nie potrzebujesz tego, co Hoyt i ja możemy ci dać.

– Nie chcę was obrazić, ale przede wszystkim liczę na siebie. I jeśli nie możecie walczyć w ten sposób, to pozostawcie bitwę temu, kto może.

– Myślisz, że nie trafię w tę głupią tarczę?

Blair łyknęła kawy.

– Nie wiem. A trafisz?

Glenna odwróciła się z wściekłością i klnąc pod nosem, rzuciła sztyletem. Ostrze wbiło się w zewnętrzny krąg i stanęło w ogniu.

– Świetnie. – Blair opuściła kubek z kawą. – To znaczy cela masz do dupy, ale ogień jest fajny. – Wskazała kubkiem. – Chyba będziemy potrzebowali nowej tarczy.

– Byłam zła – wymamrotała Glenna. – Złość. – Spojrzała podekscytowana na Hoyta. – Adrenalina. Wcześniej nie byliśmy zirytowani. Ona mnie wkurzyła.

– Zawsze do usług.

– Czar jest dobry i broń też. – Hoyt położył Glennie dłoń na ramieniu. – Jak długo ogień będzie płonął?

– Och! Poczekaj. – Odeszła krok w tył i skoncentrowała się. Uspokojona zgasiła w myślach płomień i z ostrza sztyletu uniósł się dym.

– Trzeba jeszcze nad tym popracować, ale... – Wróciła do tarczy i ostrożnie dotknęła ostrza. Było ciepłe, ale nie gorące. – Dzięki temu będziemy o wiele bardziej skuteczni.

– Masz cholerną rację – przyznała Blair. – Przepraszam za ten tekst o wudu.

– Przeprosiny przyjęte. – Glenna schowała sztylet. – Chciałabym poprosić cię o przysługę, Blair.

– Wal śmiało.

– Hoyt i ja musimy teraz nad tym popracować, ale później... Mogłabyś nauczyć mnie rzucać nożem tak jak ty?

– Może nie tak jak ja. – Blair uśmiechnęła się nieco złośliwie. – Ale mogę cię nauczyć, jak masz rzucać lepiej niż teraz, bo na razie wygląda to jak rozganianie gołębi.

– Jest jeszcze coś – powiedział Hoyt. – Cian kieruje treningiem po zmierzchu.

– Wampir uczy ludzi, jak zabijać wampiry! – Blair potrząsnęła głową. – Jest w tym jakaś pokręcona logika. No dobrze i co z tego?

– W ciągu dnia także ćwiczymy – kilka godzin. Jeśli jest słońce, to na zewnątrz.

– Z tego, co widziałam wczoraj wieczorem, przyda wam się każda minuta. I nie potraktujcie tego jako obrazy – dodała. – Sama ćwiczę kilka godzin dziennie.

– Przyjaciel, który kierował naszym treningiem w ciągu dnia... straciliśmy go. Lilith.

– To okropne. Przykro mi. Zawsze jest okropne.

– Myślę, że najlepiej by było, gdybyś to ty teraz poprowadziła dzienny trening.

– Mam wydawać rozkazy i gonić was, aż spocicie się jak rude myszy? – Na twarzy Blair pojawił się wyraz czystej przyjemności. – Wygląda na niezłą zabawę. Tylko pamiętajcie, że sami chcieliście, jak zaczniecie mnie nienawidzić. A gdzie reszta? Nie powinniśmy tracić dziennego światła.

– Moira jest pewnie w bibliotece – odpowiedziała Glenna. – Larkin zabrał konia na przejażdżkę, a Cian...

– To akurat wiem. No dobrze, rozejrzę się trochę i zaczniemy imprezę, jak wrócę.

– Las jest gęsty. – Glenna skinęła głową w stronę linii drzew. – Nie powinnaś zapuszczać się zbyt głęboko, nawet za dnia.

– Nie martw się.

20

*L*as zachwycił Blair. Podobały się jej drzewa o grubych konarach, zapach, gra świateł i cieni. Ziemia była usłana liśćmi spadającymi od niezliczonych lat i jasnozielonym mchem. Strumyk, który błyszczał wśród kamieni wąską wstążką, czynił ten teren jeszcze bardziej bajkowym i grał cichą melodię.

Oglądała już kiedyś Clare, spacerowała po polach, lasach i wzgórzach i teraz nie mogła zrozumieć, dlaczego ominęła to miejsce, skoro tu były jej korzenie. Domyślała się, że miała dopiero teraz tu trafić i poznać prawdę.

Teraz, z tymi ludźmi, w tym miejscu.

Czarownica i czarnoksiężnik, myślała. Byli tak przepełnieni miłością, tak lśniącą i świeżą, że aż promienieli.

Zaleta czy wada – będzie musiała poczekać i zobaczyć.

Ale jednego była pewna: chciała, żeby Glenna zrobiła dla niej sztylet z ogniem.

Czarownica była w porządku. Miała świetne włosy i miejski styl, który było widać pomimo zwykłych spodni i koszul. Miała też nieźle poukładane pod sufitem. Wydawało się, że zeszłego wieczoru zrobiła, co w jej mocy, żeby przywitać gościa, przygotowała kolację i wygodny pokój.

Blair nie była przyzwyczajona do tak miłych gestów.

Czarodziej wydawał się bardziej spięty, obserwował ją i niewiele mówił. Potrafiła to uszanować. Tak jak szanowała moc, którą nosił niczym drugą skórę.

Co do wampira, to sama nie mogła się zdecydować. Cenny sprzymierzeniec albo niebezpieczny wróg – a dotychczas nigdy nie uważała żadnego wampira za sprzymierzeńca. Jednak kiedy jego brat mówił o Noli, dostrzegła coś w twarzy Ciana: ból.

Druga dziewczyna była cicha jak mysz. Bardzo uważna, o tak, ale jeszcze trochę miękka. Nie wyrobiła sobie opinii o Blair, tak samo jak Blair o niej.

A chłopak? Larkin. Niezły kąsek. Miał dobrą, atletyczną budowę, co będzie zaletą w walce. I aż kipiał energią, pomyślała. Zmienianie postaci też może się przydać, jeśli jest w tym dobry. Będzie musiała poprosić o prezentację.

Cała gromadka wymagała bardzo dużo pracy i Blair będzie musiała porządnie ich przećwiczyć, jeśli mają wyjść z tego żywi.

Ale na razie miło było spacerować między drzewami, słuchając melodii wody, i patrzeć na taniec światła.

Obeszła skałę i przechyliła głowę, patrząc na to, co spało skulone w cieniu.

– Pan zamawiał budzenie? – zapytała, pociągając za spust kuszy.

Wampir nie miał nawet czasu, żeby otworzyć oczy.

Wyjęła drugą strzałę, nałożyła na cięciwę.

Zabiła jeszcze trzy, a czwarty uciekł ścieżką, omijając plamy słońca. Nie chcąc tracić strzały przy tak odległym i ruchomym celu, Blair ruszyła w pogoń.

Nagle na ścieżkę wyskoczył koń, czarna lśniąca bestia z pięknym bogiem na grzbiecie. Larkin machnął mieczem i pozbawił biegnącego potwora głowy.

– Niezła robota! – zawołała Blair.

Chłopak, skąpany w promieniach słońca, podprowadził do niej konia.

– Co ty tu robisz?

– Zabijam wampiry. A ty?

– Koń potrzebował przebieżki. Nie powinnaś sama odchodzić tak daleko od domu.

– Ty odchodzisz.

– Jego by nie dogoniły. – Poklepał Vlada po grzbiecie. – On jest jak wiatr. To ile zabiłaś?

– Cztery, twój będzie piąty. Pewnie jest ich więcej.

– Cztery? Ależ z ciebie pracuś. Chcesz ścigać pozostałe?

Larkin miał na to wyraźną ochotę, ale Blair nie była pewna. Praca z nieznanym partnerem to dobra recepta na śmierć, nawet jeśli ten partner włada mieczem jak szatan.

– Na razie chyba wystarczy. Przynajmniej jeden z nich pobiegnie do mamusi i poskarży, że zabijamy je w ich gniazdkach. To powinno ją wkurzyć.

– Wkurzyć?

– Zdenerwować.

– Ach, tak, tak.

– I tak musimy trochę poćwiczyć, żebym zobaczyła, do czego się nadajecie.

– Żebyś zobaczyła?

– Jestem waszym nowym sierżantem. – Widziała, że nie był zachwycony tą nowiną – i kto by go winił? Podniosła rękę. – Może mnie podrzucisz, kowboju?

Pochylił się, zacisnął dłoń na przedramieniu Blair i pomógł jej wsiąść na konia.

– Jak szybko ten koleś może pędzić?

– Lepiej trzymaj się mocno.

Ścisnął konia piętami i wierzchowiec pofrunął.

Glenna potarła kciuk i palec wskazujący nad kociołkiem, dodając do mikstury trochę siarki.

– Dodaję po trochu – powiedziała bardziej do siebie niż do Hoyta. – Nie chcemy przesadzić i skończyć z...

Odskoczyła, gdy z kociołka buchnął ogień.

– Uważaj na włosy – ostrzegł Hoyt.

Wzięła parę spinek i upięła na czubku głowy niedbały kok.

– Jak ci idzie?

Nóż nadal płonął w metalowej rynnie.

– Ogień jest wciąż nierówny. Musimy go opanować, bo inaczej spalimy nie tylko wampiry, ale i siebie.

– To musi podziałać. – Wzięła sztylet i zanurzyła go w kociołku. Odstąpiła krok do tyłu, uniosła dłonie i zaczęła recytować zaklęcia.

Hoyt przerwał pracę i obserwował piękno, które wyzwoliła w niej magia. Czym było jego życie, zanim Glenna w nim zagościła? Zanim spotkał kogoś, z kim mógł w pełni dzielić swoją pasję? Kto patrzył mu w oczy tak, że jego serce promieniało?

Płomienie zaczęły lizać brzegi kociołka, rozjaśniły sztylet, a ona dalej stała wśród dymu i ognia. Jej głos był jak muzyka, moc przypominająca taniec.

Gdy ogień zgasł, wyjęła szczypcami sztylet i odłożyła na bok, by ostygł.

– Musimy to zrobić z każdym po kolei. Wiem, że to zabierze nam mnóstwo czasu, ale w końcu... Co? – zapytała, gdy zobaczyła, że Hoyt się w nią wpatruje. – Mam na twarzy sadzę?

– Nie. Jesteś piękna. Kiedy za mnie wyjdziesz?

Zamrugała ze zdumienia.

– Myślałam, że później, jak to wszystko się skończy.

– Nie, nie chcę czekać. Każdy dzień to o dzień mniej, każdy dzień jest cenny. Chcę, żebyśmy pobrali się tutaj, w tym domu. Ani się obejrzymy, jak pojedziemy do Geallii, a potem... To powinno stać się tutaj, Glenno, w domu, który stworzymy.

– Oczywiście, że tutaj. Wiem, że nie będzie twojej rodziny poza Cianem i Blair, mojej też nie. Ale kiedy to się skończy, Hoyt, kiedy wszyscy będziemy znów bezpieczni, chciałabym urządzić jeszcze jedną uroczystość i wtedy chciałabym, żeby wzięła w niej udział moja rodzina.

– Związanie dłoni* teraz, ceremonia ślubna potem. Czy tak może być?

– Świetnie. Ja... teraz? Jak teraz? Teraz nie jestem gotowa. Muszę... się przygotować. Potrzebuję sukni.

– Myślałem, że wolisz odprawiać rytuały nago.

– Bardzo śmieszne. Daj mi kilka dni. Powiedzmy do pełni.

– Koniec pierwszego miesiąca. – Skinął głową. – To odpowiednia pora. Chcę... a co to za krzyki?

Podeszli do okna i zobaczyli, jak Blair mocuje się z Larkinem. Moira stała obok z rękami wspartymi na biodrach.

– A propos rytuałów – powiedziała Glenna – wygląda na to, że dzisiaj zaczęli zabawę bez nas. Lepiej chodźmy na dół.

– Ona jest powolna i niezdarna, a powolni i niezdarni giną.

– Ani jedno, ani drugie – warknął Larkin – ale jej mocne strony to łuk i rozum.

---

* *Handfasting* – próbny związek, który można zakończyć bez konsekwencji dla żadnej ze stron, więcej niż zaręczyny, lecz nie tak trwały jak małżeństwo. Pozostałość czasów przedchrześcijańskich i dawnych zasad zawierania ślubów.

– Świetnie, może zamyślić wampira na śmierć. Daj mi znać, jak jej poszło. Co do łuku, prawda, ma oko jak sokół, ale nie zawsze można zabijać z daleka.

– Mogę sama się wypowiadać w swojej obronie, Larkin. A co do ciebie – wskazała palcem na Blair – nie życzę sobie, żebyś mówiła o mnie, jakbym była niedorozwinięta.

– Nie masz żadnych problemów z umysłem, ale ja mam spory kłopot z twoją umiejętnością władania mieczem. Walczysz jak dziewczyna.

– Bo jestem dziewczyną.

– Nie podczas treningu, nie w bitwie. Wtedy jesteś żołnierzem, wróg ma to w dupie, jakiej jesteś płci.

– King kazał jej pracować nad mocnymi stronami.

– King nie żyje.

Zapadła pełna napięcia cisza, tak ciężka, że można by ciąć ją toporem. Blair westchnęła. Musiała przyznać, że jej słowa były zbyt brutalne.

– Słuchajcie, to, co się stało z waszym kumplem, jest potworne i jestem pewna jak diabli, że nie chcę, by to samo spotkało mnie. Jeśli i wy nie chcecie tak skończyć, będziecie pracować nad swoimi słabościami – a macie ich mnóstwo. Możecie bawić się silnymi stronami w wolnym czasie.

Hoyt i Glenna podeszli bliżej, a Blair odwróciła się do nich.

– Czy ty poprosiłeś mnie, żebym kierowała treningiem? – zapytała.

– Tak, ja – potwierdził Hoyt.

– A my nie mamy na ten temat nic do powiedzenia? – Wściekłość wykrzywiła rysy Larkina. – Zupełnie nic?

– Nie, nie macie. Ona najlepiej się do tego nadaje.

– Bo jest twoją krewną.

Blair odwróciła się do Larkina.

– Bo w pięć sekund mogę rozłożyć cię na łopatki.

– Taka jesteś tego pewna? – Zajaśniał i zmienił postać, a wilk, którym się stał, usiadł i zawarczał.

– Fantastyczne – powiedziała Blair pod nosem, a podziw zastąpił złość w jej głosie.

– Och, Larkin, daj spokój, dobrze? – Moira straciła cierpliwość i pacnęła go ręką. – On jest na ciebie zły, bo byłaś dla mnie niemiła. A ty nie musisz mnie obrażać. Tak się akurat składa, że zgadzam się z tobą co do pracy nad słabościami. – Moira przypomniała sobie, że Cian mówił to samo. – Chcę porządnie ćwiczyć, ale nie zamierzam wysłuchiwać połajanek, kiedy coś robię.

– Łatwiej złapać muchy na miód niż na ocet? – powiedziała Blair. – Zawsze się zastanawiałam, po cholerę ktoś miałby chcieć łapać muchy. Słuchaj, po godzinach możemy razem malować sobie paznokcie u stóp i gadać o chłopakach, ale gdy cię trenuję, jestem suką, bo chcę, żebyś przeżyła. Czy to boli, kiedy tak robisz? – zapytała Larkina, który znowu stał się człowiekiem. – Zmienianie kształtu kości i organów wewnętrznych?

– Czasem tak. – Nie przypominał sobie, żeby ktokolwiek go o to pytał. Złość minęła mu tak szybko, jak się pojawiła. – Ale to dobra zabawa, więc nie zwracam uwagi na ból.

Otoczył Moirę ramieniem i zwrócił się do Hoyta i Glenny:

– Wasza trenerka zabiła dziś rano cztery w lesie. Ja wykończyłem piątego.

– Dziś rano? Pięć? – Glenna popatrzyła na Blair. – Jak blisko domu?

– Wystarczająco blisko. – Blair rzuciła spojrzenie w stronę lasu. – Czujki, i to nie najlepsze. Przyłapałam je na drzemce. Lilith na pewno o tym usłyszy. Nie będzie szczęśliwa.

* * *

W opinii Lilith zabicie posłańca nie podlegało dyskusji, chodziło o to, żeby umarł jak najpowolniejszą i najbardziej bolesną śmiercią.

Młody wampir, który nierozważnie wrócił do gniazda po porannym ataku Blair, piekł się teraz na wolnym ogniu, wisząc na ruszcie, brzuchem do dołu. Zapach nie był zbyt przyjemny, ale Lilith rozumiała, że bycie królową wymaga pewnych poświęceń.

Obeszła go teraz dookoła, uważając, by skraj czerwonej sukni nie zbliżył się do ognia.

– Może opowiesz mi to jeszcze raz? – Głos miała melodyjny, zupełnie jak oddany nauczyciel przemawiający do ulubionego ucznia. – Ten człowiek, ta kobieta zniszczyła wszystkich, których posłałam, oprócz ciebie.

– Mężczyzna. – Ból zamienił jego słowa w gardłowe jęki. – Koń.

– Tak, tak, cały czas zapominam o mężczyźnie na koniu. – Zatrzymała się i obejrzała swoje pierścionki. – Ten, który przyjechał, gdy ona już zabiła, ilu was tam było, czterech?

Ukucnęła, żeby popatrzeć w czerwone, przepełnione bólem oczy zwiadowcy. Była niczym pająk o oszałamiającej urodzie. – A dlaczego zdołała to zrobić? Poczekaj, poczekaj, już pamiętam. Bo wy spaliście?

– Oni spali. Tamci. Ja stałem na straży, Wasza Wysokość, przysięgam.

– Stałeś na straży i ta jedna kobieta nadal żyje. Dlaczego żyje? Czy dobrze rozumiem ten szczegół? Bo uciekłeś?

– Wróciłem, żeby... złożyć raport. – Do ognia skapnęło kilka kropel potu i zaskwierczało. – Inni, tamci uciekali. Oni uciekli, ja przybiegłem do ciebie.

– Przybiegłeś. – Poklepała go figlarnie po nosie i wstała. – Chyba powinnam wynagrodzić twoją lojalność.

– Litości, Wasza Wysokość, litości.

Odwróciła się z szumem jedwabnych spódnic i uśmiechnęła do chłopca, który siedział po turecku na podłodze jaskini i po kolei odrywał głowy figurkom z „Gwiezdnych wojen".

– Davey, jeśli popsujesz wszystkie zabawki, to czym będziesz się bawił?

Chłopiec wydął wargi i oderwał głowę Anikinowi Skywalkerowi.

– Są nudne.

– Tak, wiem. – Przesunęła czule dłonią po jasnych włosach dziecka. – A ty już za długo siedzisz w zamknięciu, prawda?

– Czy możemy teraz wyjść? – Chłopiec podskoczył, a oczy zrobiły mu się wielkie jak spodki w oczekiwaniu na obiecaną zabawę. – Czy możemy wyjść i się pobawić? Proszę!

– Jeszcze nie. I nie marudź. – Pocałowała go w usta. – A co będzie, jeśli buzia zastygnie ci w takim grymasie? No dobrze, mój słodki, a gdybym dała ci nową zabawkę?

Okrągłe policzki chłopca zapłonęły z gniewu i Davey złamał na pół figurkę Han Solo.

– Mam dosyć zabawek.

– Ale ta będzie zupełnie inna. Coś, czego nigdy nie miałeś. – Odwróciła głowę i obejmując dłońmi twarzyczkę malca, skierowała jego wzrok na wampira wiszącego nad ogniem.

– Dla mnie? – zapytał Davey z ożywieniem.

– Cały dla ciebie, mój pieróżku. Ale musisz obiecać mamie, że nie będziesz podchodził za blisko ognia. Nie chcę, żebyś się sparzył, mój skarbie. – Pocałowała małe paluszki i wstała.

– Wasza Wysokość, błagam! Królowo, wróciłem do ciebie.

– Nie lubię porażek. Bądź grzecznym chłopcem, Davey. Och, i nie zepsuj sobie obiadu. – Machnęła ręką na Lorę, która stała przy drzwiach.

Wampir zaczął wrzeszczeć, jeszcze zanim zamknęły za sobą drzwi na klucz.

– Łowczyni – zaczęła Lora. – Ona musi być łowczynią, żadna inna kobieta nie potrafi...

Jedno spojrzenie Lilith zamknęło jej usta.

– Nie dałam ci pozwolenia, żebyś mówiła. Cała sympatia, którą mam do ciebie, sięga stąd do kominka i ani kroku dalej.

Lora opuściła z szacunkiem głowę i poszła za Lilith do przyległej komnaty.

– Straciłaś trzech moich dobrych ludzi. Co masz mi do powiedzenia?

– Nie mam usprawiedliwienia.

Lilith skinęła głową i bezmyślnie wzięła z komody rubinowy naszyjnik. Jedyną rzeczą z normalnego życia, której jej brakowało, były lustra. Nawet po dwóch tysiącach lat tęskniła do widoku własnego odbicia, do zachwycania się własną pięknością. Przez wieki zatrudniała – i pożerała – niezliczonych czarnoksiężników, czarownice i magików, żeby odzyskać własne odbicie.

To była jej największa porażka.

– Mądrze z twojej strony, że nie szukasz usprawiedliwienia. Jestem cierpliwą kobietą, Lora. Czekam od ponad tysiąca lat na to, co ma nadejść, ale nie pozwolę się obrażać. Nie podoba mi się, że ci ludzie zabijają nas jak muchy.

Rzuciła się na krzesło i zabębniła długimi paznokciami o poręcz.

– Mów więc. Opowiedz mi o tej nowej. O łowczyni.

– Tak jak przepowiedział jasnowidz, pani. Wojownik ze starego rodu. Jeden z łowców, którzy od wieków prześladują nasze plemię.

– A skąd ty to wiesz?

– Była zbyt szybka jak na zwykłego człowieka. Zbyt silna. Wiedziała, czym są, zanim do niej podeszli, i była przygotowana. Ona zamyka krąg. Pierwsza obsada jest w komplecie.

– Moi mędrcy powiedzieli, że Murzyn był wojownikiem.

– Mylili się.

– To do czego się nadają? – Lilith rzuciła naszyjnikiem przez pokój. – Jak mam rządzić, skoro otaczają mnie nieudacznicy? Chcę tego, co mi się należy. Chcę krwi, śmierci i pięknego chaosu. Czy proszę o tak wiele, wymagając od tych, którzy mi służą, żeby zajęli się szczegółami?

Lora była przy Lilith od prawie czterystu lat jak przyjaciółka, kochanka, sługa. Uważała, że nikt nie znał królowej lepiej niż ona. Nalała kieliszek wina i zaniosła swojej pani.

– Lilith – powiedziała łagodnie, całując ją. – Nie straciliśmy nic istotnego.

– Twarz.

– Nawet nie. Tylko oni wierzą, że to, co robili przez ostatnie tygodnie, ma jakieś znaczenie. I zabiliśmy sługę Ciana, prawda?

– Prawda. – Lilith pomyślała chwilę, po czym łyknęła wina. – Miałam z tego pewną satysfakcję.

– A posłanie go do nich z powrotem udowodniło, jaka jesteś wspaniała i silna. Pozwól im zabijać tuziny bezwartościowych żołdaków. To my potem wyrwiemy im serca.

– Przynosisz mi pocieszenie, Lora. – Pogłaskała ją po ręku. – I oczywiście masz rację. Przyznaję, że jestem rozczarowana. Tak bardzo chciałam złamać ich liczbę, udaremnić spełnienie proroctwa.

– Ale przecież tak jest lepiej, prawda? A pokonanie wszystkich razem będzie jeszcze słodsze.

– Tak, lepiej. Mimo to... myślę, że musimy coś udowodnić. To poprawi mój humor i morale żołnierzy. Mam pomysł. Muszę się nad nim trochę zastanowić. – Popatrzyła na wino w kieliszku. – Pewnego dnia, już niedługo, to będzie krew czarnoksiężnika. Będę ją piła ze srebrnego pucharu i zagryzała śliwkami w cukrze. Wszystko, czym włada, przejdzie na mnie, a to, czym się stanę, nawet bogów doprowadzi do drżenia. Zostaw mnie teraz. Muszę pomyśleć.

Lora wstała, a Lilith popukała palcem w kieliszek.

– Och, przez tę całą irytującą sprawę zrobiłam się głodna. Przynieś mi kogoś do jedzenia, dobrze?

– W tej chwili.

– Upewnij się, że jest świeży. – Gdy została sama, zamknęła oczy i zaczęła snuć plan, a wrzaski i jęki z pokoju obok odbijały się od ścian jaskini.

Lilith uśmiechnęła się. Któż mógłby się smucić, gdy śmiech dziecka rozjaśniał świat?

* * *

Moira siedziała po turecku na łóżku Glenny i patrzyła, jak ta pracuje na małej magicznej maszynie, którą nazywała laptopem. Moira z całego serca pragnęła dostać ją w ręce. W środku były słowa wiedzy, a na razie pozwolono jej tylko parę razy zerknąć.

Glenna obiecała jej lekcję, ale na razie wydawała się tak zaabsorbowana – a miały tylko godzinę przerwy.

Moira odchrząknęła.

– Co myślisz o tej? – zapytała Glenna i popukała palcem w obraz kobiety w długiej, białej sukni.

Przekrzywiając głowę, żeby lepiej widzieć, Moira popatrzyła na ekran.

– Ona jest bardzo piękna. Zastanawiałam się...

– Nie, nie modelka, suknia. – Glenna obróciła się na krześle. – Potrzebna mi sukienka.

– Och, coś się stało z twoją?

– Nie. – Glenna ze śmiechem okręciła naszyjnik wokół palca. – Potrzebuję bardzo wyjątkowej sukni. Sukni ślubnej, Moira. Hoyt i ja zamierzamy się pobrać. Zdecydowaliśmy się na związanie dłoni teraz i ceremonię ślubną potem.

– Zaręczyłaś się z Hoytem? Nie wiedziałam.

– To się po prostu stało. Wiem, że to może wydawać się zbyt nagłe i że pora...

– Och, ależ to cudownie! – Moira podskoczyła i entuzjastycznie uściskała Glennę. – Jestem taka szczęśliwa! Jak to wspaniale dla was i dla nas wszystkich!

– Dzięki. Dla nas wszystkich?

– Śluby są takie jasne, prawda? Jasne, szczęśliwe i ludzkie. Och, żałuję, że nie jestem w domu i nie mogę przygotować uczty dla ciebie! Nie możesz sama szykować jedzenia na własne wesele, a ja jeszcze nie jestem w tym najlepsza.

– Na razie nie będziemy się o to martwić. Śluby są takie jasne, szczęśliwe i ludzkie. A ja jestem w wystarczającym stopniu przejęta, by martwić się o idealną suknię.

– Oczywiście. Dlaczego miałabyś nie chcieć idealnej?

Glenna wypuściła z ulgą powietrze.

– Dzięki Bogu. Czułam się trochę płytka. Powinnam była wiedzieć, że potrzeba mi opinii drugiej kobiety. Pomożesz mi, dobrze? Wybrałam parę, ale muszę się zdecydować.

– Z wielką chęcią. – Moira delikatnie i z ciekawością popukała w bok pudełka. – Ale... jak wyjmiesz suknię z tej maszyny?

– Dojdziemy do tego. Teraz będę musiała pójść na skróty, ale później pokażę ci, jak się robi zakupy przez Internet. Myślę, że szukam czegoś w tym stylu.

Skupiły się na ekranie, gdy do drzwi zapukała Blair.

– Przepraszam. Glenna, masz chwilę? Chciałam porozmawiać z tobą o zaopatrzeniu i zapasach. Domyślam się, że ty tym zarządzasz. Hej, ładna zabawka.

– Jedna z moich ulubionych. Tylko Cian i ja mamy laptopy, więc jeśli będziesz chciała skorzystać...

– Przywiozłam swój, ale dzięki. Zakupy? Nieman's? – zapytała, podchodząc do ekranu. – Filuterne koronki jak na wojnę.

– Hoyt i ja bierzemy ślub.

– Serio? To świetnie. – Trąciła Glennę przyjacielsko w ramię. – Gratulacje. Kiedy ten wielki dzień?

– Jutro wieczorem. – Blair tylko mrugnęła, a Glenna mówiła szybko dalej: – Wiem, jak to musi wyglądać, ale...

– Myślę, że to wspaniale. Naprawdę super. Życie musi toczyć się dalej, nie możemy pozwolić, żeby przez te bestie stanęło w miejscu, właśnie o to im chodzi. Poza tym naprawdę świetnie, że wy dwoje znaleźliście to, czego szukacie, kiedy wszystko jest zagrożone. Między innymi o to walczymy, prawda?

– Tak, to prawda.

– Suknia ślubna?

– Potencjalna. Blair, dziękuję.

Blair położyła dłoń na ramieniu Glenny gestem, który mogła wykonać zarówno kobieta wobec kobiety, jak żołnierz wobec żołnierza.

– Walczę od trzynastu lat i wiem lepiej niż ktokolwiek, że potrzebujesz czegoś ważnego, czegoś, co naprawdę ma znaczenie i co rozgrzewa cię od środka, inaczej tracisz poczucie misji. Nie będę wam przeszkadzać.

– Pomożesz nam wybierać?

– Serio? – Blair odtańczyła mały taniec radości. – A czy wampiry piją krew? Pewnie, że tak. Nie chciałabym cię dołować, ale jak zamierzasz do jutra sprowadzić tu suknię?

– Mam swoje sposoby. I lepiej, żebym już zaczęła. Możesz zamknąć drzwi? Nie chcę, żeby Hoyt wszedł, jak będę mierzyć suknie.

– Mierzyć... Pewnie. – Blair zamknęła drzwi, a Glenna rozstawiła wokół laptopa kryształowe kule. Zapaliła świece, stanęła na środku pokoju i rozłożyła ręce.

– Matko Bogini, proszę cię o pomoc, abyś mi tę suknię przyniosła do domu. Przez powietrze, z miejsca oddalenia sprowadź tu symbol mego przeznaczenia.

Powietrze rozbłysło, zadrżało i po chwili zamiast dżinsów i koszulki Glenna miała na sobie białą suknię.

– Kurde, całkiem nowy system kradzieży sklepowej.

– Ja nie kradnę. – Glenna popatrzyła ostro na Blair. – Nigdy nie używam mocy w takich celach. Przymierzę je, a gdy znajdę tę właściwą, użyję czaru, by za nią zapłacić. Muszę tak zrobić, bo nie mam wiele czasu.

– Nie wkurzaj się, tylko żartowałam. – W pewnym sensie. – Czy to będzie też działało w kwestii broni, jeśli będziemy potrzebowali czegoś więcej?

– Myślę, że tak.

– Dobrze wiedzieć. W każdym razie, świetna kiecka.

– Jest śliczna – przyznała Moira. – Po prostu przepiękna.

Glenna obróciła się i przyjrzała swemu odbiciu w lustrze o starej ramie.

– Dobrze, że Cian nie pozbył się wszystkich luster. Jest piękna, prawda? Podoba mi się krój, ale...

– To nie ta jedyna – dokończyła Blair i usiadła obok Moiry na łóżku.

– Dlaczego tak mówisz?

– Nie rozświetla cię. Tym światłem, które unosi się wprost z serca i rozpromienia pannę młodą po koniuszki palców. Wkładasz suknię ślubną, patrzysz w lustro i już wiesz.

A zatem to zaszło aż tak daleko, pomyślała Glenna, przypominając sobie obraz Blair z pierścionkiem zaręczynowym na palcu, a później płaczącą samotnie w ciemności.

Chciała coś powiedzieć, ale się powstrzymała. Tak delikatny temat wymagał czegoś więcej niż koleżeństwa, potrzebował prawdziwej przyjaźni, a ta dopiero się zaczynała.

– Masz rację, to nie ta. Wybrałam jeszcze cztery, więc zobaczmy numer dwa.

Gdy włożyła trzecią, poczuła to światło, usłyszała je w długim westchnieniu Moiry.

– I mamy zwyciężczynię. – Blair kiwnęła palcem. – Obróć się. O tak, ta jest idealna.

Romantyczna i prosta, pomyślała Glenna. Taką właśnie chciała. U dołu spódnicy delikatna koronka, subtelny dekolt w kształcie serca i dwa cienkie ramiączka.

– Jest doskonała. – Spojrzała jeszcze raz na cenę i skrzywiła się. – Cóż, przekroczenie debetu na karcie nie wydaje się aż takie istotne, jeśli wziąć pod uwagę możliwą apokalipsę.

– Chwytaj dzień – zgodziła się Blair. – Będziesz miała welon?

– Panna młoda na tradycyjnym celtyckim związaniu dłoni powinna mieć welon, ale w tej sytuacji... Myślę, że tylko kwiaty.

– Nawet lepiej. Subtelnie, naturalnie, romantycznie i seksownie, wszystko w jednym.

– Moira? – Oczy dziewczyny były wilgotne i rozmarzone. – Widzę, że ty też głosujesz na tę.

– Myślę, że będziesz najpiękniejszą panną młodą.

– No, to miałyśmy świetną zabawę. – Blair wstała. – I zgadzam się z Panną Mądrą, wyglądasz oszałamiająco. Ale teraz musisz się przebrać. – Postukała paznokciem w zegarek. – Idziemy na trening. Dzisiaj poćwiczymy walkę na pięści. Może pójdziesz ze mną? – zaproponowała Moirze. – Od razu zaczniemy.

– Będę za kilka minut – obiecała Glenna i jeszcze raz obejrzała się w lustrze.

Od sukni ślubnych do walki, pomyślała. Jej życie nabrało bardzo dziwnego biegu.

Hoyt usłyszał rozbrzmiewającą w środku muzykę i zapukał do drzwi sypialni Ciana na krótko przed zmierzchem. Były czasy, gdy nawet nie pomyślałby o pukaniu czy proszeniu o pozwolenie na wejście do komnat brata.

Czasy, pomyślał, kiedy nie musiałby prosić go o pozwolenie na zamieszkanie z żoną we własnym domu.

Zazgrzytały zamki. W drzwiach stanął Cian z zaspanym wyrazem twarzy. Miał na sobie tylko luźne spodnie od dresu.

– Jak dla mnie trochę za wcześnie na wizyty.

– Chciałbym z tobą pomówić.

– I oczywiście to nie może zaczekać na odpowiednią dla mnie porę. W takim razie wejdź.

Hoyt wszedł do absolutnie ciemnego pokoju.

– Czy musimy rozmawiać w ciemności?

– Ja widzę wystarczająco dobrze. – Ale zapalił małą lampkę koło łóżka. Jedwabna pościel zalśniła jak klejnot. Cian podszedł do lodówki i wyjął torebkę krwi. – Nie jadłem śniadania. – Wrzucił torebkę do stojącej na lodówce mikrofalówki. – Czego chcesz?

– Co zamierzasz zrobić, gdy to wszystko się skończy?

– To, na co będę miał ochotę, jak zawsze.

– Będziesz tu mieszkał?

– Nie sądzę. – Cian roześmiał się i wziął z półki kryształową szklankę.

– Jutro wieczorem... Glenna i ja chcemy odprawić rytuał związania dłoni. Cian zawahał się chwilę, zanim odstawił szklankę.

– Czyż to nie interesujące? Chyba powinienem ci pogratulować. Zamierzasz zabrać ją z powrotem i przedstawić rodzinie? „Mamo, tato, oto moja narzeczona. Mała czarownica, którą znalazłem w dalekiej przyszłości".

– Cian.

– Przepraszam, ale absurdalność tej sytuacji bardzo mnie bawi. – Wyjął torebkę, rozerwał i przelał podgrzaną zawartość do szklanki. – No, dobrze. *Sláinte*.

– Nie mogę tam wrócić.

Cian pociągnął długi łyk, nie spuszczając oczu z twarzy brata.

– Robi się coraz bardziej ciekawie.

– Z tą wiedzą, którą teraz posiadam, tam już nie ma dla mnie miejsca. Nie mogę czekać na dzień, w którym wiem, że umrą. Gdybyś mógł wrócić, zrobiłbyś to?

Cian zmarszczył brwi i wbił wzrok w szklankę.

– Nie. Z tysiąca powodów, lecz to byłby jeden z nich. Ale to ty sprowadziłeś tę wojnę na mój próg i teraz robisz sobie przerwę na małżeństwo?

– Ludzkie uczucia nie przestają istnieć. Wydaje się, że są jeszcze silniejsze, gdy nikt nie jest pewien jutra.

– Akurat tak się składa, że to prawda. Widziałem to niezliczoną ilość razy. Bywa też, że wojenne narzeczone nie sprawdzają się jako żony.

– To już sprawa między mną a Glenną.

– Bez wątpienia. – Uniósł szklankę do ust. – W takim razie powodzenia!

– Chcielibyśmy zamieszkać tutaj, w tym domu.

– W moim domu?

– W domu, który należał kiedyś do nas obu. Pomijając moje prawa i nasze pokrewieństwo, jesteś człowiekiem interesu. Kiedy cię tu nie ma, płacisz zarządcy. Już więcej nie będziesz musiał tego robić, bo Glenna i ja zajmiemy się domem i ziemią bez żadnego wynagrodzenia.

– A jak zamierzasz zarabiać na życie? W obecnych czasach nie ma dużego zapotrzebowania na czarnoksiężników. Ale, co ja opowiadam. – Cian roześmiał się i dopił krew. – Mógłbyś zbić cholerną fortunę w telewizji i Internecie. Załatwiłbyś sobie numer 0-700, stronę w sieci i już. Tylko że to nie w twoim stylu.

– Znajdę jakieś zajęcie.

Cian odstawił szklankę i popatrzył w ciemność.

– Może mam taką nadzieję, zakładając oczywiście, że przeżyjesz. Nie mam nic przeciwko temu, żebyście zamieszkali w tym domu.

– Dziękuję.

Cian wzruszył ramionami.

– Wybrałeś sobie bardzo skomplikowane życie.

– I zamierzam je przeżyć. Już ci nie przeszkadzam.

Skomplikowane życie, pomyślał Cian, gdy znowu został sam. Dziwiło go i irytowało, że mógł bratu takiego życia zazdrościć.

21

*G*lenna domyślała się, że wszystkie panny młode są trochę zdenerwowane i bardzo zajęte w dniu swojego ślubu, ale na pewno większość z nich nie musiała wcisnąć treningów i zaklęć między maseczki i pedikiur.

Przynajmniej nie miała czasu na tremę, której się w ogóle nie spodziewała. Nie mogła znaleźć chwili na atak paniki, skoro myślała o kwiatach, romantycznym oświetleniu i o tym, jak skutecznie ściąć głowę wampirowi.

– Spróbuj tego. – Blair już miała rzucić jej broń, ale zatrzymała się w pół kroku, widząc, że Glenna otworzyła usta ze zdumienia. – To berdysz. Trochę cięższy niż miecz, ale myślę, że tobie powinien odpowiadać. Masz dosyć silne ramiona, a tym łatwiej się tnie niż mieczem, musisz tylko przyzwyczaić się do jego wagi i balansu. Trzymaj.

Podeszła do stołu i wzięła swój miecz.

– Zablokuj mój ruch.

– Nie jestem przyzwyczajona. Mogę nie trafić i cię zranić.

– Uwierz mi, nie zranisz mnie. Blok! – Zaatakowała ją mieczem i bardziej instynktownie niż z posłuszeństwa Glenna zablokowała cios toporem.

– A teraz popatrz, radośnie wbiję ci nóż w plecy, bo jeszcze się nie wyprostowałaś.

– On jest strasznie ciężki – narzekała Glenna.

– Nie jest. Na razie szerzej rozłóż ręce. No dobrze, zostań pochylona do przodu po pierwszym ciosie. Uderz w miecz, popatrz na mnie. Powoli. Raz – powiedziała i wysunęła miecz. – Dwa. Spróbuj jeszcze raz. Oczywiście chcesz odparować mój cios, ale przede wszystkim musisz sprawić, żebym straciła równowagę, żebym to ja się broniła przed tobą. Pomyśl o tym jak o tańcu, w którym nie tylko chcesz prowadzić, ale i zabić partnera.

Blair podniosła rękę i odstąpiła krok do tyłu.

– Pokażę ci. Hej, Larkin, chodź, będziesz kukłą do ćwiczeń. – Rzuciła mu swój miecz i wzięła berdysz. – Powoli – nakazała mu. – To będzie demo. – Skinęła głową. – Atakuj.

Larkin ruszył na nią, a Blair wołała:

– Uderz, uderz, obrót. Do góry, w poprzek i uderz. Jest dobry, widzisz? On usiłuje zepchnąć mnie, a ja jego. Obrót, kopnij, uderz, uderz, obrót. Tnij!

Błyskawicznym ruchem wyciągnęła nóż przytroczony do nadgarstka i zatrzymała go centymetr od brzucha Larkina.

– A gdy jemu wypływają flaki, ty...

I odskoczyła od ciosu czymś, co wyglądało jak bardzo duża niedźwiedzia łapa.

– Kurczę. – Oparła berdysz o ziemię i położyła dłonie na rękojeści. Tylko ramię Larkina zmieniło kształt.

– Tak też potrafisz? Zmieniać tylko kawałek ciała?

– Jeśli chcę.

– Założę się, że dziewczyny w domu nie dają ci spokoju.

Larkin wybuchnął serdecznym śmiechem.

– Pewnie, że nie. Ale nie z tego powodu, co myślisz. Do tego rodzaju sportu wolę pozostawać we własnej postaci.

– Nie wątpię. Skończyłam z Larkinem, teraz chcę popracować chwilę z Małą.

– Nie nazywaj mnie tak – warknęła Moira.

– Wyluzuj. Nie miałam nic złego na myśli.

– King tak ją nazywał – wyjaśniła Glenna cicho.

Moira otworzyła usta i potrząsnęła głową.

– Przepraszam. To było nieuprzejme z mojej strony.

– Słuchaj, jeszcze nieraz wkurzymy siebie nawzajem, zanim to się skończy. Niełatwo mnie zranić – dosłownie i w przenośni. Musisz trochę stwardnieć. Dwukilowe ciężarki. Będziesz wypasiona, jak z tobą skończę.

Moira zmrużyła oczy.

– Może mi być przykro, że na ciebie warknęłam, ale to nie oznacza, że pozwolę ci się tuczyć.

– Nie, to takie wyrażenie. Oznacza... – Ale każde inne określenie, które przychodziło Blair do głowy, było równie niefortunne, więc zgięła ramię i napięła biceps.

– Ach. – W oczach Moiry zabłysło rozbawienie. – Pewnie, że bym chciała. W takim razie dobrze, możesz mnie wypaść.

Ćwiczyli przez cały ranek. W pewnej chwili Blair przerwała trening, żeby napić się wody, i kiwnęła głową do Glenny.

– Nieźle ci idzie. Lekcje baletu?

– Osiem lat. Nigdy nie sądziłam, że będę robiła piruety z berdyszem, ale życie jest pełne niespodzianek.

– Potrafisz zrobić potrójny obrót?

– Jeszcze nie.

– Popatrz. – Z butelką w ręku Blair obróciła się trzy razy wokół własnej osi i wyrzuciła nogę wysoko w bok. – Taki piruet daje niezłą siłę rozpędu do kopnięcia. Trzeba siły, żeby przewrócić te bestie. Ćwicz. Masz to w sobie. A zatem. – Wypiła kolejny łyk. – Gdzie pan młody?

– Hoyt? W wieży. Musi coś zrobić. To równie ważne jak to, czym my się zajmujemy, Blair – dodała, gdy wyczuła dezaprobatę.

– Może. No dobrze, może i tak. Jeśli zrobicie więcej takich cudów jak płonący miecz.

– Zaczarowaliśmy już trochę broni. – Przeszła na drugą stronę pokoju i przyniosła inny miecz. – Te zaczarowane oznaczyliśmy. Widzisz?

Na ostrzu, blisko rękojeści, był wyryty płomień.

– Ładny, naprawdę. Mogę spróbować?

– Lepiej zróbmy to na zewnątrz.

– Dobra myśl. I tak mieliśmy zrobić sobie godzinną przerwę. Zjedzcie coś. Po lunchu kusze i łuki, chłopcy i dziewczęta.

– Pójdę z tobą – powiedziała Glenna. – Na wszelki wypadek.

Blair wyszła na taras i zeszła na trawę. Popatrzyła na słomianą kukłę, którą Larkin powiesił na słupie. Trzeba chłopakowi przyznać, pomyślała, że ma poczucie humoru. Na materiałowej twarzy namalował kły, a na piersi jasnoczerwone serce.

Zabawnie byłoby wypróbować na kukle płonący miecz, ale straciliby dobry materiał do ćwiczeń. Nie warto palić lalki Wampirki.

Stanęła w pozycji bojowej, ściskając w dłoni miecz.

– Ważne jest, żebyś kontrolowała ogień – zaczęła Glenna – wzniecała go tylko wtedy, gdy naprawdę go potrzebujesz. Jeśli będziesz machała płonącym mieczem, możesz poparzyć i siebie, i nas.

– Nie martw się.

Glenna zaczęła jeszcze coś mówić i wzruszyła ramionami. Tu Blair nie mogła nikogo skrzywdzić.

Patrzyła, jak tamta zaczęła się poruszać, powoli, płynnie jak woda, a miecz był przedłużeniem jej dłoni. Tak, to rodzaj baletu, pomyślała, śmiertelnego, ale równie czarującego. Ostrze zabłysło, gdy padł na nie promień słońca, lecz pozostało chłodne. Akurat gdy Glenna uznała, że Blair potrzebuje instrukcji, tamta zadała cios mieczem i ostrze buchnęło płomieniem.

– I jesteś grzanką. Boże, uwielbiam tę broń. Zrobisz mi to z moimi własnymi mieczami?

– Oczywiście. – Glenna uniosła brwi, gdy Blair machnęła ostrzem w powietrzu i ogień zgasł. – Szybko się uczysz.

– Tak, to prawda. – Zmarszczyła brwi, patrząc w niebo. – Na zachodzie gromadzą się chmury. Chyba będzie deszcz.

– Dobrze, że nie zaplanowałam ślubu w ogrodzie.

– Dobrze. Chodźmy coś zjeść.

Hoyt zszedł na dół dopiero późnym popołudniem, gdy Glenna już postanowiła zrobić sobie przerwę. Nie chciała rzucić tylko szybkiego czaru, by wyglądać jak najlepiej, postanowiła trochę się porozpieszczać.

I potrzebowała kwiatów na wianek i do bukietu. Zrobiła krem z ziół i nałożyła go obficie na twarz, spoglądając w niebo przez okno sypialni.

Chmury nadpływały coraz bliżej. Jeśli ma zamiar pójść po kwiaty, to musi je zebrać, zanim zniknie słońce i zacznie padać. Ale gdy otworzyła drzwi, żeby wyskoczyć do ogrodu, po drugiej stronie progu stali Moira i Larkin. Chłopak sapnął i oczy mu się rozszerzyły ze zdumienia na widok zielonej mazi na twarzy Glenny.

– To damska sprawa, musisz się przyzwyczaić. Jestem spóźniona, jeszcze nie mam kwiatów.

– My... Cóż. – Moira wyciągnęła rękę zza pleców i podała Glennie wianek z białych róż poprzetykanych czerwoną wstążką. – Mam nadzieję, że właśnie taki chciałaś. Wiem, że według tradycji na związaniu dłoni musi być coś czerwonego. Larkin i ja chcieliśmy ci coś dać, a tak naprawdę nic nie mamy, więc upletliśmy to. Ale jeśli wolisz...

– Och, jest idealny. Naprawdę śliczny. Dziękuję wam! – Uściskała z całych sił Moirę i posłała Larkinowi promienny uśmiech.

– Pomyślałem, że nic by się nie stało, gdybym cię teraz pocałował – zaczął – ale akurat w tej chwili...

– Nie martw się. Później cię złapię.

– Jest jeszcze to. – Wręczył jej bukiet różnokolorowych róż związanych identyczną czerwoną wstążką. – Moira mówi, że to do ręki.

– Och Boże, to takie wzruszające. – Łzy wyżłobiły rowki w kremie. – Myślałam, że będzie mi trudno bez krewnych, a jednak mam tu rodzinę. Dziękuję. Dziękuję wam obojgu.

Wzięła kąpiel, spryskała perfumami włosy, wtarła w ciało kremy i balsamy. W pokoju płonęły białe świece, gdy odprawiała kobiecy rytuał przygotowania dla mężczyzny. Do ślubu i do nocy poślubnej.

Włożyła już w szlafrok i właśnie pogładziła delikatnie suknię, która wisiała na drzwiach szafy, gdy ktoś zapukał do drzwi.

– Proszę, chyba że jesteś Hoytem.

– Nie jesteśmy. – Blair weszła do środka, trzymając wiaderko z butelką szampana. Za nią Moira niosła trzy kieliszki.

– Pozdrowienia od naszego gospodarza – powiedziała Blair. – Muszę przyznać, że jak na wampira ma klasę. To pierwszorzędne bąbelki.

– Cian przysłał szampana?

– Tak. I zamierzam strzelić korkiem, zanim cię wystroimy.

– Mój wieczór panieński. Och, powinnyście mieć suknie. Dlaczego o tym nie pomyślałam?

– Nie przejmuj się, dziś wieczorem to ty jesteś najważniejsza.

– Nigdy nie piłam szampana. Blair mówi, że będzie mi smakował.

– Gwarantuję. – Blair puściła do Moiry oko i otworzyła butelkę. – Och, mam coś dla ciebie. To nic wielkiego, sądząc po twoim stylu zakupów w Internecie, ale i tak. – Wyłowiła z kieszeni mały przedmiot. – Nie miałam też pudełka.

Położyła broszkę na otwartej dłoni Glenny.

– To *claddaugh**. Tradycyjny irlandzki symbol przyjaźni, miłości i lojalności. Kupiłabym toster albo miskę do sałatek, ale nie miałam zbyt wiele czasu. I nie dałaś nam listy prezentów.

Kolejny krąg, pomyślała Glenna. I jeszcze jeden znak.

– Jest piękna. Dziękuję. – Odwróciła się i przypięła broszkę do wstążki przy bukiecie. – Teraz będę miała oba wasze prezenty.

– Uwielbiam sentymenty. Zwłaszcza przy szampanie. – Blair napełniła kieliszki. – Za pannę młodą!

– I jej szczęście! – dodała Moira.

* *Claddaugh* – symbol, noszony przez Irlandczyków na całym świecie, przedstawia dwie dłonie obejmujące serce zwieńczone koroną.

– I za ciągłość, którą symbolizuje dzisiejsza ceremonia. Za obietnicę przyszłości. Powiem teraz wszystkie łzawe kawałki, zanim zrobię sobie makijaż.

– Dobry plan – uznała Blair.

– Wiem, że to, co znalazłam z Hoytem, jest właściwe i moje. Wiem, że to, co obiecamy sobie dziś wieczór, jest właściwe i nasze wspólne. Chcę, żebyście wiedziały, jak wiele to dla mnie znaczy, że mogę z wami dzielić te chwile.

Stuknęły się kieliszkami, wypiły. Moira zamknęła oczy.

– Blair miała rację. Smakuje mi.

– A nie mówiłam? No dobra, Moira, ubierzmy pannę młodą.

Na zewnątrz padał deszcz i snuła się mgła, ale dom był pełen światła świec i zapachu kwiatów.

Glenna stanęła przed lustrem.

– I jak?

– Wyglądasz jak z bajki – powiedziała Moira. – Jak bogini z bajki.

– Kolana mi się trzęsą. Założę się, że boginiom nie drżą kolana.

– Zrób kilka głębokich oddechów. Zejdziemy na dół i sprawdzimy, czy wszystko gotowe, w tym nasz szczęściarz. Na twój widok spadną mu skarpetki.

– A dlaczego miałyby...

– Wiesz, kotku – powiedziała Blair do Moiry, gdy ruszyły do drzwi. – Traktujesz wszystko zbyt dosłownie. Zacznij studiować współczesny slang, jak tak siedzisz zakopana po uszy w tych książkach. – Otworzyła drzwi i stanęła jak wryta, ujrzawszy za nimi Ciana. – To terytorium dziewcząt.

– Chciałbym porozmawiać z... przyszłą szwagierką.

– W porządku, dziewczyny. Cian, proszę, wejdź.

Przeszedł przez próg, posłał Blair łagodne spojrzenie i zamknął jej drzwi przed nosem, po czym odwrócił się i wbił wzrok w Glennę.

– Proszę, proszę, cóż za widok. Doprawdy, mój brat ma wyjątkowe szczęście.

– Pewnie myślisz, że to głupie.

– Mylisz się. Uważam to za wybitnie ludzkie, ale nie głupie. Choć wiele z ludzkich zachowań uznaję za niemądre.

– Kocham twojego brata.

– Wiem, nawet ślepiec by to zauważył.

– Dziękuję za szampana, że o tym pomyślałeś.

– Cała przyjemność po mojej stronie. Hoyt na ciebie czeka.

– O kurczę. – Przycisnęła dłoń do rozedrganego serca. – Mam nadzieję.

Cian uśmiechnął się i podszedł bliżej.

– Mam coś dla ciebie. Prezent ślubny. Pomyślałem, że dam go tobie, skoro, jak rozumiem, teraz ty będziesz się zajmowała papierkową robotą.

– Papierkową robotą?

Wręczył jej cienki skórzany pugilares. Glenna otworzyła go i popatrzyła na Ciana ze zdumieniem.

– Nie rozumiem.

– To chyba całkiem jasne. To jest akt własności domu i ziemi. Należy do was.

– Och, ale my nie możemy. Kiedy Hoyt pytał, czy możemy zostać, miał tylko na myśli...

– Glenno, robię wielki gest raz na parę dekad, kiedy przyjdzie mi taka fantazja. Weź, skoro daję. Ten dom znaczy więcej dla Hoyta, niż kiedykolwiek będzie znaczył dla mnie.

Poczuła wzbierające łzy i musiała chwilę odczekać, zanim mogła mówić.

– Twój gest znaczy dla mnie tak wiele, a dla Hoyta będzie znaczył jeszcze więcej. Wolałabym, żebyś sam mu to dał.

– Weź to – powiedział tylko i odwrócił się do drzwi.

– Cian. – Glenna odłożyła pugilares i wzięła do ręki bukiet. – Czy poprowadzisz mnie do ołtarza? Zaprowadzisz mnie do Hoyta?

Zawahał się, po czym otworzył drzwi i wyciągnął do niej dłoń.

Gdy zaczęli schodzić ze schodów, usłyszeli muzykę.

– Twoje druhny się postarały. Spodziewałem się tego po małej królewnie, jest bardzo sentymentalna, ale łowczyni mnie zaskoczyła.

– Czy ja się trzęsę? Czuję się, jakbym drżała.

– Nie. – Podał jej ramię. – Jesteś niewzruszona jak skała.

I kiedy weszła do pokoju rozjaśnionego światłem świec, gdy zobaczyła Hoyta stojącego przy ogniu, poczuła się pewna jak skała.

Spotkali się na środku.

– Czekałem na ciebie – wyszeptał Hoyt.

– A ja na ciebie.

Ujęła go za rękę i rozejrzała się po wnętrzu, zgodnie z tradycją wypełnionym kwiatami. Na środku był namalowany krąg. Wszystkie świece płonęły oprócz dwóch, które sami mieli zapalić podczas ceremonii. Na stole, służącym za ołtarz, leżała wierzbowa gałązka.

– Zrobiłem ją dla ciebie. – Hoyt pokazał Glennie bogato grawerowaną srebrną obrączkę.

– Jeden umysł – powiedziała i zdjęła z kciuka tę, którą zrobiła dla niego.

Wzięli się za ręce i podeszli do ołtarza. Dotknęli palcami świec, wzniecili płomień. Wsunęli obrączki na wierzbową gałązkę i zwrócili się twarzami do siebie.

– Prosimy was, byście zostali świadkami tego świętego rytuału – zaczął Hoyt.

– Abyście stali się naszą rodziną, tak jak my się stajemy.

– Niech to miejsce uświęcą bogowie. Zebraliśmy się tutaj w rytuale miłości.

– Mieszkańcy Powietrza, bądźcie tu z nami i swymi zręcznymi palcami zawiążcie mocno węzeł między nami. – Glenna patrzyła Hoytowi w oczy, mówiąc te słowa.

– Mieszkańcy Ognia, bądźcie tu z nami...

Prosili też mieszkańców Wody i Ziemi, błogosławioną boginię i uśmiechniętego boga. Twarz Glenny jaśniała, gdy wypowiadali te słowa, gdy zapalali kadzidło i czerwone świece. Wypili po łyku wina, rozsypali sól.

Trzymali razem gałązkę z błyszczącymi na niej obrączkami, a światło w pokoju stawało się coraz jaśniejsze i cieplejsze.

– Chcę stać się jednością z tym mężczyzną. – Zsunęła obrączkę z gałązki i włożyła mu na palec.

– Chcę stać się jednością z tą kobietą. – Powtórzył jej gest.

Wzięli z ołtarza sznur i przewiązali nim połączone dłonie.

– Węzeł jest zawiązany – powiedzieli razem. – Bogini i bóg, i przodkowie...

Wrzask zza okna rozdarł ciszę niczym wrzucony przez szybę kamień.

Blair podskoczyła do okna i odsunęła zasłonę. Nawet ona sapnęła, gdy po drugiej stronie szyby, zaledwie parę centymetrów od siebie, zobaczyła twarz wampira. Ale nie ten widok ściął jej krew w żyłach, tylko to, co ujrzała za plecami potwora.

Popatrzyła przez ramię na pozostałych i powiedziała:

– Och, ty w mordę.

Było ich co najmniej pięćdziesiąt, a zapewne więcej ukrywało się między drzewami i wokół domu. Na trawie stały trzy klatki, z których właśnie wyciągano zakrwawionych i skutych kajdanami więźniów.

Glenna dopchnęła się do okna, żeby lepiej widzieć, i sięgnęła do tyłu po rękę Hoyta.

– Ta blondynka. To ona u nas była. Kiedy King...

– Lora – podpowiedział Cian. – Jedna z ulubienic Lilith. Miałem z nią kiedyś... pewien incydent. – Roześmiał się, gdy wampirzyca uniosła białą flagę.

– Jeśli w to uwierzycie, to mam parę kotów w workach, które chętnie wam sprzedam.

– Oni trzymają tam ludzi – zauważyła Moira. – Rannych.

– Broń... – zaczęła Blair.

– Lepiej poczekajmy i zobaczmy, jak najlepiej jej użyć. – Cian podszedł do drzwi wejściowych. Wiatr i deszcz wdarły się do środka, gdy je otworzył.

– Lora! – zawołał niemal konwersacyjnym tonem. – Jesteś przemoczona do suchej nitki! Zaprosiłbym cię z przyjaciółmi do środka, ale nie straciłem jeszcze rozumu i mam pewne zasady.

– Cian, kopę lat. Podobał ci się mój prezent? Nie miałam czasu, żeby go zapakować.

– Podpisujesz się pod dziełem Lilith? To naprawdę żałosne. Powiedz jej, że drogo za to zapłaci.

– Sam jej to powiedz. Ty i ludzie macie dziesięć minut, żeby się poddać.

– Och? Nawet dziesięć?

– Za dziesięć minut zabijemy pierwszego z nich. – Schwyciła jedną z zakładniczek za włosy. – Ładna, co? Ma tylko szesnaście lat. Jest wystarczająco duża, by wiedzieć, że spacery nocą po pustych drogach bywają niebezpieczne.

– Proszę. – Dziewczyna zaszlochała, a ślady na jej szyi wskazywały wyraźnie, że coś już posmakowało jej krwi. – Proszę, Boże.

– Oni zawsze wołają Boga. – Lora ze śmiechem popchnęła dziewczynę na mokrą trawę. – A On nigdy nie przychodzi. Dziesięć minut.

– Zamknij drzwi – poleciła cicho Blair zza jego pleców. – No dobrze, daj mi minutę. Muszę pomyśleć.

– I tak ich zabiją – powiedział Cian. – Są tylko przynętą.

– Nie o to chodzi – warknęła Glenna. – Musimy coś zrobić.

– Będziemy walczyć. – Larkin wyjął jeden z mieczy, które trzymali przy drzwiach w stojaku na parasole.

– Wstrzymaj konie – rozkazała Blair.

– Nie poddamy się, nie takim jak oni.

– Będziemy walczyć – poparł go Hoyt. – Ale nie na ich warunkach. Glenna, kajdany.

– Tak, z tym mogę sobie poradzić, jestem tego pewna.

– Potrzebujemy więcej broni. Jest na górze... – zaczął Hoyt.

– Powiedziałam, poczekajcie. – Blair schwyciła go za ramię. – Uczestniczyłeś w paru potyczkach z wampirami, ale to nie czyni cię ekspertem od walki z nimi. Nie ruszymy do ataku i nie pozwolimy, żeby posiekały nas jak kotlety. Zdejmiesz więźniom kajdany?

Glenna wzięła głęboki oddech.

– Tak.

– Dobrze. Moira, ty jesteś na górze z łukiem. Cian, one pewnie rozstawiły straże wokół domu. Wyjdź i zacznij je zabijać tak cicho, jak to tylko możliwe. Hoyt idzie z tobą.

– Poczekaj – zaprotestowała Glenna.

– Wiem, jak to rozegrać. Jesteś gotowa użyć berdysza?

– Chyba zaraz się przekonam.

– Weź go. Idź na górę z Moirą. One też mają łuczników, a w ciemności widzą dużo lepiej niż my. Larkin, ty i ja narobimy trochę hałasu. Moira, nie zaczynasz strzelać, dopóki nie dostaniesz sygnału.

– Jakiego sygnału?

– Będziesz wiedziała. Jeszcze jedna rzecz. Tych troje tam już praktycznie nie żyje, możemy jedynie coś udowodnić. Musicie przyjąć do wiadomości, że szanse na ich ocalenie są naprawdę nikłe.

– Trzeba spróbować – upierała się Moira.

– Tak, po to tu właśnie jesteśmy. Do roboty.

– Czy to jeden z twoich czarodziejskich mieczy? – zapytał Cian Hoyta, gdy zbliżali się do drzwi.

– Tak.

– To trzymaj go z daleka ode mnie. – Położył palec na ustach i otworzył drzwi. Przez chwilę nie było nic widać ani słychać oprócz deszczu. Cian zniknął w ciemności. Hoyt wyszedł za nim i zobaczył, jak brat złamał karki dwóm wampirom, a trzeciego pozbawił głowy.

– Twoje lewo – powiedział cicho.

Hoyt obrócił się i powitał bestię metalem i ogniem.

Na górze Glenna uklękła w środku kręgu, który zrobiła, i zaczęła recytować zaklęcia. Srebro na jej szyi i palcu błyszczało coraz jaśniej z każdym uderzeniem serca. Moira kucnęła przy otwartym oknie z kołczanem na plecach i łukiem w dłoni i obejrzała się na Glennę.

– Kajdany.

– Nie, to było na coś innego.

– Na co... Och. – Moira wbiła wzrok w ciemność, ale teraz, dzięki Glennie, widziała jak kot. – O tak, to naprawdę niezłe. Mają łuczników między drzewami. Widzę tylko sześciu. Sześciu zdejmę bez trudu.

– Nie wychylaj się na zewnątrz, dopóki nie skończę. – Glenna starała się oczyścić umysł, uspokoić serce i skupić się na magii.

Nagle z ciemności, jak anioł zemsty, wybiegł złoty koń. A jeździec na jego grzbiecie siał śmierć.

Larkin galopował, a Blair machała pochodnią, którą podpaliła trzy wampiry. Stanęły w ogniu, a od płomieni zajęły się dwa inne. Rzuciła pochodnię przed siebie, siejąc zniszczenie, i wyciągnęła płonący miecz.

– Teraz, Glenna! – Moira wypuściła pierwszą strzałę. – To był sygnał!

– Tak. Mam to, mam to! – Złapała topór i szpadę i wybiegła.

Strzały Moiry świstały w powietrzu, gdy obie wybiegły na deszcz, a czekające tam potwory ruszyły do ataku.

Glenna nie myślała, tylko działała, tylko czuła. Rozpoczęła taniec życia i śmierci, uderzała, blokowała, cięła płonącymi ostrzami.

Zewsząd rozlegały się potworne krzyki. Ludzi, wampirów, skąd mogła wiedzieć? Czuła zapach krwi, czuła jej smak, wiedziała, że to też jej własna. Serce jej waliło w piersi jak wojenny bęben, tak że ledwo zauważyła strzałę, która śmignęła jej koło ucha, gdy zaatakowała ognistym mieczem to, co na nią skoczyło.

– Trafiły Larkina! Zraniły go! – krzyknęła Moira.

Glenna zobaczyła strzałę w przedniej nodze konia. Ale wciąż pędził jak demon z siejącą śmierć Blair na grzbiecie.

Wtedy dostrzegła Hoyta walczącego desperacko o ocalenie jednego z więźniów.

– Muszę mu pomóc. Moira, ich jest za dużo.

– Idź. Ja mam broń. Obiecuję ci, że zaraz wyrównam siły.

Glenna zaatakowała, wrzeszcząc, by odwrócić uwagę napastników od Hoyta i Ciana.

Miała wrażenie, że wszystko zlewa się w jeden szaleńczy wiatr, który ją wypełnia, ale widziała każdy szczegół z zadziwiającą ostrością: twarze, dźwięki, zapachy, krople ciepłej krwi i zimnego deszczu na skórze. Czerwone oczy, przepełnione potwornym głodem, i straszliwy błysk i wrzask, gdy potwory ginęły w płomieniach.

Widziała, jak Cian łamie końcówkę strzały, która utknęła mu w udzie, i wbija ją w serce wroga. Widziała obrączkę, którą włożyła na palec Hoyta, płonącą żywym ogniem, gdy zabił dwa potwory jednym ciosem.

– Zabierz ich do środka! – zawołał do niej. – Spróbuj wziąć ich do środka.

Przeturlała się po mokrej trawie w stronę dziewczyny, którą torturowała Lora. Oczekiwała, że znajdzie ją martwą, lecz zamiast tego zobaczyła wyszczerzone w uśmiechu kły.

– O Boże.

– Nie słyszałaś, co mówiła? On nie przychodzi.

Dziewczyna zaatakowała, przewracając Glennę na plecy, i odrzuciła głowę, szykując się do ukąszenia. Miecz Blair przeciął jej szyję jednym ciosem.

– Żebyś się nie zdziwiła – odpowiedziała martwej już napastniczce Glenna.

– Do środka! – krzyknęła Blair. – Wracamy. Pokazaliśmy, na co nas stać.

– Pochyliła się i pomogła Glennie wskoczyć na konia.

Zeszli z pola walki w blasku płomieni, pokryci popiołem.

– Ile zabiliśmy? – zapytał Larkin, upadając. Z nogi leciała mu krew, która szybko utworzyła na podłodze kałużę.

– Co najmniej trzydzieści – cholernie dobry wynik. Rozwijasz niezłą prędkość, Złoty Chłopcze. – Blair popatrzyła mu prosto w oczy. – Zraniły cię.

– Nie jest tak źle, tylko... – Nie krzyknął, gdy wyrwała mu strzałę, nie starczyło mu oddechu. Gdy go odzyskał, zaczął kląć jak szewc.

– Ty następny – powiedziała do Ciana, wskazując głową złamaną strzałę, która sterczała mu z uda, on jednak po prostu sięgnął i sam wyjął ostrze.

– Ale dzięki za troskę – odrzekł.

– Pójdę po leki. Ty też krwawisz – powiedziała Glenna do Blair.

– Wszyscy jesteśmy trochę poturbowani. Ale żyjemy. No cóż – posłała Cianowi łobuzerski uśmiech – większość z nas.

– To cię nigdy nie męczy, co? – zapytał Cian i poszedł po brandy.

– Ci w klatkach to nie byli ludzie. – Moira trzymała się za ramię w miejscu, gdzie drasnęła ją strzała.

– Nie. Nie mogłam stąd tego wyczuć, było ich zbyt wiele, żebym odróżniła zapachy. To było sprytne. – Blair skinęła głową z ponurym uznaniem. – Wyciągnęła nas z domu, a sama nie straciła posiłku. Suka ma pomyślunek.

– Nie zabiliśmy Lory. – Wciąż dysząc, Hoyt usiadł na podłodze. Miał zraniony bok i ramię. – Widziałem ją, gdy wracaliśmy. Nie dopadliśmy jej!

– Ona będzie moja. Bardzo wyjątkowa przyjaciółka. – Blair zacisnęła usta, gdy Cian zaproponował jej brandy. – Dzięki.

Stojąca w środku na drżących kolanach Glenna przejęła dowodzenie.

– Blair, zdejmij Larkinowi tunikę. Muszę zobaczyć ranę. Moira, jak twoje ramię?

– To tylko zadrapanie.

– W takim razie przynieś z góry koce i ręczniki. Hoyt. – Glenna uklękła obok niego, ujęła jego dłonie i ukryła w nich twarz. Miała ogromną ochotę się rozpłakać, ale to nie był ani dobry czas, ani miejsce. Jeszcze nie. – Czułam przy sobie twoją obecność. Przez cały czas.

– Wiem. Ty też byłaś ze mną, *a ghrá*. – Uniósł głowę Glenny i pocałował ją w usta.

– Nie bałam się, nie wtedy, gdy to się działo. Dopiero jak dotarłam do tej młodej dziewczyny i zobaczyłam, czym ona jest. Nie mogłam się ruszyć.

– To koniec. Na dziś to już koniec. I udowodniliśmy, że jesteśmy godnymi przeciwnikami. – Pocałował ją jeszcze raz, długo, namiętnie. – Byłaś wspaniała.

Położyła dłoń na ranie w jego boku.

– Powiedziałabym, że wszyscy byliśmy. I udowodniliśmy coś więcej niż tylko to, że potrafimy się bronić. Teraz jesteśmy drużyną.

– Krąg się zamknął.

Westchnęła ciężko.

– Cóż, nie takiej uroczystości ślubnej oczekiwałam. – Próbowała się uśmiechnąć. – Ale przynajmniej zostaliśmy... Nie, cholera, nie zostaliśmy. – Odrzuciła mokre włosy. – Nie pozwolę, żeby te potwory nam to zepsuły. – Złapała go za rękę, akurat gdy Moira wbiegła z naręczem koców i ręczników. – Czy wszyscy słuchacie? Wciąż jesteście świadkami.

– Słuchamy – odpowiedziała Blair, oczyszczając ranę Larkina.

– Masz krew na głowie. – Cian podał Moirze wilgotną ścierkę. – Kontynuuj – zachęcił Glennę.

– Ale, Glenna, twoja suknia.

Glenna tylko się uśmiechnęła.

– To bez znaczenia. Tylko to jest ważne. – Splotła palce z palcami Hoya i popatrzyła mu prosto w oczy. – Bogini i bóg, i przodkowie...

Hoyt przyłączył się do niej.

– Są świadkami tego rytuału. Ogłaszamy, że jesteśmy mężem i żoną. – Ujął jej twarz w dłonie. – Będę cię kochał aż po kres naszych dni i jeszcze dłużej.

Teraz, pomyślała, krąg naprawdę się zamknął, jest mocny i jasny.

Światło pojaśniało i skąpało oboje w złotej poświacie, gdy ich usta spotkały się, niosąc nadzieję, obietnicę i miłość.

* * *

– I tak – zakończył starzec – po odprawieniu ceremonii zajęli się leczeniem ran. Wznieśli toast za miłość, tę prawdziwą magię, która zrodziła się z ciemności i śmierci. Deszcz padał, a w domu odważni wojownicy odpoczywali i gotowali się do następnej bitwy. – Usiadł wygodniej i podniósł kubek świeżej herbaty, którą sługa postawił przy fotelu. – Na dzisiaj dosyć tej historii.

Natychmiast nastąpiły gorące protesty, ale bajarz roześmiał się tylko i pokręcił głową.

– Dalej opowiem wam jutro, obiecuję, bo historia nie jest jeszcze skończona. Ale na razie wyszło słońce i wy też powinnyście wyjść. Nie słyszałyście na początku opowieści, że światło trzeba cenić? Idźcie. Jak skończę herbatę, wyjdę, żeby na was popatrzeć.

Gdy został sam, pił herbatę i patrzył w ogień. Myślał o historii, którą opowie jutro.

Słowniczek irlandzkich słów,
postaci i miejsc

a chroi [a-RI] – w jęz. celtyckim wyraz czułości, „moje serce", „ukochana mojego serca", „najdroższa"

a ghrá [a-GRA] – w jęz. celtyckim wyraz czułości, „ukochana", „najdroższa"

a stór [a-STOR] – w jęz. celtyckim wyraz czułości, „ukochana", „najdroższa"

Aideen [Aj-DIN] – młodsza kuzynka Moiry

Alice McKenna –współczesna kuzynka Ciana i Hoyta Mac Cionaoith

An Clar [An-KLAR] – współczesne hrabstwo Clare

Blair Nola Bridgit Murphy – jedna z kręgu sześciu, „wojownik", łowczyni demonów, daleka prawnuczka Noli Mac Cionaoith (młodszej siostry Ciana i Hoyta)

Brygidy Studnia – cmentarz w hrabstwie Clare, nazwany dla uczczenia świętej Brygidy

Burren – obszar wapienny w hrabstwie Clare znany z jaskini i podziemnych strumieni

cara (karu) – w jęz. celtyckim „przyjaciel", „krewny"

Ceara – jedna z kobiet z wioski

Cian [KI-an] – Mac Cionaoith/McKenna. Bliźniak Hoyta, wampir, lord Oiche, jeden z kręgu sześciu, „ten, który został stracony"

Cirio – ludzki kochanek Lilith

ciunas [KIUN-as] – w jęz. celtyckim „cisza". Bitwa odbędzie się w Dolinie Ciunas – w Dolinie Ciszy

claddaugh – celtycki symbol miłości, przyjaźni i lojalności

Conn – szczeniak Larkina

Davey – „syn" Lilith, królowej wampirów, dziecko-wampir

Deirdre [DAIR-dra] Riddock – matka Larkina

Dervil – jedna z kobiet z wioski

Eire [AJ-re] – celtycka nazwa Irlandii

Eogan [O-en] – mąż Ceary

Eoin [OAN] – szwagier Hoyta

fàilte à Geall [FOL-cze a GY-al] – celtyckie „witajcie w Geallii"

Fearghus [FER-gus] – szwagier Hoyta

Gaillimh [GALL-yuv] – dzisiejsze Galway, stolica zachodniej Irlandii

Geall [GY-al] – w jęz. celtyckim „obietnica", kraina, z której pochodzą Moira i Larkin i którą Moira ma kiedyś władać

Glenna Ward – jedna z kręgu sześciu, „czarownica", mieszka we współczesnym Nowym Jorku

Hoyt Mac Cionaoith/McKenna [mak KI-ni] – jeden z kręgu sześciu, „czarnoksiężnik"

Isleen [Is-LIN] – sługa w Zamku Geall

Jarl (Yarl) – stworzyciel Lilith, wampir, który uczynił z niej demona

Jeremy Hilton – były narzeczony Blair Murphy

King – najlepszy przyjaciel Ciana, menedżer klubu Wieczność

Klify Mohr – nazwa nadana ruinom fortów w południowej Irlandii na skale niedaleko Hag's Head

książę Riddlock – ojciec Riddlocka, wuj Moiry ze strony matki, p.o. króla Geallii

Larkin Riddock – należący do kręgu sześciu, „jeden o wielu kształtach", kuzyn Moiry, królowej Geallii

Lilith – królowa wampirów alias królowa demonów; dowodzi wojną przeciwko ludzkości, stworzyła Ciana, przemieniła go w wampira

Lora – wampirzyca, kochanka Lilith

Lucius – wampir, kochanek Lory

Malvin – wieśniak, żołnierz armii Geallii

Manhattan – dzielnica Nowego Jorku, w której mieszkają Cian McKenna i Glenna Ward

mathair (maahir) – w jęz. celtyckim „matka"

Michael Thomas McKenna – potomek rodu Mac Cionaoith

Mick Murphy – młodszy brat Blair Murphy

Midir (mi-DIR) – wampir-czarownik, sługa Lilith, królowej wampirów

miurnin (miurneach [mornuk]) – w jęz. celtyckim wyraz czułości, „kochanie"

Moira [MUA-ra] – jedna z kręgu sześciu, „uczona", księżniczka, przyszła królowa Geallii

Morrigan [Mo-ri-gan] – bogini walki

Niall [Nil] – wojownik w armii Geallii

Nola Mac Cionaoith – najmłodsza siostra Hoyta i Ciana

ogham [ä-gem] – irlandzki alfabet z piątego/szóstego wieku

oiche [I-he] – w jęz. celtyckim „noc"

Oran [O-ren] – najmłodszy syn Riddlocków, młodszy brat Larkina

Phelan [FA-len] – szwagier Larkina

Region Chiarrai [ki-U-ri] – obecnie Kerry, położone na najdalszym, południowo-zachodnim krańcu Irlandii, czasem nazywane królestwem

Samhain [SAM-en] – koniec lata (celtyckie święto). Bitwa ma się odbyć w święto Samhain obchodzone z okazji końca lata

Sean Murphy (Shawn) – ojciec Blair Murphy, łowca wampirów

sláinte [slaun-cze] – w jęz. celtyckim „na zdrowie!"

slán agat [slan u-gut] – w jęz. celtyckim „do widzenia", mówi osoba wychodząca do tej, która pozostaje

slán leat [slan ly-at] – w jęz. celtyckim „do widzenia", mówi osoba, która pozostaje, do wychodzącej

Taniec Bogów – miejsce, w którym krąg sześciu przechodzi ze świata realnego do baśniowego świata Geallii

Tatha de Danaan [TU-aha dai DON-nan] – walijscy bogowie

Tynan [Ti-nin] – strażnik Zamku Geall

Vlad – koń Ciana

Wieczność – nazwa nocnego klubu Ciana w Nowym Jorku

Wodospad Elfów – wymyślone miejsce w Irlandii